Emergência

COLEÇÃO INTERFACE
Direção: Paulo Vaz

Emergência
A dinâmica de rede em formigas, cérebros, cidades e softwares
Steven Johnson

A galáxia da Internet
Reflexões sobre a Internet, os negócios e a sociedade
Manuel Castells

Uma história social da mídia
De Gutemberg à Internet
Asa Briggs e Peter Burke

Steven Johnson

Emergência

A dinâmica de rede em formigas, cérebros, cidades e softwares

Tradução:
MARIA CARMELITA PÁDUA DIAS

Revisão Técnica:
PAULO VAZ
ECO/UFRJ

ZAHAR

ão autorizada da primeira edição norte-americana publicada em 2001 por Scribner,
va York, EUA

original
ence: The Connected Lives of Ants, Brains, Cities and Software

asil. Catalogação na fonte
ato Nacional dos Editores de Livros, RJ

Johnson, Steven
Emergência: a dinâmica de rede em formigas, cérebros, cidades e softwares / Steven Johnson; tradução de Maria Carmelita Pádua Dias; revisão técnica de Paulo Vaz. — 1ª ed. — Rio de Janeiro: Zahar, 2011.
(Interface)

Tradução de: Emergence: The Connected Lives of Ants, Brains, Cities and Software.
Inclui bibliografia
ISBN 978-85-7110-739-7

1. Sistemas auto-organizáveis. 2. Engenharia de sistemas. I. Título.

CDD: 003.7
3 CDU: 004.89

RA SCHWARCZ S.A.
Floriano, 19, sala 3001 — Cinelândia
050 — Rio de Janeiro — RJ
ne: (21) 3993-7510

Sumário

Nota à edição brasileira

Considerando que a maioria dos termos técnicos do universo da informática provém do inglês — grande parte sendo imediatamente assimilada à nossa língua, e estando inclusive dicionarizada —, optou-se nesta edição por mantê-los sem destaque, ou seja, sem uso de itálicos. Optou-se, além disso, pelo uso dos termos mais correntes e já adotados, independentemente de já contarem com uma tradução ou de terem se mantido em inglês.

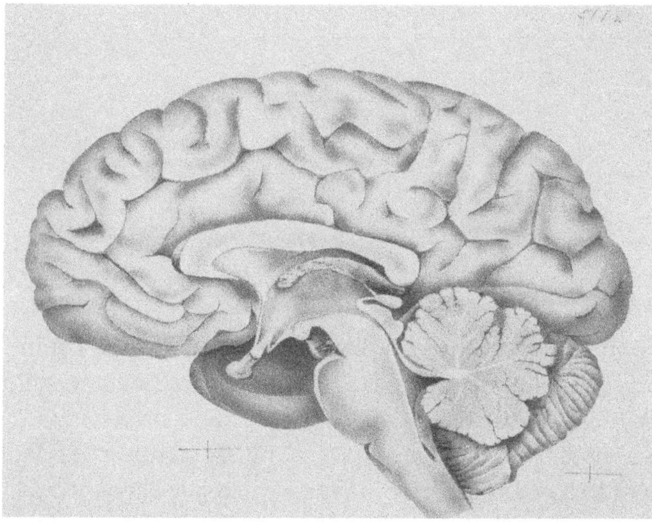

Diagrama do cérebro humano (*Cortesia de Mittermeier*)

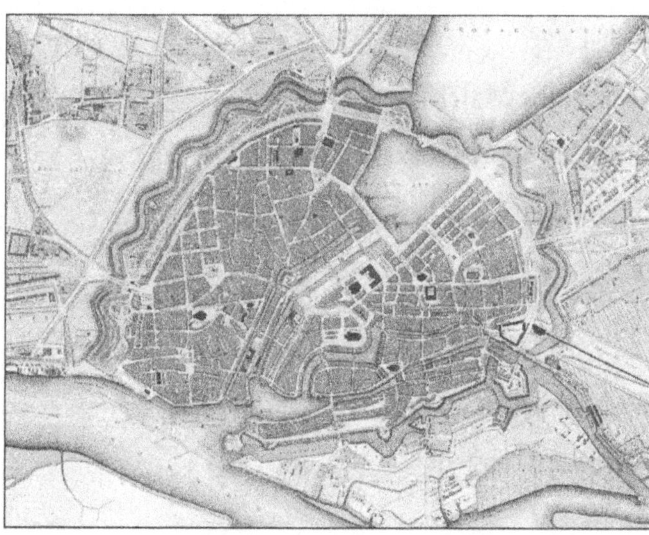

Mapa de Hamburgo, c.1850
(*Cortesia de Princeton Architectural Press*)

Acima de tudo, precisamos preservar a absoluta imprevisibilidade e a total improbabilidade de nossas mentes conectadas. Desta forma podemos manter abertas todas as opções, como no passado.

Seria bom ter melhores meios de monitorar o que está adiante de nós, de modo a reconhecer a mudança antes que ela ocorra... Talvez os computadores possam ser usados para ajudar nisso, embora eu duvide. Você pode fazer modelos simulados de cidades, mas o que se aprende é que eles parecem ficar além do alcance da inteligência analítica... Isso é interessante, uma vez que a cidade é a maior concentração de seres humanos, todos eles exercendo todo tipo de influência. A cidade parece ter uma vida própria. Se não conseguimos compreender como isso funciona, provavelmente não iremos muito longe na compreensão da sociedade humana em geral.

Ainda assim, você imagina que deve haver algum meio. A grande massa de mentes humanas sobre o nosso planeta, como um conjunto, parece comportar-se como um sistema vivo, coerente. O problema é que o fluxo de informação na maioria das vezes é de mão única. Todos nós estamos obcecados pela necessidade de alimentar a informação, tão rapidamente quanto possível, mas não descobrimos mecanismos que nos dêem muita coisa em troca. Confesso que sei tanto sobre o que se passa na mente humana quanto sobre o que se passa na mente de uma formiga. Aliás, este talvez seja um bom lugar para se começar.

— LEWIS THOMAS, 1973

INTRODUÇÃO

Todos por um

Em agosto de 2000, um cientista japonês chamado Toshiyuki Nakagaki anunciou que havia treinado um organismo semelhante a uma ameba, denominado *Dictyostelium discoideum*, a encontrar o caminho mais fácil dentro de um labirinto. Nakagaki colocou o organismo num pequeno labirinto que continha quatro rotas possíveis e pôs alimento em duas saídas. Apesar de ser um organismo bastante primitivo (parente próximo dos fungos), sem qualquer tipo de centralização cerebral, o *discoideum* conseguiu descobrir o caminho mais eficiente para atingir o alimento, esticando o corpo pelo labirinto de modo a conectar-se diretamente com as duas fontes de alimento. Sem quaisquer recursos cognitivos aparentes, ele conseguiu "resolver" o quebra-cabeça do labirinto.

Para um organismo tão simples, o *discoideum* tem uma bibliografia notável. O relato de Nakagaki, na verdade, foi o mais recente de uma longa cadeia de pesquisas sobre as sutilezas do comportamento do *discoideum.* Aos olhos dos cientistas empenhados em entender sistemas que usam componentes relativamente simples para construir inteligência de nível mais alto, o *discoideum* poderá se tornar algum dia o equivalente dos tentilhões e das tartarugas que Darwin observou no arquipélago de Galápagos.

De que forma um organismo tão primitivo veio a desempenhar um papel científico tão importante? Tudo começou no final da década de 1960, em Nova York, com uma cientista chamada Evelyn Fox Keller. Doutora em física pela Universidade de Harvard, Keller havia escrito uma tese sobre biologia molecular e passou algum tempo explorando o novo campo da "termodinâmica do não-equilíbrio", que mais tarde estaria associada com a teoria da complexidade. Em 1968 ela trabalhava como pesquisadora associada no Instituto Sloan Kettering em Manhattan, investigando a aplicação da matemática a problemas biológicos. Como a matemática já havia desempenhado um papel crucial para ampliar nosso conhecimento sobre a física, Keller imaginou que talvez pudesse ser útil também para a compreensão de sistemas vivos.

No segundo trimestre de 1968, Keller conheceu um pesquisador visitante chamado Lee Segel, que tinha os mesmos interesses que ela e trabalhava com matemática aplicada. Foi Segel quem primeiro lhe mostrou a conduta bizarra do *Dictyostelium discoideum*, e juntos começaram uma série de pesquisas que iriam contribuir para transformar a nossa compreensão não apenas da evolução biológica, mas também de mundos tão diversos como a ciência do cérebro, o design de software e os estudos urbanos.

Se você estiver lendo estas palavras durante o verão, em alguma região suburbana ou rural, é possível que um *Dictyostelium discoideum* esteja crescendo por perto. Em um dia seco e ensolarado, passeie no meio de um bosque normalmente fresco e úmido, ou caminhe sobre as folhas e cascas das árvores velhas do jardim, e verá, talvez, uma substância esquisita cobrindo alguns centímetros de madeira apodrecida. À primeira vista, a massa laranja-avermelhada sugere que o cachorro do vizinho comeu alguma coisa desagradável. Mas, se você observar o *Dictyostelium discoideum* durante vários dias — ou, melhor ainda, se fotografá-lo durante um espaço de tempo —, vai descobrir que ele se move pelo chão muito vagarosamente. Se as condições climáticas se tornarem mais úmidas e frias, você pode voltar ao mesmo lugar e verificar que a criatura simplesmente desapareceu. Será que ela se foi para algum outro lugar no bosque? Ou de alguma forma sumiu no ar, evaporou-se como uma poça d'água?

O que realmente aconteceu foi que o *Dictyostelium discoideum* fez algo ainda mais misterioso, um truque de biologia que vinha intrigando os cientistas há séculos, antes que Keller e Segel iniciassem sua parceria. O comportamento desse fungo era tão estranho que, para compreendê-lo, seria necessário pensar para além dos limites das disciplinas tradicionais — e talvez seja por isso que o mistério do *discoideum* foi desvendado pela intuição de uma bióloga molecular com doutorado em física. O fato é que nada desapareceu do jardim. O *discoideum* passa grande parte de sua vida como milhares de outras criaturas unicelulares, cada uma delas movendo-se separadamente das companheiras. Sob condições adequadas, essas miríades de células aglomeram-se novamente em um único organismo maior, que então começa seu passeio tranqüilo e rastejante pelo jardim, consumindo, no caminho, madeira e folhas apodrecidas. Quando o ambiente é mais hostil, o *discoideum* age como um organismo único; quando o clima refresca e existe uma oferta maior de alimento, "ele" se transforma em "eles". O *discoideum* oscila entre ser uma criatura única e uma multidão.

Embora as células desse organismo sejam relativamente simples, elas atraíram uma dose desproporcional de atenção de uma série de disciplinas diferentes — embriologia, matemática, informática — porque mostram um exemplo realmente intrigante de comportamento de grupo coordenado. Qualquer pessoa que já tenha contemplado o grande mistério da fisiologia humana — como todas as minhas células conseguem funcionar tão bem juntas? — encontrará algo parecido no agregação do *Dictyostelium discoideum*. Se conseguirmos imaginar como ele consegue, então talvez possamos ter algum *insight* acerca de nosso próprio e desconcertante conjunto.

"Eu fazia parte do Departamento de Biomatemática do Sloan-Kettering — e era um departamento muito pequeno," diz Keller hoje, rindo. Embora o campo da biologia matemática fosse relativamente recente no final da década de 1960, contava com um precedente fascinante, ainda que enigmático: um ensaio, até então pouco conhecido, escrito pelo inglês Alan Turing, brilhante decifrador de códigos da Segunda Guerra Mundial que também ajudou a inventar o computador digital. Em um de seus últimos artigos, antes de sua morte em 1954, Turing havia estudado o mistério da "morfogênese" — a capacidade de todas as formas de vida de desenvolverem progressivamente corpos mais elaborados a partir de inícios incrivelmente simples. O artigo de Turing se concentrava mais nos padrões numéricos recorrentes das flores, mas demonstrava, usando ferramentas matemáticas, como um organismo complexo pode se juntar, sem que haja um líder para planejar e dar ordens.

"Eu estava pensando que a agregação do *Dictyostelium discoideum* poderia servir como um modelo para a evolução, e me deparei com o texto de Turing", diz Keller, hoje, em seu escritório no MIT. "E aí, pensei: bingo!"

Durante algum tempo, os pesquisadores achavam que as células do *discoideum* liberavam uma substância comum chamada acrasina (também conhecida como AMP cíclico), que, de algum modo, participava do processo de agregação. Porém, até Keller iniciar suas pesquisas, a crença geral era a de que as agregações do *discoideum* se formavam pelo comando de células líderes, que ordenavam que as outras células começassem a se agregar. Em 1962, B.M. Shafer, de Harvard, mostrou de que maneira os "líderes" podiam usar o AMP cíclico como um sinal para reunir a tropa; os generais "líderes" liberariam os compostos nos momentos apropriados, desencadeando ondas de AMP cíclico, o qual se espalhava por toda a comunidade, à medida que cada célula isolada transmitia o sinal para as vizinhas. A agregação do *Dictyostelium discoideum*, na verdade, era um gigantesco jogo de telefone sem fio —, mas apenas algumas células de elite faziam a chamada inicial.

Parecia uma explicação perfeitamente razoável. Nós estamos naturalmente predispostos a pensar em termos de líderes, quer falemos de fungos, sistemas políticos ou nossos próprios corpos. Nossas ações parecem ser governadas, na maior parte dos casos, por células-líderes em nossos cérebros e, durante milênios, fomentamos elaboradas células-líderes em nossas organizações sociais, seja na forma de reis ou ditadores, ou até de vereadores. A maior parte do mundo à nossa volta pode ser explicado em termos de hierarquias e sistemas de comando — por que seria diferente com o *Dictyostelium discoideum*?

Contudo, a teoria de Shafer tinha um pequeno problema: ninguém conseguia encontrar os tais líderes. Embora todos os observadores concordassem que as ondas de AMP cíclico de fato fluíam pela comunidade do *discoideum* antes da agregação, todas as células da colônia eram efetivamente intercambiáveis. Nenhuma possuía qualquer característica distintiva que fizesse dela um candidato a líder. A teoria de Shafer pressupunha a existência de uma monarquia celular regendo as massas, mas, no final das contas, todas as células de *Dictyostelium discoideum* eram criadas iguais.

Nos 20 anos que se seguiram à publicação do ensaio original de Shafer, os micologistas assumiram que a ausência de células-líderes era um sinal de dados insuficientes ou de experimentos mal projetados: os generais estavam ali no meio em algum lugar, imaginavam os pesquisadores — mas eles ainda não sabiam como eram seus uniformes. Keller e Segel, no entanto, preferiram outra abordagem, mais radical. O trabalho de Turing sobre morfogênese tinha delineado um modelo matemático em que agentes simples seguindo regras simples eram capazes de gerar estruturas surpreendentemente complexas; talvez a agregação do *Dictyostelium discoideum* fosse um exemplo desse comportamento no mundo real. Turing focalizara principalmente as interações entre células em um único organismo, mas era perfeitamente razoável supor que a matemática funcionaria para a agregação de células que flutuavam livremente. E então algumas perguntas vieram à mente de Keller: e se Shafer estivesse errado esse tempo todo? E se as células do *discoideum* se organizassem em comunidade por si próprias? E se não houvesse um líder?

O palpite de Keller e Segel se mostrou totalmente correto. Embora não dispusessem das avançadas ferramentas de visualização dos computadores atuais, os dois rabiscaram uma série de equações, equações que demonstraram como as células do *discoideum* podiam provocar a agregação sem seguir um líder, simplesmente alterando a quantidade de AMP que elas liberavam individualmente, e depois seguindo os rastros de feromônio que encontravam enquanto vagavam por seu meio ambiente. Se as células do *discoideum* bombeassem uma determinada quantidade de AMP cíclico, os agrupamentos começavam a se formar. No início, as células seguiam trilhas deixadas por outras células, criando um feedback positivo que estimularia mais células a se agregarem. Em um artigo publicado em 1969, Keller e Segel argumentaram que, se cada célula separada simplesmente liberasse AMP cíclico com base em sua própria avaliação local das condições gerais, então a comunidade maior poderia muito bem ser capaz de se agregar com base em mudanças globais no ambiente — tudo isso sem que uma célula líder tomasse a iniciativa.

"A reação foi muito interessante", diz Keller. "Para as pessoas que compreendiam matemática aplicada ou tinham alguma experiência com dinâmica de fluidos, não havia nenhuma novidade. Mas, para os biólogos, aquilo não fazia sentido nenhum. Eu dava seminários para biólogos e eles me perguntavam: 'E daí? Onde está a célula iniciadora? Onde está o líder?' As explicações simplesmente não satisfaziam." Na realidade, a hipótese do líder continuaria a reinar como modelo por mais uma década, até que uma série de experimentos comprovasse que as células do *Dictyostelium discoideum* se organizavam de baixo para cima. "Fico surpresa ao ver como as pessoas acham difícil pensar em termos de fenômeno coletivo", acrescenta Keller.

Agora, 30 anos depois que os dois pesquisadores esboçaram sua teoria no papel, reconhece-se a agregação de *Dictyostelium discoideum* como um clássico estudo de caso em comportamento bottom-up. Mitch Resnick, colega de Keller no MIT, chegou a simular em um computador a agregação de células do *discoideum*, permitindo que os alunos explorassem a mão invisível e fantasmagórica da auto-organização, através da alteração do número de células no ambiente e de níveis do AMP cíclico distribuído. Quem usa a simulação de Resnick pela primeira vez invariavelmente diz que as imagens na tela — aglomerados brilhantes de células vermelhas e trilhas de feromônio verdes — fazem lembrar jogos de vídeo e, de fato, a comparação revela um parentesco secreto. Alguns dos jogos de computador mais populares de hoje assemelham-se a células de *Dictyostelium discoideum* porque se baseiam, até certo ponto, nas equações formuladas a mão por Keller e Segel no final da década de 1960. Gostamos de falar da vida na terra evoluindo a partir de uma "sopa primordial". Podemos igualmente dizer que a vida digital mais interessante das telas de computador evoluiu do *Dictyostelium discoideum*.

O feito de Segel e Keller pode ser visto como uma das primeiras pedras a cair no início de um deslizamento. Outras pedras também estavam se movendo — acompanharemos algumas dessas trajetórias nas próximas páginas —, mas aquele movimento inicial não foi nada em comparação com a avalanche que se seguiu nas duas décadas seguintes. No final, aquele movimento de algum modo fez emergir um punhado de disciplinas científicas plenamente creditadas, uma rede global de laboratórios de pesquisa e grupos de estudo, além de todo um jargão que entrou em moda. Trinta anos depois de Keller desafiar a hipótese do líder, existem atualmente cursos de "estudos de auto-organização" e software de estratégia bottom-up ajudam a organizar as comunidades virtuais mais ativas da Web. Porém, o desafio de Keller fez mais do que ajudar a desencadear uma série de tendências intelectuais: também desvendou uma história secreta de pensamento descentralizado, uma história que havia submergido há muitos anos, sufocada pelo peso da hipótese do líder desencadeador de ações e das fronteiras tradicionais da pesquisa científica. Há séculos, se não há milênios, muitas pessoas têm refletido sobre o comportamento emergente em todas as suas diversas manifestações, mas todo esse pensamento foi sistematicamente ignorado como um corpo de trabalho unificado — porque não havia nada de unificado sobre esse corpo. Havia, sim, células isoladas perseguindo os mistérios da emergência, mas sem agregação.

Realmente, algumas das maiores mentes dos últimos séculos — Adam Smith, Friedrich Engels, Charles Darwin, Alan Turing — deram sua contribuição para a desconhecida ciência da auto-organização, mas, como se tratava de um campo ainda não reconhecido, suas obras acabaram sendo catalogadas sob rótulos mais familiares. Vista de um determinado ângulo, essa catalogação fazia sentido, porque nem mesmo as principais figuras dessa nova disciplina perceberam que estavam lutando para entender as leis da emergência. Debatiam-se com questões pontuais, em campos claramente definidos: como as colônias de formigas aprendem a colher forragem e construir ninhos?, por que as comunidades industriais se organizam em divisões de classe?, como as nossas mentes aprendem a reconhecer rostos?. Você pode responder a todas essas perguntas sem recorrer às ciências da complexidade e da auto-organização, mas todas as respostas compartilham um padrão comum, tão claro quanto as linhas de uma impressão digital. No entanto, para percebê-lo como um padrão, é necessário encontrá-lo em vários contextos. Apenas quando o padrão foi detectado, as pessoas puderam começar a pensar em estudar os sistemas de auto-organização por seus próprios méritos. Keller e Segel perceberam o padrão nas agregações do *Dictyostelium discoideum*; Jane Jacobs o viu na formação das comunidades urbanas; Marvin Minsky, nas redes distribuídas do cérebro humano.

Que características comuns têm esses sistemas? Em termos simples, eles resolvem problemas com o auxílio de massas de elementos relativamente simplórios, em vez de contar com uma única "divisão executiva" inteligente. São sistemas bottom-up, e não, top-down. Pegam seus conhecimentos a partir de baixo. Em uma linguagem mais técnica, são complexos sistemas adaptativos que mostram comportamento emergente. Neles, os agentes que residem em uma escala começam a produzir comportamento que reside em uma escala acima deles: formigas criam colônias; cidadãos criam comunidades; um software simples de reconhecimento de padrões aprende como recomendar novos livros. O movimento das regras de nível baixo para a sofisticação do nível mais alto é o que chamamos de emergência.

Imagine uma mesa de sinuca povoada por bolas motorizadas, semi-inteligentes, que foram programadas para explorar o espaço da mesa e alterar seus padrões de movimento com base em interações específicas com outras bolas. Quase sempre, há movimento na mesa, com bolas colidindo constantemente, trocando de direção e de velocidade a cada segundo. Como são motorizadas, nunca diminuem a velocidade, a não ser que as regras contenham instruções para isso; e sua programação permite que tomem desvios inesperados quando encontram outras bolas. Tal sistema definiria a forma mais elementar de comportamento *complexo*: um sistema com múltiplos agentes interagindo dinamicamente de diversas formas, seguindo regras locais e não percebendo qualquer instrução de nível mais alto. Contudo, o sistema só seria considerado verdadeiramente *emergente* quando todas as interações locais resultassem em algum tipo de macrocomportamento observável. Por exemplo, digamos que as regras locais de comportamento seguidas pelas bolas acabaram por dividir a mesa em dois grupos de bolas, um com números pares e outro com números ímpares. Isto marcaria o início de um comportamento emergente, um padrão de nível mais alto emergindo a partir de complexas interações paralelas entre agentes locais. As bolas não estão programadas explicitamente para formar dois grupos, e sim para seguir regras muito mais casuais: desviar para a esquerda, ao colidir com uma bola de cor sólida; acelerar após o contato com a bola três; permanecer inerte na pista ao bater na bola oito; e assim por diante. No entanto, a partir dessas rotinas de nível baixo, emerge uma forma coerente.

Será que isso torna nossa mesa de sinuca mecanizada *adaptativa*? Não exatamente, porque uma mesa dividida em dois grupos de bolas não tem tanta utilidade assim, seja para as próprias bolas, seja para qualquer pessoa presente no salão de sinuca. Mas (como na história dos macacos que acabariam escrevendo *Hamlet*), e se tivéssemos um número infinito de mesas em nosso salão, cada uma seguindo um conjunto diferente de regras, uma dessas mesas poderia por acaso chegar a um conjunto de regras que organizasse todas as bolas num triângulo perfeito, deixando a bola branca do outro lado da mesa, pronta para as tacadas. Isso seria um comportamento adaptativo no ecossistema maior do salão de sinuca, supondo que fosse do interesse de nosso sistema atrair jogadores. O sistema usaria regras locais entre agentes interativos para criar um comportamento de nível mais alto, apropriado para o ambiente.

A complexidade emergente sem adaptação é como os intricados cristais formados por um floco de neve: são bonitos, mas não têm função. As formas de comportamento emergente que examinaremos neste livro mostram a qualidade distintiva de ficarem mais inteligentes com o tempo e de reagirem às necessidades específicas e mutantes de seu ambiente. Neste sentido, a maioria dos sistemas que mostramos são mais *dinâmicos* do que a mesa de sinuca adaptativa: raramente fixam-se em um único formato, imutável; formam padrões no tempo assim como no espaço. Um exemplo melhor pode ser o de uma mesa que se auto-organiza em um dispositivo de tempo baseado no jogo de sinuca: a bola branca quicaria a bola oito 60 vezes por minuto, e as outras bolas mudariam de um lado a outro da mesa a cada hora. A emergência de um sistema desse tipo a partir de interações locais entre bolas individuais pode parecer improvável, mas nosso corpo contém inúmeros relógios orgânicos construídos a partir de células simples que funcionam de maneira impressionantemente semelhante. Um número infinito de configurações celulares ou de bolas de sinuca não produz um relógio que funcione, mas um número pequeno, sim. Portanto, a questão é: como empurrar o sistema emergente para funcionar como um relógio, se esse for o objetivo? Como tornar um sistema de auto-organização mais adaptativo?

Essa questão tornou-se especialmente relevante, porque a história da emergência entrou em nova fase nos últimos anos — uma fase que promete ser mais revolucionária do que as duas precedentes. Na primeira fase, mentes curiosas lutavam para entender as forças de auto-organização sem imaginar contra o que lutavam. Na segunda, certos setores da comunidade científica começaram a ver a auto-organização como um problema que transcendia as disciplinas locais e puseram-se a resolver o problema, começando por uma comparação entre comportamentos de áreas distintas. Comparando as células do *Dictyostelium discoideum* com as colônias de formigas, podemos notar um comportamento comum, e isso seria inimaginável, se as observássemos separadamente. A auto-organização tornou-se um objeto de estudo por si mesma, levando à criação de consagrados centros de pesquisa, como o Instituto de Santa Fé, que se dedicou ao estudo da complexidade em todas as suas variadas formas.

Mas, na terceira fase — iniciada em algum momento da década passada, e que constitui o próprio núcleo deste livro —, paramos de analisar o fenômeno da emergência e começamos a criá-lo. O primeiro passo foi construir sistemas de auto-organização com aplicações de software, videogames, arte, música. Construímos sistemas emergentes para recomendar novos livros, reconhecer vozes ou encontrar parceiros. Pois os organismos complexos, desde que surgiram, passaram a viver sob as leis da auto-organização, mas nos últimos anos nossa vida cotidiana foi invadida pela emergência *artificial*: sistemas construídos com o conhecimento consciente do que é a emergência, sistemas planejados para explorar aquelas mesmas leis, assim como nossos reatores nucleares exploram as leis da física atômica. Até o momento, os filósofos da emergência lutaram para interpretar o mundo, mas agora estão começando a modificá-lo.

O que se segue é um circuito por áreas que não costumam estar incluídas num mesmo livro. Observaremos jogos de computador que simulam ecologias vivas; o sistema de guildas de Florença no século XII; as primeiras divisões celulares que marcam o despertar da vida; e programas de software que nos permitem ver os padrões de nosso próprio cérebro. O que une esses diferentes fenômenos é uma forma e um padrão recorrentes: uma rede de auto-organização, de agentes dessemelhantes que inadvertidamente criam uma ordem de nível mais alto. Em cada escala, podemos ver a marca daquelas células de *Dictyostelium discoideum* convergindo; em cada escala, as leis da emergência se aplicam.

Este livro segue apenas em parte a cronologia das três fases históricas. A primeira seção apresenta uma das maiores realizações do mundo emergente — o comportamento de colônia de insetos sociais, como as formigas e os cupins — e depois retrocede para traçar a história da mente descentralizada, desde Engels nas ruas de Manchester até as novas formas de software emergente que estão sendo elaboradas. A segunda seção dá uma visão global da emergência como a compreendemos hoje; cada um dos seus quatro capítulos explora um dos princípios centrais deste domínio: interação entre vizinhos, reconhecimento de padrões, feedback e controle indireto. A última seção se concentra no futuro da emergência artificial e especula sobre o que acontecerá quando as experiências em mídia e os movimentos políticos forem delineados principalmente por forças bottom-up, e não top-down.

Certas formas e padrões rondam diferentes momentos no tempo, assombrando e inspirando os indivíduos que vivem nesses períodos. O debate épico e a solução subseqüente da dialética animaram a primeira metade do século XIX; o movimento darwinista e as reformas sociais espalharam as metáforas de rede pela segunda metade do século. As primeiras décadas do século XX encontraram sua mais veemente expressão na exuberante anarquia da explosão, ao passo que as décadas seguintes se perderam nas formas de governo sem face da rede. Podemos ver os últimos dez anos como uma volta às redes vitorianas, embora eu suspeite que a imagem que se fixou em nossas retinas na última década seja mais prosaica: janelas empilhadas em uma tela de computador ou talvez um mouse clicando sobre um ícone.

Essas formas codificam um momento no tempo, uma maneira de evocar uma era e suas obsessões peculiares. Para os indivíduos que viveram nesses períodos, as formas são blocos cognitivos de construção, ferramentas para o pensamento: Charles Darwin e George Eliot usaram a rede como uma maneira de compreender a evolução biológica e as disputas sociais; meio século depois, os futuristas abraçaram as explosões dos tiros de metralhadoras, enquanto Picasso as usava para recriar os horrores da guerra em *Guernica*. As formas são uma maneira de interpretar o mundo e, ainda que nenhuma delas represente completamente a sua época, constituem um componente inegável da história do pensamento.

Quando imagino a forma que vai pairar sobre a primeira metade do século XXI, o que me vem à mente não é o abraço espiralado do genoma ou a treliça delineada no chip de silício. Em vez disso, são os pixels pulsantes, verdes e vermelhos, da simulação do *Dictyostelium discoideum* de Mitch Resnick, primeiro movendo-se erraticamente pela tela e depois, pouco a pouco, aglomerando-se em formatos maiores. A forma dessas aglomerações — com uma irregularidade própria da vida real e sem os líderes organizadores — é a forma que definirá as próximas décadas. Vejo as aglomerações na tela, crescendo e dividindo-se, e penso: "Aqui está o futuro."

PARTE
um

Formigueiro africano (*Cortesia de Corbis*)

Levantai-vos, monstruoso formigueiro na planície
De um mundo tão ativo! Diante de mim passa
Vossa corrente interminável de homens e coisas se movendo!
Vossa aparência diária, enquanto golpeia —
Com assombro ampliada, ou sublimada pelo temor —
Os estrangeiros, de todas as idades; a dança célere
De cores, luzes e formas; o ruído ensurdecedor;
Os que vêm e os que vão face a face,
Face após face...

— WORDSWORTH, "Residence in London"

As cidades não têm comissões centrais de planejamento que resolvam o problema de compra e distribuição de mercadorias ... Como essas cidades evitam flutuações desastrosas entre escassez e excesso, ano após ano, década após década? O mistério aumenta quando observamos a natureza caleidoscópica das grandes cidades. Compradores, vendedores, governantes, ruas, pontes e prédios estão sempre mudando, de maneira que a coerência de uma cidade é imposta de algum modo em um fluxo perpétuo de pessoas e estruturas. Como a onda que se ergue diante de uma rocha, em meio à correnteza vertiginosa, uma cidade é um padrão no tempo.

— JOHN HOLLAND

CAPÍTULO 1

O mito da formiga-rainha

É início de outono em Palo Alto, e Deborah Gordon e eu estamos no seu escritório, no prédio de Ciências Biológicas Gilbert, da Universidade de Stanford, onde ela passa três quartos do ano estudando ecologia comportamental. Nos outros meses, ela faz pequisa de campo com as formigas cortadeiras do sudoeste americano; quando nos encontramos, seu rosto trazia ainda vestígios do bronzeado da última viagem ao deserto do Arizona.

Vim conversar com ela para aprender mais a respeito da inteligência coletiva das colônias de formigas. Elegante, vestindo uma camisa branca, Deborah Gordon aborda alegremente algumas questões quase filosóficas sobre sistemas complexos e comportamento de grupo, mas posso perceber que está ansiosa para mostrar algo mais prático. Depois de alguns minutos de reflexão casual, pula da cadeira. "Por que não começamos logo e eu mostro a você as formigas que temos aqui?", diz. "E depois podemos falar sobre o que isso significa."

Ela me leva até uma sala sombria do outro lado do corredor, onde três mesas compridas estão dispostas lado a lado. A primeira impressão é a de um salão de sinuca esterilizado e vazio, até eu chegar mais perto de uma das mesas e ver a miniatura de civilização que vive em cada uma delas. Mais próximas de um Habitrail* do que a nossa tradicional idéia de uma fazenda de formigas, as engenhocas de Gordon alojam uma complexa rede de tubos plásticos conectando aproximadamente doze caixas de plástico, todas elas revestidas com uma massa úmida coberta por uma fina camada de sujeira.

"Tampamos os ninhos com plástico vermelho porque algumas espécies não enxergam a luz vermelha", Gordon explica. "Isso parece acontecer com

---

* Habitrail é uma linha de equipamentos (gaiolas etc.) para hamsters, compostos por diversos blocos e módulos de montagem. (N.T.)

esta espécie também." Por um segundo, não entendo o que ela quer dizer com "esta espécie" — e então meus olhos se ajustam à cena e percebo, com um susto, que não é sujeira o que cobre as caixas de plástico: são milhares de formigas cortadeiras, tão coladas umas nas outras que, de início, as confundo com uma massa uniforme. Um segundo mais tarde, constato que toda a colônia simulada está admiravelmente viva, os aglomerados de formigas vibrando em movimento constante. Os tubos, as aglomerações e as multidões amontoadas me trazem imediatamente um pensamento à mente: o sistema de metrô de Nova York na hora do *rush*.

No âmago do trabalho de Gordon está um mistério sobre como se desenvolvem as colônias de formigas, um mistério cujas implicações se estendem muito além da terra ressecada do deserto do Arizona — para nossas cidades, nossos cérebros, nossos sistemas imunológicos e, cada vez mais, para nossa tecnologia. O trabalho de Gordon focaliza a conexão existente entre o microcomportamento individual das formigas e o comportamento global das próprias colônias. Parte dessa pesquisa envolve o acompanhamento dos ciclos de vida de cada colônia em separado, ano após ano, à medida que elas esquadrinham o solo do deserto procurando por comida, que competem com outras colônias por território e — uma vez por ano — que se acasalam. Em outras palavras, Gordon estuda um tipo específico de sistema emergente de auto-organização.

Cave uma colônia de formigas cortadeiras e você vai invariavelmente descobrir que falta a rainha. Para encontrar a matriarca da colônia, precisará examinar o fundo do buraco que acabou de cavar: vai encontrar uma passagem estreita, quase invisível, que se aprofunda ainda por mais uns 60 cm, até um pequeno vestíbulo escondido na terra. Ali você vai encontrar a rainha. Várias damas de companhia a escondem ao menor sinal de perturbação. A passagem estreita, na verdade, é uma saída de emergência, não muito diferente de um abrigo antinuclear encravado abaixo da ala presidencial da Casa Branca.

Contudo, apesar do comportamento típico de Serviço Secreto e da nomenclatura régia, não há nada de hierárquico na maneira como uma colônia de formigas funciona. "Embora *rainha* seja uma palavra que lembra sistemas políticos humanos", explica Gordon, "a rainha não é uma figura de autoridade. Ela põe os ovos e recebe cuidados e alimentos das operárias. Ela não decide o que cada operária faz. Em uma colônia de formigas cortadeiras, muitos metros de aposentos e túneis complicados e milhares de formigas separam a rainha, cercada de operárias internas, das formigas que trabalham fora do ninho e só usam os aposentos próximos da superfície. Seria fisicamente impossível para a rainha dirigir a decisão de cada operária sobre que tarefa realizar e quando."

As formigas cortadeiras que carregam a rainha pela saída de emergência não fazem isso porque algum líder ordenou; elas fazem porque a formiga-rainha é responsável pela geração de todos os membros da colônia; assim, é do interesse de toda a colônia — e da combinação de genes da colônia — manter a rainha a salvo. Seus genes as instruem a proteger sua mãe, da mesma maneira que seus genes as instruem a procurar suprimentos. Em outras palavras, a matriarca não treina seus servos para protegê-la, é a evolução que faz isso.

A cultura popular fortalece o estereótipo stalinista das formigas — confira o regime autoritário da colônia no desenho animado *FormiguinhaZ* — mas, na realidade, as colônias são exatamente o oposto das economias de comando. Ainda que elas sejam capazes de feitos extraordinariamente coordenados de alocações de tarefas, não há nenhum Plano Qüinqüenal no reino das formigas. As colônias estudadas por Gordon mostram um dos mais impressionantes comportamentos descentralizados da natureza: inteligência, personalidade e aprendizado emergem de baixo para cima, bottom-up.

Ainda estou observando o emaranhado de tubos plásticos quando Gordon dirige minha atenção para as duas enormes tábuas brancas coladas ao espaço principal da colônia, uma empilhada em cima da outra, ligadas por uma rampa (imagine um estacionamento de dois andares próximo a uma rampa de metrô). Um punhado de formigas vagueia pelas pranchas, algumas carregando nas costas objetos parecidos com migalhas, outras aparentemente só passeando. Se isso fosse o Central Park da metrópole das formigas de Gordon, acho que seria um dia útil.

Gordon aponta o canto mais próximo da tábua superior, distante cerca de dez centímetros da rampa que leva ao andar de baixo, onde uma pilha de poeira de textura estranha — cheia de pequeninas conchas e cascas espalhadas — faz um nítida pressão contra a parede. "É a lixeira", diz ela. "É o depósito de lixo da cidade." Ela aponta três formigas subindo a rampa, quase invisíveis por baixo de uma concha comicamente imensa. "Essas formigas trabalham na coleta do lixo: tiram o que sobra da comida acumulada — neste caso, sementes de grama — e o depositam na lixeira."

Com dois passos rápidos, Gordon passa para o lado oposto da mesa, na outra extremidade da rampa. Mostra o que parece ser outra pilha de poeira. "E aqui é o cemitério". Olho de novo, surpreso. Ela está certa: centenas de carcaças de formigas empilham-se umas sobre as outras, cuidadosamente comprimidas contra o canto da mesa. Parece brutal mas, ainda assim, estranhamente metódico.

Conheço o suficiente sobre comportamento de colônias para concordar, admirado. "Então, de algum modo elas decidiram coletivamente usar esses dois locais como depósito de lixo e cemitério", digo. Nenhuma formiga definiu individualmente para que se destinam essas áreas, nenhum planejador central separou uma área para lixo, a outras para os mortos. "Simplesmente aconteceu, não foi?"

Gordon sorri e vejo que não captei algo. "É melhor do que isso", diz ela. "Veja o que realmente aconteceu aqui: elas construíram o cemitério exatamente no ponto mais distante da colônia. E o depósito de lixo é ainda mais interessante: elas o colocaram no ponto de maior distância *tanto* do cemitério *quanto* da colônia. É como se houvesse uma regra a ser seguida: colocar as formigas mortas o mais longe possível e colocar o lixo o mais longe possível, sem deixá-lo perto das formigas mortas."

Preciso de alguns segundos para entender a geometria: realmente, as formigas fizeram tudo direitinho. Eu me pego rindo alto, ao pensar que é como se elas tivessem resolvido um desses problemas de matemática espacial, comuns nos testes padronizados, encontrando uma solução sob medida para seu meio ambiente, uma solução que facilmente confundiria um ser humano de oito anos de idade. A questão é: quem promoveu tudo isso?

Trata-se de uma questão com uma longa e majestosa história, certamente não limitada ao comportamento coletivo das colônias de formigas. Sabemos agora a resposta porque desenvolvemos poderosas ferramentas para refletir sobre a inteligência emergente de sistemas de auto-organização — e para modelá-los; mas nem sempre a resposta foi tão clara. Sabemos agora que sistemas como as colônias de formigas não têm líderes reais, que a própria idéia de uma "formiga-rainha" é enganadora. Porém, nosso desejo de encontrar líderes em tais sistemas sempre foi forte — em relação ao comportamento de grupo dos insetos sociais e ao comportamento humano coletivo que cria uma cidade pulsante.

Existem registros datados de 76 d.C. de uma fortificação romana situada na confluência dos rios Medlock e Irwell, na extremidade nordeste da Inglaterra moderna, a cerca de 150 milhas de Londres. Povoados existiram ali por três séculos e se extinguiram junto com o resto do império, por volta de 400 d.C. Os historiadores acreditam que o local ficou desocupado por meio milênio, até uma cidade chamada Manchester começar a surgir. O nome veio do povoado romano Mamucium — "lugar do morro em forma de seio" em latim.

Manchester permaneceu durante a maior parte do milênio como um burgo indefinido no norte da Inglaterra: agraciada com uma licença em 1301, a cidade estabeleceu uma faculdade no começo do século XV, mas permaneceu subordinada à vizinha Salford por centenas de anos. No século XVII, a região de Manchester se tornou o ponto central do comércio de lã, com seus comerciantes embarcando mercadorias ao continente por meio do grande porto de Londres. Era impossível saber naquele tempo, mas Manchester — e, sem dúvida, toda a região de Lancashire — fixara-se no centro de uma revolução tecnológica e comercial que iria alterar inexoravelmente o futuro do planeta. Manchester está na confluência de várias correntes históricas mundiais: as nascentes tecnologias industriais de tecelagens movidas a vapor; o sistema bancário da Londres comercial; os mercados globais e os conglomerados trabalhistas do Império Britânico. A história dessa convergência foi contada muitas vezes e até hoje persiste o debate sobre suas conseqüências. Entretanto, além dos efeitos épicos na economia global, a decolagem para a indústria que ocorreu entre 1700 e 1850 também criou um novo tipo de cidade, cuja expansão literalmente explodiu.

As estatísticas de crescimento populacional bastam para demonstrar a força dessa explosão: em 1773, estimava-se que 24.000 pessoas viviam em Manchester; o primeiro censo oficial, em 1801, encontrou 70.000. Na metade do século, havia mais de 250.000 habitantes da cidade — um aumento de 10 em apenas 75 anos. Essa taxa de crescimento foi tão inédita e violenta quanto as máquinas a vapor. De certo modo, a cidade cresceu depressa demais para que as autoridades se dessem conta. Por 500 anos, Manchester foi tecnicamente considerada "domínio rural", o que significava, aos olhos da lei, que era governada como um estado feudal, sem governo local — sem urbanistas, polícia ou autoridades de saúde pública. Manchester não teve representantes ao Parlamento até 1832, e só foi emancipada seis anos depois. No início da década de 1840, o recém-formado conselho do burgo finalmente começou a instituir reformas de saúde pública e de planejamento urbano, mas o governo britânico só reconheceu Manchester como cidade em 1853. Isso constitui uma das grandes ironias da Revolução Industrial e mostra como a mudança foi drástica: a cidade que mais definiu o futuro da vida urbana na primeira metade do século XIX só foi legalmente considerada uma cidade quando a grande explosão já estava em curso.

O resultado dessa descontinuidade foi possivelmente a menos planejada e mais caótica cidade nos seis mil anos de história dos assentamentos urbanos. Barulhenta, poluída, exageradamente habitada, Manchester atraiu, na década de 1830, um fluxo contínuo de intelectuais e figuras públicas, que viajavam para o norte em direção ao magnetismo industrial, à procura do futuro do mundo moderno. Um por um, eles retornaram com histórias de sordidez abjeta e sobrecarga nervosa, lutando com as palavras para transmitir a imensidão e a singularidade da experiência. "O que vi me repugnou e me assombrou mais do que tudo", Dickens escreveu após uma visita à cidade no outono de 1838. "Pretendo fazer tudo o que estiver ao meu alcance para o bem dessas criaturas desventuradas." Nomeado para comandar os distritos do norte, no final da década de 1830, o general Charles James Napier escreveu: "Manchester é a chaminé do mundo. Malandros ricos, trapaceiros pobres, maltrapilhos bêbedos e prostitutas formam a moral... Que lugar! A entrada para o inferno, concretizada." Tocqueville visitou Lancashire em 1835 e descreveu a paisagem em uma linguagem que ecoaria pelos dois séculos seguintes: "Dessa vala imunda, a maior corrente de indústria humana flui para fertilizar o mundo inteiro. Desse esgoto podre, escoa ouro puro. Aqui a humanidade alcança seu desenvolvimento mais completo e mais brutal; aqui a civilização opera seus milagres e homens civilizados são transformados quase em selvagens."

Mas o mais celebrado e influente documentarista de Manchester foi um jovem chamado Friedrich Engels, que chegou em 1842 para ajudar a supervisionar a fábrica de algodão pertencente à família e para testemunhar, em primeira mão, o mecanismo da história levando a classe trabalhadora para mais perto da autoconsciência. Engels estava na folha de pagamento da firma de seu pai, a Ermen e Engels, mas, quando chegou a Manchester, também estava sob domínio de políticos radicais ligados à escola dos jovens hegelianianos. Tornara-se amigo de Karl Marx alguns anos antes e fora encorajado a visitar Manchester pelo socialista Moses Hess, que conhecera em 1842. Seus três anos na Inglaterra foram, assim, um tipo de missão de reconhecimento para a revolução, financiada pela classe capitalista. O livro que Engels posteriormente escreveria, *A condição da classe operária na Inglaterra*, ainda hoje é um dos tratados clássicos da história urbana e representa o relato definitivo da vida em Manchester no século XIX, com todo o seu tumulto e dinamismo. Dickens, Carlyle e Disraeli tentaram capturar o clima de turbulência épica de Manchester, mas seus esforços foram suplantados por um prussiano de 24 anos de idade.

Contudo, o livro não é, como seria de esperar, um mero documento sobre o caos industrial de Manchester, uma história de tudo o que é sólido se desmanchando no ar, tomando emprestada uma frase que um camarada de Engels escreveria muitos anos depois. No meio da insanidade da cidade, Engels vislumbrou um estranho tipo de ordem e em um maravilhoso trecho guia o leitor por uma excursão pela capital industrial, uma excursão que revela um tipo de política construído na própria topografia das ruas da cidade. O trecho demonstra o aguçado poder de observação de Engels, e eu o transcrevo integralmente porque capta mais uma coisa — como é difícil pensar em modelos de auto-organização, imaginar um mundo sem líderes.

> A própria cidade é construída de uma maneira peculiar, de modo que uma pessoa pode morar nela durante anos, entrar e sair dela diariamente sem ter

> contato com um bairro popular e nem mesmo com operários — quer dizer, contanto que a pessoa se limite aos seus próprios negócios ou a passear por puro prazer. Isto decorre principalmente das circunstâncias de que, através de um acordo tácito e inconsciente, assim como de uma intenção explícita e consciente, mantêm os bairros populares totalmente separados das partes da cidade reservadas à classe média...
>
> Sei muito bem que essa maneira enganosa de construir é mais ou menos comum a todas as grandes cidades. Sei também que, em virtude de seu tipo de negócio, os comerciantes precisam alojar-se nas vias principais, de muito movimento. Sei que, nessas ruas, há mais casas boas do que casas humildes, e que o valor do terreno é mais alto nas redondezas do que nos locais mais afastados. Mas, ao mesmo tempo, em nenhum outro lugar, a não ser em Manchester, vi um isolamento tão sistemático das classes operárias. Nunca vi em outro lugar ocultar-se com tão fina sensibilidade tudo o que pudesse ofender os olhos e os nervos da classe média. E, no entanto, mais do que acontece com qualquer outra cidade, Manchester foi construída com menos planejamento e menos restrições por parte de regulamentos oficiais do que qualquer outra cidade — na verdade, cresceu ao acaso. Ainda assim... não consigo deixar de sentir que os industrialistas liberais, os "bigwigs" de Manchester, não são inocentes desse estilo acanhado de construção.

Você quase pode ouvir as contradições se chocando nesse trecho, como as "fábricas escuras e satânicas" da própria Manchester. A cidade construiu um *cordon sanitaire* para separar os industriais da miséria que eles desencadearam no mundo, escondendo a desmoralização dos bairros operários de Manchester — e, ainda assim, esse ato de esconder acontece sem uma "intenção explícita e consciente". A cidade parece engenhosamente planejada para esconder suas atrocidades, mas "foi construída com menos planejamento", do que qualquer outra cidade. Como diz Steven Marcus, em seu relato sobre a estada do jovem Engels em Manchester, "a questão a ser levada em consideração é que essa organização surpreendente e ultrajante não pode ser totalmente compreendida como o resultado de uma trama, ou mesmo de um projeto deliberado, embora esteja sob o controle daqueles a quem interessa esse traçado. Na verdade, trata-se de um estado de coisas organizadas grande demais e complexo demais para ter sido *pensado* de antemão, para ter preexistido enquanto idéia."

Em outras palavras, as amplas e brilhantes avenidas sugerem uma aldeia Potemkin sem um Potemkin. Essa mistura de ordem e anarquia é o que chamamos de comportamento emergente. Os críticos de questões urbanas desde Lewis Mumford e Jane Jacobs sabem que as cidades têm vida própria, com bairros se povoando sem nenhuma figura de Robert Moses para impor um plano a partir de cima. Porém, só recentemente a compreensão desse fato entrou no pensamento intelectual — quando Engels caminhou pelas ruas de Manchester na década de 1840, ele ficou tateando como um cego, tentando encontrar um culpado para a perversa organização da cidade, mesmo sabendo que ela, reconhecidamente, não tivera um planejamento. Assim como a maioria das histórias intelectuais, o desenvolvimento desse novo entendimento — as ciências da complexidade e da auto-organização — é uma história complicada, multifacetada, com muitos agentes se inter-relacionando ao longo do seu percurso. Provavelmente é melhor pensar nela menos como uma narrativa linear e mais como uma rede interconectada, crescendo cada vez mais densa naquele século e meio que nos separa da primeira visita de Engels a Manchester.

Complexidade é uma palavra que aparece freqüentemente em relatos críticos sobre espaço metropolitano, mas existem apenas dois tipos de complexidade fundamentais para a cidade, duas experiências com implicações bastante diferentes para os indivíduos que tentam entendê-las. Em primeiro lugar, há o sentido mais convencional de complexidade, como uma sobrecarga sensorial, a cidade expandindo o sistema nervoso humano até seus extremos e, no processo, ensinando uma série de novos reflexos — e abrindo caminho para uma série complementar de valores estéticos, que se desenvolvem como uma casca em volta da ferida. O crítico cultural alemão Walter Benjamin escreveu o seguinte em sua obra-prima inacabada, *O projeto das arcadas*:

> Talvez a visão diária de uma multidão em movimento apresentasse ao olhar um espetáculo para o qual ele tinha de se adaptar... [D]epois não é impossível supor-se que, tenho vencido esse desafio, o olhar acolheria de bom grado as oportunidades para confirmar a nova habilidade. O método de pintura impressionista, que compõe o quadro por meio de uma orgia de pinceladas coloridas, seria um reflexo da experiência com que se familiarizam os olhos dos habitantes de uma cidade grande.

Nos séculos XIX e XX, uma longa lista de textos leva a esse caminho, desde os capítulos londrinos do *Prelúdio*, de Wordsworth, até as meditações nas caminhadas de *Os dublinenses*, de Joyce: o barulho e a irracionalidade transformados, de algum modo, em experiência estética. A multidão é algo na qual você se insere pela pura poesia da experiência. Contudo, a complexidade não é somente uma questão de sobrecarga sensorial. Há também o sentido de complexidade como um sistema de auto-organização — mais para Instituto Santa Fé do que para Escola de Frankfurt. Tal tipo de complexidade vive em um nível acima: descreve o sistema da própria cidade e não uma recepção sensorial por parte do habitante. A cidade é complexa porque surpreende, sim, mas também porque tem uma personalidade coerente, uma personalidade que se auto-organiza a partir de milhões de decisões individuais, uma ordem global construída a partir de interações locais. Essa é a nova complexidade "sistemática" que Engels vislumbrou nas avenidas de Manchester: não a anarquia e o excesso que ele documentou em outros lugares, mas, em vez disso, um estranho tipo de ordem, um padrão nas ruas que promovia os valores políticos da elite de Manchester sem ser deliberadamente planejado por ela. Sabemos agora, a partir de modelos de computador e estudos sociológicos — assim como dos estudos de sistemas comparáveis gerados pelos insetos sociais, como as formigas cortadeiras de Gordon —, que padrões maiores podem emergir de ações locais descoordenadas. Porém, para Engels e seus contemporâneos, aqueles formatos urbanos não-planejados devem ter parecido assombrosos. A cidade parecia ter vida própria.

Cento e cinqüenta anos mais tarde, as mesmas técnicas traduzidas em linguagem de software — como na simulação de *Dictyostelium discoideum* feita por Mitch Resnick — desencadeiam uma reação semelhante: a estranha sensação de algo parecido com um ser vivo, algo orgânico formando-se na tela. Mesmo quem tem um conhecimento sofisticado dos sistemas de auto-organização ainda vê esses formatos como desconcertantes — em sua mistura de estabilidade e mudança, em sua capacidade ilimitada de aprendizado. O impulso de construir modelos centralizados para explicar tal comportamento permanece quase tão forte quanto na época de Engels. Quando vemos formatos recorrentes e estruturas emergindo de nosso caos aparente, nossa reação imediata é procurar os líderes.

Compreendido em sentido mais abstrato, o que Engels observou são *padrões* no cenário urbano, visíveis porque têm uma estrutura repetitiva que os distingue do mero ruído que naturalmente poderíamos associar a uma cidade não-planejada. São padrões de tomada de decisão e movimento humano que foram gravados na textura dos quarteirões, padrões que depois voltam para os próprios habitantes de Manchester, alterando suas decisões subseqüentes (nesse sentido, são exatamente o oposto do sentido tradicional de complexidade urbana — são sinais emergindo de um lugar do qual só esperaríamos ruído). Uma cidade é um tipo de máquina de ampliar padrões: seus bairros são uma forma de medir e expressar o comportamento repetitivo de coletividades maiores — capturar informação sobre o comportamento do grupo e trocar essa informação com o grupo. Como esses padrões retornam para a comunidade, pequenas mudanças de comportamento podem rapidamente se amplificar em movimentos maiores: lojas de primeira linha dominam as principais avenidas, enquanto a classe operária permanece aglomerada invisivelmente nas vielas e ruas transversais; os artistas vivem na margem esquerda, os banqueiros e investidores no bairro chique. Você não precisa de regras e projetistas urbanos para criar deliberadamente essas estruturas. Tudo de que você precisa são milhares de indivíduos e algumas regras simples de interação. As reluzentes vitrines das lojas atraem mais reluzentes vitrines de lojas e empurram os mais pobres para a parte escondida. Não há necessidade de um barão Haussmann nesse mundo, apenas alguns poucos padrões repetitivos de movimentos, ampliados em formas maiores que duram por vidas inteiras: aglomerações, favelas, bairros.

No entanto, nem todos os padrões são visíveis para qualquer morador da cidade. A história do urbanismo também é a história de mais signos mudos, construídos pelo comportamento coletivo de grupos menores e raramente detectados pelos intrusos. Manchester abriga vários desses aglomerados secretos, persistindo a muitas gerações, como "uma onda que se ergue diante de uma rocha em meio à correnteza vertiginosa". Um deles fica ao norte da Universidade de Victoria, no ponto onde a Oxford Road se torna Oxford Street. Há relatos, que remontam à metade do século XIX, de homens encontrando outros homens nesses quarteirões, procurando sexo casual, relações mais duradouras, ou até a camaradagem da identidade compartilhada, numa época em que essa identidade não ousava dizer seu nome. Alguns historiadores especulam que Wittgenstein visitou essas ruas durante sua estada em Manchester em 1908. Quase cem anos mais tarde, o local se autodenominou Gay Village e passou a promover ativamente seus cafés e butiques como um endereço imperdível para os turistas na cidade, como a Christopher Street de Manhattan e o Castro de São Francisco. O padrão agora se irradiou para um público maior, mas não perdeu a forma.

Porém, mesmo em uma amplitude mais baixa, o sinal já era alto o bastante para atrair a atenção de outro ilustre imigrante de Manchester: o polímata britânico Alan Turing. Como parte de sua heróica contribuição para o esforço de guerra, Turing estudou os padrões matemáticos, projetando as equações e as máquinas que desvendaram o "inquebrável" código alemão do dispositivo Enigma. Após um frustrante cargo, durante três anos, no Laboratório Nacional de Física de Londres, Turing mudou-se para Manchester em 1948 para ajudar a fazer funcionar o embrionário laboratório de computadores da universidade. Foi em Manchester que Turing começou a refletir sobre o problema do desenvolvimento biológico em termos matemáticos, abrindo caminho para o artigo "Morphogenesis", publicado em 1952, e que Evelyn Fox Keller iria redescobrir mais de uma década depois. A pesquisa de guerra de Turing tinha focalizado como detectar padrões ocultos dentro do aparente caos de um código, mas, enquanto morou em Manchester, sua mente gravitou para uma imagem reflexa do problema original de quebrar códigos: de que modo padrões complexos podiam surgir seguindo regras simples? Como uma semente sabe criar uma flor?

O artigo de Turing sobre morfogênese — literalmente, o "início da forma" — acabou sendo uma de suas obras seminais, em pé de igualdade com suas especulações e artigos mais difundidos: a obra sobre o problema da indecidibilidade de Gödel, a Máquina de Turing, o Teste de Turing — sem mencionar suas contribuições ao projeto físico do moderno computador digital. Contudo, o artigo sobre morfogênese foi apenas o início de uma forma — uma mente brilhante sentindo o esboço de um novo problema, mas sem captar integralmente todas as suas complexidades. Se Turing tivesse tido mais algumas décadas para explorar os poderes da automontagem — sem mencionar o acesso ao poder de triturar números dos computadores que não usavam mais válvulas —, não é difícil imaginar sua mente ampliando enormemente nossa compreensão posterior do comportamento emergente. Mas a pesquisa em morfogênese foi tragicamente interrompida com sua morte em 1954.

Alan Turing provavelmente foi uma vítima das leis brutalmente homofóbicas da Grã-Bretanha do pós-guerra, mas sua morte também tem ligações com aqueles discretos padrões de vida das ruas de Manchester. Desde sua chegada, Turing conhecia aquele trecho na Oxford Road; de vez em quando, passava pela região, encontrando outros homossexuais — convidando alguns deles para seu apartamento, para um bate-papo e provavelmente algum contato físico. Em janeiro de 1952, foi naquelas ruas que Turing conheceu um jovem chamado Arnold Murray. Os dois embarcaram em uma breve relação que logo se desgastou. Murray — ou um amigo dele — invadiu a casa de Turing e roubou alguns objetos. Turing notificou o roubo para a polícia e, com a costumeira franqueza, não se esforçou em ocultar o caso com Murray quando a polícia foi até seu apartamento. De acordo com as leis britânicas, o homossexualismo era um crime, punível com até dois anos de prisão, e assim a polícia imediatamente acusou Turing e Murray de "indecência vulgar".

No dia 29 de fevereiro de 1952, enquanto as autoridades da cidade preparavam seu julgamento, Turing terminou a revisão do artigo sobre morfogênese e discutiu sobre seus méritos com Ilya Prigogine, o químico belga que, com um trabalho sobre termodinâmica do não-equilíbrio, mais tarde seria agraciado com um Prêmio Nobel. Em um dia, Turing completou o texto que ajudaria a criar a disciplina da biomatemática e inspiraria Keller e Segel em suas descobertas sobre o *Dictyostelium discoideum* quinze anos mais tarde, e teve uma animada troca de idéias com o homem que acabaria por atingir fama mundial com uma pesquisa sobre sistemas de auto-organização. Naquele dia de inverno de 1952, não havia uma mente na face da terra mais preparada para lidar com os mistérios da emergência do que Alan Turing. Mas o mundo exterior àquela mente conspirava para destruí-la. Na mesma manhã, um jornal local trouxe a notícia de que o gênio e herói de guerra tinha sido apanhado em um romance ilícito com um rapaz de dezenove anos.

Em poucos meses, Turing foi condenado pelo crime e passou a receber um humilhante tratamento de estrogênio para "curá-lo" de sua homossexualidade. Perseguido pelas autoridades e impossibilitado de continuar com os ultra-secretos projetos britânicos de computação, para os quais tanto tinha contribuído, Turing morreu dois anos mais tarde, aparentemente por suicídio.

A carreira de Turing já havia esbarrado várias vezes com a crescente rede de emergência antes daqueles fatídicos anos em Manchester. No início da década de 1940, durante o pico dos esforços de guerra, ele passara vários meses nos lendários Laboratórios Bell, em Manhattan, onde trabalhou com uma série de esquemas de criptografia, incluindo uma tentativa de transmitir formas de ondas maciçamente codificadas que poderiam ser decodificadas como fala humana, com o uso de uma senha especial. Logo no início de sua visita aos Laboratórios Bell, Turing teve a idéia de usar uma outra invenção da Bell, o Vocoder — posteriormente usado por músicos de rock, como Peter Frampton, para combinar sons de guitarra e vocais — como uma forma de fala criptografada (em 1943, as idéias de Turing já tinham permitido a primeira transmissão segura de voz através do Atlântico, ininteligível para os abelhudos alemães). Porém, Bell era a base de outro gênio, Claude Shannon, que iria fundar a influente disciplina da teoria da informação, e cujo trabalho explorava as fronteiras entre o ruído e a informação. Shannon estava particularmente intrigado com a possibilidade de máquinas detectarem e ampliarem padrões de informação em canais de comunicação cheios de ruído — uma linha de pesquisa que prometia óbvias vantagens para uma companhia telefônica, mas que também poderia salvar milhares de vidas em um esforço de guerra que dependia da transmissão e da quebra de códigos. Shannon e Turing imediatamente perceberam que estavam trabalhando em trilhas paralelas: na ocasião, ambos tinham como profissão quebrar códigos e, em suas tentativas de construir máquinas automáticas que pudessem reconhecer padrões em sinais de áudio ou seqüências numéricas, ambos tinham vislumbrado um futuro lotado de máquinas ainda mais inteligentes. Shannon e Turing passaram muitas horas nos Laboratórios Bell, trocando idéias sobre um "cérebro eletrônico" que poderia ser capaz de feitos humanos como o reconhecimento de padrões.

Turing tinha imaginado sua máquina de pensar primeiramente em termos de possibilidades lógicas, da capacidade de executar uma variedade infinita de rotinas computacionais. Mas Shannon o levou a pensar na máquina como algo mais próximo do cérebro humano real, capaz de reconhecer padrões mais matizados. Um dia, durante o almoço no laboratório, Turing exclamou para os amigos, brincando: "Shannon não quer colocar apenas dados no cérebro, mas coisas *culturais*! Ele quer tocar música para a máquina!" Notas musicais também são padrões, reconhecia Shannon, e, se pudéssemos treinar um cérebro eletrônico para entender e reagir a padrões lógicos de zeros e uns, então talvez no futuro pudéssemos treinar nossas máquinas para apreciar os padrões equivalentes de arpejos e progressões de cordas. A idéia parecia fantasiosa na época — já era difícil fazer uma máquina efetuar uma divisão longa, imagine apreciar a Nona Sinfonia de Beethoven. Contudo, o reconhecimento de padrões que Turing e Shannon vislumbraram para computadores digitais tornou-se nos últimos anos uma parte central de nossa vida cultural, pois temos máquinas que produzem música para nosso deleite ou que nos recomendam novos artistas. A ligação entre padrões musicais e nossas conexões neuronais teria um papel central em um dos principais textos da moderna inteligência artificial, o livro *Gödel, Escher, Bach*, de Douglas Hofstadter. Nossos computadores ainda não desenvolveram um genuíno ouvido para música mas, se algum dia fizerem isso, essa habilidade terá começado nas conversas de almoço de Turing e Shannon nos Laboratórios Bell. E a aprendizagem também será um tipo de emergência, uma ordem de alto nível, formando-se a partir de componentes relativamente simples.

Cinco anos após suas interações com Turing, Shannon publicou um longo ensaio no *Bell System Technical Journal* que rapidamente foi relançado como livro, com o título *A teoria matemática da comunicação*. Denso, com equações e títulos misteriosos de capítulos, tais como "Sistemas discretos silenciosos", o livro se tornou um clássico e a disciplina que gerou — a teoria da informação — teve profundo impacto nas pesquisas científicas e tecnológicas que se seguiram, tanto no nível teórico quanto no prático. *A teoria matemática da comunicação* continha uma elegante introdução, em linguagem para leigos, à teoria de Shannon, escrita pelo respeitado cientista Warren Weaver que, desde o começo, havia percebido a relevância do trabalho de Shannon. Weaver ocupara um cargo importante na divisão de Ciências Naturais da Fundação Rockefeller desde 1932 e, quando se aposentou, no final da década de 1950, preparou um extenso relatório para a fundação, relembrando os progressos científicos atingidos durante o último quarto de século. A ocasião sugeria uma retrospectiva reflexiva, mas o documento que Weaver produziu (baseado em artigo que escrevera para a revista *American Scientist*) era mais profético, olhava mais para a frente. Em muitos aspectos, merece ser visto como o texto fundador da teoria da complexidade — o momento em que os estudos sobre sistemas complexos começaram a se ver como um campo unificado. Utilizando pesquisas em biologia molecular, genética, física, ciência da computação e a teoria da informação de Shannon, Weaver dividiu os últimos séculos de pesquisa científica em três amplos campos. Primeiro, o estudo dos sistemas simples: problemas com duas ou três variáveis, como a rotação dos planetas ou a conexão entre uma corrente elétrica e sua voltagem e resistência. Segundo, problemas de "complexidade desorganizada", caracterizados por milhões ou bilhões de variáveis que somente podem ser abordados por métodos de mecânica estatística e teoria da probabilidade. Essas ferramentas ajudaram a explicar não só o comportamento das moléculas em um gás, ou os modelos de hereditariedade em uma combinação de genes, como também auxiliaram as companhias de seguros de vida a obter lucro a despeito das limitações de seu conhecimento sobre a saúde futura de qualquer indivíduo. Graças ao trabalho de Claude Shannon, a abordagem estatística também ajudou as empresas de telefonia a fornecer serviços mais confiáveis e inteligíveis.

Mas havia uma terceira fase nesse avanço, que estávamos apenas começando a compreender. "O método estatístico de lidar com a complexidade desorganizada, um progresso tão poderoso em relação aos primeiros métodos de duas variáveis, deixa um grande campo intocado", escreveu Weaver. Havia uma região intermediária entre as equações de duas variáveis e os problemas envolvendo bilhões de variáveis. Convencionalmente, essa região envolvia um número "moderado" de variáveis, mas o tamanho do sistema era, na verdade, uma característica secundária:

> Muito mais importante do que meramente o número de variáveis é o fato de que todas essas variáveis estão inter-relacionadas... Esses problemas, quando contrastados com situações desorganizadas das quais as estatísticas podem dar conta, *mostram o aspecto essencial de organização*. Vamos, portanto, nos referir a esse grupo de problemas como de *complexidade organizada*.

Podemos pensar nessas três categorias de problemas em termos da analogia com a mesa de sinuca mencionada na Introdução. Um problema com duas ou três variáveis poderia ser uma mesa de sinuca comum, com bolas batendo umas nas outras de acordo com regras simples: suas velocidades, o atrito com a mesa. Esse seria um exemplo de um "sistema simples" — e, sem dúvida, bolas de sinuca são freqüentemente utilizadas para ilustrar leis básicas da física em livros didáticos. Um sistema de complexidade desorganizada seria essa mesma mesa ampliada para incluir um milhão de bolas, colidindo umas com as outras milhões de vezes por segundo. Fazer prognósticos sobre o comportamento de alguma bola individualmente seria difícil, mas poderíamos fazer algumas previsões exatas sobre o comportamento global da mesa. Assumindo que há energia suficiente no sistema no início, as bolas irão se espalhar, preenchendo a mesa inteira, como moléculas de gás em um recipiente. É complexo porque há muitos agentes se inter-relacionando, mas é desorganizado porque eles não criam qualquer comportamento de nível superior, além de amplas tendências estatísticas. A complexidade organizada, por outro lado, é como uma mesa de sinuca motorizada, onde as bolas seguem regras específicas e, através de suas interações, criam um distinto macrocomportamento, arrumando-se de forma específica ou, com o tempo, formando um padrão específico. Esse tipo de comportamento, para Weaver, sugere um problema de complexidade organizada, um problema que parece onipresente na natureza quando você começa a procurá-lo:

> O que faz uma prímula noturna se abrir num dado momento? Por que água salgada não mata a sede? ... Qual é a descrição de envelhecimento em termos bioquímicos? ... O que é um gene, e como a constituição genética original de um organismo vivo se expressa nas características desenvolvidas do adulto?
>
> Sem dúvida, todos são problemas complexos, mas não devido à complexidade desorganizada, para a qual métodos estatísticos têm a solução. São problemas que envolvem a manipulação simultânea de um determinado número de fatores que se inter-relacionam, formando um todo orgânico.

Tentar resolver esses problemas exigia uma nova abordagem: "As grandes questões centrais da biologia ... estão agora sendo abordadas não somente de *cima*, com a visão ampla do filósofo da natureza, que esquadrinha todo o mundo dos seres vivos, mas também de *baixo*, pelo analista quantitativo que mede os fatos sob a superfície." Essa era uma mudança genuína no paradigma da pesquisa, para usar a linguagem de Thomas Kuhn — uma revolução não tanto nas interpretações que a ciência construiu em sua tentativa de explicar o mundo, mas principalmente nos tipos de perguntas feitas. Weaver reconheceu que esta mudança de paradigma era mais do que uma nova atitude mental: era também um subproduto de novas ferramentas que estavam aparecendo no horizonte. Para resolver os problemas da complexidade organizada, precisava-se de uma máquina capaz de processar milhares, senão milhões, de cálculos por segundo — uma tarefa inimaginável para cérebros individuais operando números com as limitadas calculadoras dos últimos séculos. Devido a essa conexão com o grupo dos Laboratórios Bell, Weaver cedo percebeu as promessas da computação digital; ele sabia que os mistérios da complexidade organizada seriam muito mais fáceis de manipular se fosse possível modelar o comportamento em tempo quase real. Durante milênios, os seres humanos usaram suas habilidades de observação e classificação para documentar a sutil anatomia das flores, mas pela primeira vez firmavam-se em uma posição que os deixava prestes a responder a uma questão mais fundamental, uma questão que tinha mais a ver com padrões desenvolvendo-se no tempo do que com a estrutura estática: Por que uma flor se abre em determinado momento? E como uma simples semente sabe, antes de mais nada, fazer essa flor?

Alan Turing teve um papel essencial na criação do hardware e do software que potencializaram essa primeira revolução digital, e seu trabalho sobre morfogênese foi uma das primeiras tentativas sistemáticas de conceber o desenvolvimento como um problema de complexidade organizada. É uma das maiores tragédias dessa história o fato de que Turing não tenha vivido para ver o extraordinário florescimento intelectual que aconteceu quando estes dois caminhos se cruzaram — e para participar dele.

Por ironia, a abordagem de Warren Weaver gerou o primeiro avanço importante em um trabalho que não tinha relação com computadores digitais — um trabalho que pertencia a um campo nem sempre considerado como parte das ciências "duras". Nos anos pós-guerra, os planejadores urbanos e as autoridades do governo lidavam com o problema das favelas nas cidades com uma abordagem decididamente de cima para baixo, top-down: destruíam bairros inteiros e construíam frios conjuntos habitacionais, cercados por áreas de lazer e jardins logo negligenciados. Esses projetos efetivamente tentavam resolver o problema das ruas perigosas das cidades pela pura e simples eliminação das ruas; mas, ao mesmo tempo que os apartamentos nesses novos edifícios geralmente traziam uma melhoria em termos de espaço para moradia e em infraestrutura, o ambiente global dos projetos deteriorava-se rapidamente, transformando-se em uma zona de guerra anônima que contribuía para o aumento da taxa de criminalidade e para a destruição do sentimento de camaradagem antes existente.

Em outubro de 1961, a Comissão de Planejamento da Cidade de Nova York declarou que uma grande área do histórico bairro de West Village "se caracterizava pela deterioração, prestando-se apenas à demolição e posterior replanejamento, reconstrução ou reabilitação." A comunidade do Village — uma viva mistura de artistas, escritores, imigrantes porto-riquenhos e operários ítalo-americanos — sentiu-se ultrajada, e no centro dos protestos estava uma apaixonada crítica das questões urbanas chamada Jane Jacobs. Ela acabara de liderar com sucesso uma campanha para impedir o plano do incorporador de projetos urbanos Robert Moses de construir uma supervia atravessando o coração do SoHo. Jacobs agora se posicionava contra a loucura desses projetos (a "reabilitação" incluía a própria residência de Jacobs na rua Hudson). Em sua corajosa e finalmente triunfante campanha para impedir a aniquilação do West Village, argumentava que a maneira para melhorar as ruas da cidade e restaurar a civilidade dinâmica da vida urbana não era destruir as zonas problemáticas, mas sim olhar para as ruas da cidade que eram boas e aprender com elas. Quando estava escrevendo o texto que se tornaria *Morte e vida das grandes cidades* — publicado pouco depois do episódio do Village —, Jacobs leu o ensaio de Weaver para a Fundação Rockefeller e imediatamente reconheceu a sua própria agenda no apelo que ele fazia em favor da exploração dos problemas da complexidade organizada.

> Sob a aparente desordem da velha cidade existe, onde quer que a velha cidade funcione com sucesso, uma maravilhosa ordem que mantém a segurança das ruas e a liberdade da cidade. É uma ordem complexa. Sua essência é a intimidade do uso da calçada, trazendo consigo uma constante sucessão de olhos. Esta ordem é toda composta de movimento e mudança e, apesar de ser vida, e não arte, podemos fantasiosamente chamá-la de arte da cidade e ligá-la à dança — não uma dança simplista e precisa em que todos pulam ao mesmo tempo, girando em uníssono e agradecendo, fazendo reverências em massa, mas um intricado balé no qual os dançarinos solistas e os conjuntos têm, todos eles, papéis específicos que milagrosamente reforçam-se mutuamente e compõem uma unidade ordenada.

Jacobs deu ao capítulo final de *Morte e vida* o memorável título de "O tipo de problema que uma cidade é", e o iniciou citando longos trechos do ensaio de Weaver. O funcionamento de uma cidade, argumentava Jacobs, só pode ser compreendido com uma abordagem a partir de suas ruas. "Em partes da cidade que funcionam bem sob certos aspectos e mal em outros (como costuma acontecer), não podemos sequer analisar as virtudes e as falhas, diagnosticar as dificuldades ou considerar as mudanças favoráveis, sem considerar essas partes problemas de complexidade organizada," escreveu. "Podemos desejar análises gerais, mais fáceis, e soluções gerais, mágicas, mas desejos não podem transformar esses problemas em questões mais simples do que a complexidade organizada, por mais que se tente escapar das realidades e tratá-las como algo diferente." Para entender a complexa ordem da cidade, é necessário compreender esse balé em mutação constante; nas ruas que perderam seu equilíbrio, o problema não pode ser resolvido simplesmente com uma ordem para arrasar bairros inteiros.

O livro de Jacobs revolucionaria a maneira como imaginamos as cidades. Partindo das percepções de Weaver, ela transmitiu uma visão da cidade como uma entidade maior do que a soma de seus residentes — mais semelhante a um organismo vivo, capaz de se adaptar a mudanças. "Cidades com vitalidade têm maravilhosas e inatas habilidades para compreender, comunicar, arquitetar e inventar o que for preciso para combater suas dificuldades," escreveu. Elas recebem sua ordem a partir de baixo; são máquinas de aprendizado, reconhecedoras de padrões — mesmo quando os padrões a que reagem são insalubres. Um século depois que Engels entreviu o ato sistemático de ocultamento da população pobre de Manchester, a cidade que se auto-organiza finalmente mostrou sua cara.

A "complexidade organizada" demonstrou ser um modo construtivo de reflexão sobre a vida urbana, mas o livro de Jacobs era uma obra de teoria social, não de ciência. Seria possível modelar e explicar o comportamento de sistemas de auto-organização usando métodos mais rigorosos? A tecnologia de computação digital, em expansão, poderia ser aplicada com proveito a esse problema? Graças em parte ao trabalho de Shannon no fim da década de 1940, as ciências biológicas tinham conseguido um número significativo de progressos na compreensão do reconhecimento de padrões e de feedback na época em que Jacobs publicou sua obra-prima. Logo depois de sua nomeação para a universidade de Harvard em 1956, o entomologista Edward O. Wilson comprovou convincentemente que as formigas se comunicavam entre si — e coordenavam todo o comportamento da colônia — pelo reconhecimento de padrões de trilhas de feromônio deixadas por outras formigas, como acontece com o mixomiceto e os sinais do AMP cíclico. Na Universidade Livre de Bruxelas, na década de 1950, Ilya Prigogine fazia firmes progressos na compreensão da termodinâmica do não-equilíbrio — ambientes nos quais as leis de entropia ficam temporariamente superadas e onde ordens de nível superior podem emergir espontaneamente do caos subjacente. E no Laboratório Lincoln, do MIT, um pesquisador de vinte e cinco anos de idade, chamado Oliver Selfridge, estava fazendo experiências com um modelo para ensinar um computador a aprender.

Há um mundo de diferenças entre um computador que recebe passivamente a informação dada e um computador que aprende ativamente por si mesmo. Os computadores de primeira geração, como os ENIAC, processavam informações alimentadas por seus usuários e eram capazes de fazer vários cálculos com elas, baseados em conjuntos de instruções neles programados.

Tratava-se de um progresso surpreendente em uma época em que "computador" significava uma pessoa munida de régua de cálculo e borracha. Mas mesmo naqueles dias distantes, os visionários digitais já imaginavam uma máquina capaz de aprendizado ilimitado. Turing e Shannon haviam questionado os futuros gostos musicais do "cérebro eletrônico" durante os almoços nos Laboratórios Bell, enquanto seu colega Nobert Wiener, havia escrito um livro de louvor — que se tornaria um bestseller — aos poderes auto-reguladores do feedback, em seu manifesto *Cybernetics*, de 1949.

"Minha participação em tudo isto foi, principalmente, uma questão de sorte," diz Selfridge hoje, sentado em seu confinado escritório sem janelas no MIT. Nascido na Inglaterra, Selfridge entrou para Harvard com quinze anos de idade e começou seu doutorado três anos depois no MIT, onde Norbert Wiener foi seu orientador de tese. Precocemente, aos 21 anos, Selfridge sugeriu algumas correções em um texto que seu mentor havia publicado sobre palpitações cardíacas, correções que Wiener afavelmente admitiu nas páginas iniciais de *Cybernetics*. "Acho que agora tenho a honra de ser uma das poucas pessoas mencionadas naquele livro que continuam vivas", diz Selfridge rindo.

Depois de trabalhar algum tempo em projetos de controle militar em Nova Jersey, Selfridge retornou ao MIT em meados da década de 1950. Seu retorno coincidiu com uma explosão de interesse sobre inteligência artificial, uma área de pesquisas que o fez conhecer Marvin Minsky, na época pesquisador júnior em Harvard. "Meu interesse em inteligência artificial", diz hoje Selfridge, "era não tanto sobre o processamento em si, mas sobre como os sistemas se modificam, como evoluem — em uma palavra, como eles aprendem." A exploração das possibilidades de aprendizado de uma máquina fez Selfridge relembrar a sua própria educação na Inglaterra. "Na escola, na Inglaterra, eu li *O paraíso perdido* de John Milton", diz ele, "e fiquei chocado com a imagem do Pandemônio — palavra grega para 'todos os demônios'. Depois que meu segundo filho, Peter, nasceu, reli *O paraíso perdido* e as risadas estridentes dos demônios despertaram algo em mim." O reconhecedor de padrões no cérebro de Selfridge mostrava-lhe um caminho para ensinar um computador a reconhecer padrões.

"Propomos aqui o modelo de um processo que afirmamos ser capaz de adaptar-se e auto-aperfeiçoar-se para manipular alguns problemas de reconhecimento de padrões que não possam ser adequadamente determinados por antecipação." Essas foram as primeiras palavras de Selfridge em um simpósio, no fim de 1958, no mesmo Laboratório Nacional de Física do qual Turing escapara uma década antes. A apresentação de Selfridge teve o memorável título de "Pandemônio: Um Paradigma para Aprendizagem" e, embora tenha causado pouco impacto fora da nascente comunidade da informática, as idéias por ele esboçadas então acabaram por se tornar parte do nosso dia-a-dia — cada vez que entramos com um nome em nossos Palm Pilots ou usamos um software de reconhecimento de voz para obter informação via telefone. O Pandemônio, como Selfridge descreveu em sua palestra, não era somente um software específico, mas sim um modo de abordar um problema. O problema era bastante ambicioso, dados os limitados recursos computacionais da época: como ensinar um computador a reconhecer padrões mal definidos ou inconstantes, tais como o som das ondas emitidas pela linguagem falada.

O brilho do novo paradigma de Selfridge estava no fato de que ele se baseava em uma inteligência distribuída, bottom-up, e não em uma inteligência unificada, top-down. Mais do que construir um programa único e engenhoso, Selfridge criou uma quantidade de miniprogramas limitados, aos quais chamou demônios. "A idéia era a seguinte: termos uma porção desses demônios gritando ao longo de uma hierarquia," explica. "Demônios de nível inferior gritando para os de nível acima, que gritam para os de nível ainda mais alto."

Para entender o que "gritar" significa, imagine um sistema com 26 demônios separados, cada um treinado para reconhecer uma letra do alfabeto. Uma série de palavras é mostrada ao conjunto dos demônios e cada um "vota" em cada letra apresentada que representa a sua letra escolhida. Se a primeira letra é *a*, o demônio que reconhece *a* informa que é bastante provável que ele tenha reconhecido uma letra igual. Devido à similaridade de formato, o reconhecedor de *o* talvez possa ficar em dúvida, enquanto o reconhecedor de *b* irá declarar enfaticamente que a letra *a* é ininteligível para ele. Todos os demônios reconhecedores de letras se reportam a um demônio-chefe, que contabilizará os votos em cada letra e escolherá o demônio mais confiável. Em seguida, o programa se move para a letra seguinte na seqüência e o processo recomeça. No fim da transmissão, o demônio chefe terá uma interpretação funcional do texto transmitido, baseado nos votos dados pela democracia demoníaca.

Obviamente, a exatidão da interpretação depende do apuro dos reconhecedores de letras. Se você está tentando ensinar um computador a ler, é enganoso supor desde o início que seja possível encontrar 26 competentes reconhecedores de letras. Selfridge estava atrás de um objetivo maior: para início de conversa, como se ensina uma máquina a reconhecer letras — ou sons de vogais, acordes musicais, impressões digitais? A resposta supõe o acréscimo de mais uma camada de demônios e um mecanismo de feedback por meio do qual as várias avaliações possam ser graduadas. Esse nível mais baixo foi preenchido com miniprogramas ainda menos sofisticados, instruídos para reconhecer somente formas físicas brutas (ou sons, no caso do código Morse ou da linguagem falada). Alguns demônios reconheciam linhas paralelas, outros perpendiculares. Alguns procuravam círculos, outros pontos. Nenhuma dessas formas era associada com qualquer letra; os demônios inferiores eram como crianças de dois anos de idade — capazes de reconhecer as formas que viam, mas não de percebê-las como letras ou palavras.

Utilizando esses demônios minimamente equipados, o sistema podia ser instruído a reconhecer letras, sem "saber" previamente nada sobre o alfabeto. A receita era relativamente simples: apresente-se a letra *b* para os demônios de nível inferior e veja-se quais respondem e quais não respondem. No caso da letra *b*, tanto os reconhecedores de linhas verticais como os de círculos poderiam assinalá-la. Esses demônios de nível inferior se reportariam a um reconhecedor de letras em um nível acima na cadeia. Baseado na informação recolhida por seus assistentes, este reconhecedor faria uma hipótese sobre a identidade da letra. Essas hipóteses são então "graduadas" pelo software. Se a conjuntura estiver errada, o software aprende a afastar estes assistentes específicos da letra em análise; se a hipótese estiver certa, ele "reforça" a conexão entre os assistentes e a letra.

No princípio, os resultados ficam próximos do acaso mas, se o processo é repetido mil vezes, ou dez mil, o sistema aprende a associar conjuntos específicos de reconhecedores de formas com letras específicas e em seguida é capaz de traduzir seqüências inteiras com notável precisão. O sistema não vem com qualquer concepção predefinida sobre as formas das letras — treina-se o sistema para associar letras com formas específicas na fase de gradação (por causa disso, um software que reconhece texto escrito à mão pode ser ajustado a muitos tipos de escrita, mas *não pode* adaptar-se a escritas que mudem diariamente). Essa mistura de atos iniciais arbitrárias organizando-se para chegar a resultados mais complicados fez Selfridge lembrar-se de outro processo, cujo próprio código interno acabara de ser decifrado sob a forma de DNA. "O esquema esboçado é, na verdade, uma seleção natural dos demônios processadores," explicou Selfridge. "Se eles servem a uma função útil, sobrevivem, e talvez sejam mesmo a fonte para outros subdemônios que serão julgados por seus próprios méritos. É perfeitamente razoável conceber isso acontecendo em escala maior ... em vez de apenas um Pandemônio, teríamos uma multidão deles, todos construídos de forma semelhante e empregando a seleção natural à sua totalidade."

O sistema descrito por Selfridge — com sua aprendizagem bottom-up e seus círculos de feedback de avaliação — aparece nos livros de história como a primeira descrição prática de um programa de software emergente. Atualmente o mundo fervilha com milhões de seus demônios.

No final da década de 1940, havia no MIT um estudante nativo do Meio-Oeste, chamado John Holland. Holland também era aluno de Norbert Wiener e havia gasto um bom tempo, durante o seu período de graduação, em protótipos dos primeiros computadores construídos em Cambridge naquela época. Sua extraordinária habilidade em programação de computadores levou a IBM a contratá-lo na década de 1950 para ajudar a desenvolver sua primeira calculadora comercial, a 701. Como aluno de Wiener, ele estava naturalmente inclinado a experimentar caminhos para fazer com que a lenta máquina 701 aprendesse de modo mais orgânico, bottom-up — não diferente do Pandemônio de Selfridge. Na realidade, Holland e um grupo de colegas que pensavam de forma semelhante programaram uma simulação tosca de neurônios interagindo. No entanto, na época, a IBM era uma empresa que vendia máquinas de calcular e, por conseguinte, o trabalho de Holland foi totalmente ignorado e engavetado. Após alguns anos, Holland retornou à vida acadêmica para obter seu doutorado na Universidade de Michigan, onde o Grupo de Lógica de Computadores acabara de ser formado.

Na década de 1960, depois de graduar-se como o primeiro doutor em Ciência da Computação no país, Holland iniciou uma linha de pesquisa que iria dominar seu trabalho para o resto da vida. Como Turing, Holland queria explorar o modo pelo qual regras simples podiam levar a comportamentos complexos; como Selfridge, ele queria criar um software que fosse capaz de aprendizado ilimitado. O maior avanço de Holland foi controlar o poder de outro sistema aberto e bottom-up: a seleção natural. Construindo sobre o modelo do Pandemônio de Selfridge, Holland tomou a lógica da evolução darwiniana e transformou-a em um código. Ele chamou sua nova criação de algoritmo genético.

Um programa tradicional compõe-se de uma série de instruções que dizem ao computador o que fazer: pintar a tela com pixels vermelhos, multiplicar um conjunto de números, apagar um arquivo. Normalmente, essas instruções são codificadas como séries de caminhos que se bifurcam: faça primeiro isto; se obtiver o resultado A, faça uma dada coisa; se obtiver B, faça outra coisa. A arte da programação baseia-se na construção de uma seqüência de instruções mais eficiente, a seqüência que fará o maior número de operações com a menor quantidade de códigos — e com a menor probabilidade de erro. Em geral, isto era feito usando-se o potencial mais primitivo do cérebro do programador. Você pensava sobre um problema, esboçava a melhor solução, alimentava o computador com ela, avaliava seu sucesso, e então tratava de aperfeiçoá-la. Mas Holland imaginou outra abordagem: coloque um conjunto de genes de software possível e deixe que programas bem-sucedidos *evoluam* dessa sopa.

O sistema de Holland refletia uma série de paralelismos entre os programas de computador e as formas de vida na terra. Cada um depende de um código-mestre para sua existência: os zeros e uns da programação dos computadores e as espirais de DNA escondidas em todas as nossas células (normalmente chamadas de genótipo). Esses dois tipos de códigos ditam algum tipo de forma ou comportamento de nível superior (o fenótipo): crescimento de cabelo vermelho ou a multiplicação de dois números juntos. Com os organismos de base em DNA, a seleção natural funciona criando um conjunto maciço de variação genética e, depois, avaliando a taxa de sucesso dos variados comportamentos desencadeados por todos esses genes. As variações que obtêm sucesso são passadas para as novas gerações, as outras desaparecem. A reprodução sexual garante que as novas combinações de genes se encontrem. Ocasionalmente, mutações acidentais ocorrem no conjunto de genes, introduzindo avenidas completamente novas para o sistema explorar. Se um número considerável de ciclos for percorrido, surgirá uma receita para construir obras-primas, tais como o olho humano — sem um legítimo engenheiro à vista.

O algoritmo genético foi uma tentativa de captar esse processo em silício. O software já possuía um genótipo e um fenótipo, reconheceu Holland; existe o código em si, e também o que o código *faz*. O que aconteceria se fosse criado um conjunto de combinações diferentes de códigos e depois avaliada a taxa de sucesso de fenótipos, eliminando-se os ramos de menor sucesso? A seleção natural baseia-se em um critério extremamente simples e brilhante, mas de certa forma tautológico, para avaliar o sucesso: seus genes passarão para a geração seguinte se você sobreviver suficientemente para produzir uma nova geração. Holland decidiu tornar o passo da avaliação mais preciso: os programas seriam admitidos para a próxima geração se fizessem um trabalho melhor ao concluir uma tarefa específica — digamos, fazer cálculos simples ou reconhecer padrões visuais. O programador poderia decidir qual era a tarefa; mas não podia instruir diretamente o software sobre como realizá-la. Ele daria os parâmetros que definiriam a adequação genética, depois deixaria o software se virar sozinho.

Holland desenvolveu suas idéias nas décadas de 1960 e 1970 usando principalmente lápis e papel — mesmo a mais avançada tecnologia daquela época era muito lenta para atravessar milhares de gerações. Porém os enormes computadores paralelos de alta velocidade desenvolvidos na década de 1980 — como a Máquina de Conexões de Danny Hillis — foram ideais para explorar as possibilidades do algoritmo genético. E um dos mais impressionantes Sistemas GA (*genetic algorithm*) projetados para a Máquina de Conexões focalizava exclusivamente a simulação do comportamento das formigas.

Era um programa chamado de Tracker (Rastreador), idealizado em meados dos anos oitenta por dois professores da UCLA, David Jefferson e Chuck Taylor (Jefferson era do departamento de ciências de computação, enquanto que Taylor era biólogo). Jefferson conta: "Eu tive a idéia na leitura do primeiro livro de Richard Dawkin, *O gene egoísta*. Aquele livro realmente me transformou. Ele levanta a tese de que, para vermos a evolução darwiniana em ação, precisamos apenas de objetos capazes de se reproduzir, e de se reproduzir de modo imperfeito, além de algum tipo de limitação de recursos para que haja competição. E nada mais importa — basta um axioma muito pequeno, abstrato, para fazer a evolução funcionar. E então me ocorreu que os programas têm essa propriedade — programas podem se reproduzir. Só que eles normalmente se reproduzem *com exatidão*. Mas pensei que, se houvesse um meio de se reproduzirem imperfeitamente, e se não houvesse somente um programa mas uma certa quantidade deles, poderíamos simular a evolução com o software, em lugar de organismos."

Após alguns experimentos em pequena escala, Jefferson e Taylor decidiram simular o comportamento de formigas aprendendo a seguir uma trilha de feromônio. "Formigas estavam na minha mente — eu estava procurando por criaturas simples, e o trabalho sobre formigas de E.O. Wilson tinha acabado de sair", explica Jefferson. "O que realmente procurávamos era uma tarefa simples que criaturas simples realizam, mas cuja programação não era óbvia. Acabamos tendo a idéia de seguir uma trilha — e não só uma trilha limpa, mas uma trilha barulhenta, uma trilha interrompida." Os dois cientistas criaram uma grade virtual de quadrados, desenhando sobre ela um caminho em forma de meandro com 82 quadrados. O objetivo era desenvolver um programa simples e uma formiga virtual que pudesse trilhar toda a extensão em um tempo definido, usando somente informação limitada sobre as voltas e curvas do caminho. Em cada ciclo, uma formiga tinha a opção de "farejar" o quadrado à sua frente, avançando para o próximo ou dobrando à direita ou à esquerda 90 graus. Jefferson e Taylor deram a suas formigas 100 ciclos para trilhar o caminho; cada vez que uma formiga usava seus 100 ciclos, o software calculava o número de quadrados da trilha que ela havia atingido com sucesso e dava uma pontuação. Uma formiga que se perdesse após o primeiro quadrado, teria a nota 1; uma formiga que completasse a trilha com sucesso antes do final dos 100 quadrados, teria a nota máxima, 82.

O sistema de notas permitiu a Jefferson e Taylor criarem critérios de aptidão que determinavam quais as formigas que tinham permissão para se reproduzir. O programa Tracker começou simulando 16 mil formigas — uma para cada processador da Máquina de Conexões — com cerca de 16 mil estratégias aleatórias para trilhar o caminho. Uma formiga podia começar com a estratégia de andar direto à frente; outra poderia desviar para frente e para trás entre farejos e rotações de 90 graus; uma terceira poderia seguir regras mais rebuscadas. A grande maioria dessas estratégias acabaria em completo fracasso, mas algumas conseguiriam percorrer uma porção maior da grade. Essas formigas mais bem-sucedidas teriam permissão para se acasalar e se reproduzir, criando uma nova geração de 16 mil formigas prontas a enfrentar a trilha.

A trilha — apelidada de Trilha John Muir em homenagem ao famoso ambientalista — começava com um trecho relativamente reto, com várias viradas à direita seguidas de mais trechos retos, e rapidamente tornava-se cada vez mais complicada. Hoje, Jefferson diz que projetou o Tracker daquele modo porque ficou preocupado que as primeiras gerações fossem tão incompetentes que um trecho mais difícil as confundisse. "É bom lembrar que, quando começamos a experiência, não tínhamos idéia se uma população de 16.600 era um número apropriado para facilitar uma evolução darwiniana", explica. "E eu não sabia se eram necessárias dez, cem ou dez mil gerações. Não havia teoria para nos orientar quantitativamente sobre o tamanho da população no espaço e a extensão do experimento no tempo."

Passar por cem gerações levou cerca de duas horas; Jefferson e Taylor montaram o sistema de modo a receber atualizações em tempo real sobre as formigas mais talentosas de cada geração. Como um registrador de estoques, a Máquina de Conexões fornecia um número atualizado no fim de cada geração: se o melhor seguidor de trilha de uma geração conseguia alcançar 15 quadrados em 100 ciclos, a Máquina de Conexões apontava 15 como o recorde atual e então se direcionava para a geração seguinte. Após alguns começos problemáticos causados por bugs, Jefferson e Taylor conseguiram que o sistema Tracker funcionasse — e os resultados excederam às expectativas mais otimistas.

"Para nosso espanto e total alegria", recorda-se Jefferson, "a coisa funcionou na primeira vez. Nós ficamos lá, sentados, vendo os números aparecerem: uma geração produzia 25, depois 25 de novo, depois 27, a seguir 30. No final vimos um escore perfeito, logo após uma centena de gerações. Foi um assombro." O software fizera evoluir uma população inteira de peritos seguidores de trilha, apesar de Jefferson e Taylor não terem dotado a primeira geração de formigas de qualquer habilidade específica. Em vez de projetar uma solução para o problema de seguir trilhas, os dois professores da UCLA haviam feito surgir uma solução; haviam criado um grupo de programas possíveis, depois construído um mecanismo de feedback que permitia o surgimento de programas cada vez melhores. De fato, o sucesso dos programas foi tão grande, que eles criaram soluções específicas para seus ambientes. Quando Jefferson e Taylor "dissecaram" uma das formigas campeãs no final, para ver que estratégias de seguimento de trilhas ela tinha desenvolvido, descobriram que o software tinha evoluído no sentido de preferir dobrar à direita, em resposta às três viradas iniciais à direita que Jefferson contruíra na trilha John Muir. Era como observar um organismo que vive na água desenvolver guelras: mesmo na tosca e abstrata grade do Tracker, as formigas virtuais desenvolveram uma estratégia de sobrevivência que era adaptada somente a seu meio ambiente.

De qualquer ponto de vista, o Tracker foi um autêntico desbravador. Finalmente, as ferramentas da computação moderna tinham atingido o ponto em que se podia simular inteligência emergente e ver seu desdobramento na tela em tempo real, como Turing, Selfridge e Shannon sonharam anos antes. E, por feliz coincidência, Jefferson e Taylor escolheram para suas simulações justamente o organismo mais celebrado por seu comportamento emergente: a formiga. Naturalmente, eles partiram da mais elementar forma de inteligência de formiga — cheirar trilhas de feromônio —, mas as possibilidades sugeridas pelo sucesso do Tracker eram infinitas. As ferramentas de software emergente tinham sido controladas para modelar e compreender a evolução da inteligência emergente em organismos do mundo real. De fato, ao ver essas formigas virtuais evoluírem na tela do computador, aprendendo e adaptando-se a seus ambientes sem interferências, não podemos deixar de imaginar que a fronteira entre o real e o virtual está se tornando cada vez mais imprecisa.

Na simulação em computador do comportamento do *Dictyostelium discoideum* de Mitch Resnick, havia duas variáveis-chave, dois elementos que podem ser alterados durante a interação com a simulação. O primeiro é o número de células de *Dictyostelium discoideum* no sistema; o segundo é a extensão física e temporal da trilha de feromônio deixada por cada célula que rasteja na tela (é possível ter longas trilhas que levam minutos para se dissipar, ou outras menores que desaparecem em segundos.) Uma vez que as células de *discoideum* decidem coletivamente se agregar, baseadas em seus encontros com as trilhas de feromônio, a alteração dessas duas variáveis pode trazer um grande impacto no comportamento simulado do sistema. Mantenha trilhas pequenas e poucas células, e os organismos se negam a caminhar juntos. A tela parecerá uma galáxia de estrelas cadentes, sem a emergência de formas maiores. Mas mude a duração das trilhas e o número de agentes e, em um determinado ponto claramente definido, um aglomerado de células de repente se formará. O sistema entrou em uma fase de transição, movendo-se de um estado distinto para outro, baseado na "complexidade organizada" das células do tal organismo. Isso não é gradual, mas repentino, como se um interruptor tivesse sido ligado. Mas não há interruptores, nem líderes — somente um conjunto de células isoladas colidindo umas com outras e deixando para trás suas pegadas de feromônio.

Geralmente, as histórias de desenvolvimento intelectual — a origem e a divulgação de novas idéias — vêm em dois tipos de pacotes: ou a teoria do "grande homem", na qual um gênio tem um lampejo de inspiração no laboratório ou na biblioteca e o mundo imediatamente se transforma; ou a teoria de "mudança do paradigma", na qual os ocupantes das cátedras de ciências acordam para encontrar acima deles um novo andar construído, onde todos estarão trabalhando dentro de poucos anos. Ambas as teorias são inadequadas: a história do grande homem ignora os esforços dispersos, comunitários, que participam de todo importante avanço intelectual, e o modelo de mudança de paradigma tem dificuldades para explicar como o novo andar, na realidade, foi construído. Suspeito que a simulação de *Dictyostelium discoideum* de Mitch Resnik seja uma metáfora melhor para os caminhos que as idéias revolucionárias percorrem: pense nessas células como investigadores no campo; pense nessas trilhas como um tipo de memória institucional. Quando são apenas poucos os cérebros explorando determinado problema, as células permanecem desconectadas, serpenteando na tela como células isoladas, cada uma seguindo seu curso aleatório. Nas trilhas de feromônio que evaporam rapidamente, as células não deixam traço de seu progresso — como um ensaio publicado em um jornal, mas que fica durante anos na prateleira de uma biblioteca sem ser lido. Contudo, conecte o maior número de mentes ao sistema e forneça uma trilha maior, mais durável — publicando suas idéias em livros de grande vendagem ou fundando centros de pesquisa para explorar essas idéias — e logo o sistema chegará a uma fase de transição: pedaços isolados e obsessões particulares se aglutinarão em um novo modo de ver o mundo, compartilhado por milhares de indivíduos.

Foi exatamente o que aconteceu com o conjunto de pensamentos bottom-up nas três últimas décadas. Depois de anos de investigações independentes, os vários trabalhos de Turing, Shannon, Wiener, Selfridge, Weaver, Jacobs, Holland e Prigogine iniciaram uma revolução no modo como pensamos acerca do mundo e seus sistemas. Na época em que Jefferson e Taylor começaram a lidar com suas formigas virtuais, em meados da década de 1980, as trilhas da pesquisa intelectual já haviam crescido razoavelmente e se interconectaram o suficiente para criar uma ordem de nível superior (podemos chamar de emergência da emergência). Um campo de pesquisa que havia sido caracterizado por um punhado de investigações preliminares desabrochou da noite para o dia em uma paisagem diversificada e densamente povoada, transformando dezenas de disciplinas existentes e inventando várias outras. Em 1969, Marvin Minsky e Seymour Papert publicaram "Perceptrons", que se apoiava no dispositivo do Pandemônio de Selfridge para o reconhecimento de padrões distribuídos, abrindo o caminho para a teoria bottom-up de Minsky — a Sociedade da Mente —, desenvolvida na década seguinte. Em 1972, um professor da Universidade de Rockefeller chamado Gerald Edelman ganhou o prêmio Nobel por seu trabalho de decodificação da linguagem das moléculas dos anticorpos, abrindo caminho para o entendimento do sistema imunológico como um dispositivo auto-organizado de reconhecimento de padrões. O Nobel de Prigogine aconteceu cinco anos depois. No fim da década, Douglas Hofstadter publicou *Gödel, Escher, Bach*, ligando a inteligência artificial ao reconhecimento de padrões, às colônias de formigas e às *Variações Goldberg*. Apesar do assunto misterioso e da complicada estrutura retórica, o livro se transformou em um sucesso de vendas e ganhou o prêmio Pulitzer para não-ficção.

Em meados da década de 1980, a revolução estava em efervescência. O Instituto Santa Fé foi fundado em 1984; o livro *Caos*, de James Gleik, saiu três anos depois, com críticas elogiosas em todo o mundo, e foi seguido por dois livros populares de ciência, ambos chamados *Complexidade*. Estudos sobre vida artificial floresceram, parcialmente graças ao sucesso de programas de software como o Tracker. Nas ciências humanas, teóricos críticos como Manuel De Landa começaram a lidar com as ferramentas conceituais da auto-organização, abandonando o paradigma do pós-estruturalismo ou de estudos culturais, então na moda. A fase de transição estava concluída: a chamada de Warren Weaver para o estudo da complexidade organizada havia recebido uma resposta expressiva. A "região do meio" de Warren Weaver finalmente fora ocupada pela vanguarda científica.

Estamos agora vivendo a terceira fase da revolução. Podemos datá-la do início da década de 1990, quando Will Wright lançou um programa chamado SimCity, que se tornou um dos maiores campeões de vendas de jogos de vídeo de todos os tempos. O SimCity também inauguraria uma nova fase no desenvolvimento da história da auto-organização: o comportamento emergente deixou de ser apenas mais um objeto de estudo, algo a ser interpretado e modelado em laboratório. Passou a ser também algo que se podia *construir*, com que se podia interagir e que se podia vender. Quando o SimCity apareceu como uma novidade do mundo bottom-up, mostrou-se uma nova abertura: SimCity era uma obra de cultura, não de ciência. Propunha-se a divertir, não a explicar.

Agora, dez anos após o lançamento do SimCity de Wright, o mundo tem uma quantidade enorme desses sistemas feitos pelo homem: lojas on-line usam-nos para reconhecer nossos gostos culturais; artistas os utilizam para criar um novo tipo de formas culturais de adaptação, sites da Web usam-nos para ajustar suas comunidades on-line; profissionais de marketing, para detectar os padrões demográficos no público em geral. A própria indústria de jogos de vídeo explodiu em tamanho, ultrapassando Hollywood em termos de números brutos de venda — e muitos dos títulos mais vendidos baseiam-se no poder da auto-organização digital. Com esse sucesso popular veio um efeito sutil, mas significativo: estamos começando a *pensar* usando as ferramentas conceituais de sistemas bottom-up. Assim como as metáforas de relojoeiros do Iluminismo, ou a lógica dialética do século XIX, o mundo emergente pertence a este momento do tempo, dando forma a nossos modos de pensar e colorindo nossa percepção do mundo. Como nossa vida diária está cada vez mais povoada pela emergência artificial, descobriremos que confiamos cada vez mais na lógica desses sistemas — tanto na América corporativa, onde "inteligência bottom-up" começou a substituir a "administração para a qualidade" como o mantra do dia, quanto nos movimentos radicais de protestos contra a globalização, que explicitamente modelam suas organizações distribuídas e sem líderes a partir de exemplos como as colônias de formigas e o comportamento do *Dictyostelium discoideum*. O ex-vice presidente dos Estados Unidos, Al Gore, é um devoto da teoria da complexidade e é capaz de falar horas a fio sobre a importância do paradigma bottom-up para se reinventar o governo. Quase dois séculos após Engels lutar contra os problemas que o assombraram nas ruas da cidade de Manchester, e 50 anos depois de Turing resolver os mistérios do desabrochar das flores, finalmente o círculo está completo. Nossas mentes podem estar ligadas para procurar líderes, mas sem dúvida estamos aprendendo a pensar bottom-up.

PARTE

dois

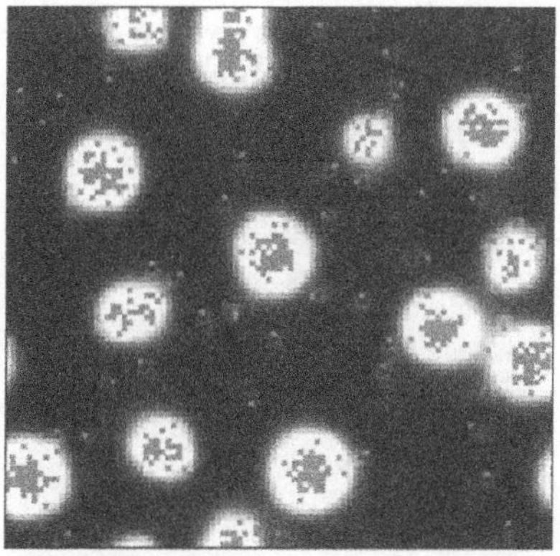

Simulação de *Dictyostelium discoideum* do StarLogo (*Cortesia de Mitch Resnick*)

Anda, preguiçoso, olha a formiga,
Observa o seu proceder, e torna-te sábio:
Sem ter um chefe, nem um guia, nem um dirigente,
No verão, acumula o grão
E reúne provisões durante a colheita.

— PROVÉRBIOS 6:6-8

CAPÍTULO 2

Nível da rua

Diga o que quiser sobre o aquecimento global, a Mona Lisa, a Apollo 9 ou os canais de Veneza — à primeira vista, os seres humanos parecem ser a mais bem-sucedida espécie do planeta, mas há fortes indícios a favor das formigas. Medindo simplesmente em números, as formigas — e outros insetos sociais como os cupins — dominam o planeta de uma tal maneira que deixa a impressão de que a população humana foi um ato secundário da evolução. As formigas e os cupins compõem 30% da biomassa da floresta amazônica. Com aproximadamente dez mil espécies conhecidas, as formigas rivalizam com os homens modernos a ocupação de terras: as únicas regiões livres de formigas são a Antártida, a Islândia, a Groenlândia e a Polinésia. E, embora elas ainda não tenham inventado o spray aerossol, a espécie das formigas tem um forte impacto ambiental, movendo enormes pedaços de solo e distribuindo nutrientes mesmo nos meios mais hostis. Sem dúvida, elas não possuem nossos cérebros avançados, mas a inteligência humana é somente uma medida do sucesso da evolução.

Tudo isso levanta a seguinte questão: se a evolução não dotou as formigas com os poderes computacionais do cérebro humano, como elas se tornaram uma presença tão dominante no planeta? Embora não haja uma única explicação para o sucesso dos insetos sociais, certamente a inteligência coletiva do sistema da colônia representou um papel essencial. Podemos chamar isto de lógica do enxame: dez mil formigas — cada uma limitada ao escasso vocabulário de feromônio e a mínimas habilidades cognitivas — engajadas coletivamente em resolver problemas com nuances e imprevistos. Uma colônia de formigas cortadeiras no campo não somente averiguará o caminho mais curto para a fonte de comida, mas também irá priorizar as fontes de alimento, com base em sua distância e facilidade de acesso. Em resposta a mudanças de condições externas, as formigas operárias mudam suas tarefas, da construção de ninhos à forragem e à criação das pupas. Sua aptidão para engenharia e coordenação social pode ser francamente assustadora — em especial porque nenhuma das formigas está, na realidade, "encarregada" da operação global. Foi esta conexão entre micro e macroorganização que despertou em Deborah Gordon o interesse pelas formigas. "Eu estava interessada em sistemas em que os indivíduos não têm acesso à situação global mas mesmo assim trabalham juntos de forma coordenada", ela comenta. "E conseguem fazer isso usando somente informação local."

Local é o termo ideal para compreendermos o poder da lógica do enxame. Vemos comportamentos emergentes em sistemas como os de colônias de formigas, onde os agentes individuais do sistema prestam atenção a seus vizinhos mais próximos em vez de ficarem esperando por ordens superiores. Eles pensam localmente *e* agem localmente, mas sua ação coletiva produz comportamento global. Tomemos como exemplo a relação entre o suprimento de alimentos e o tamanho da colônia. Colônias de formigas cortadeiras ajustam constantemente o número de formigas ativas para a coleta de comida com base em um certo número de variáveis: tamanho total da colônia (e, portanto, o número de bocas a serem alimentadas); quantidade de alimento armazenado no ninho; quantidade de alimento disponível na área circundante; e mesmo a presença de outras colônias em áreas vizinhas. Nenhuma formiga, individualmente, pode avaliar essas variáveis por si mesma (aliás, todas as formigas operárias são fêmeas). Em outras palavras, o mundo percebido por uma formiga limita-se ao nível da rua. Não há visões panorâmicas da colônia, nenhum modo de perceber o sistema global — e, na verdade, nenhum mecanismo cognitivo que possa dar sentido a tal percepção. "Ter uma visão do todo" é uma impossibilidade tanto perceptual quanto conceitual para qualquer membro da espécie das formigas.

Na realidade, no mundo das formigas, não faz sentido se falar sobre "visões". Embora alguns tipos de formigas tenham equipamentos ópticos surpreendentemente desenvolvidos (a formiga de gênero *Gigantiops destructor*, da América do Sul, tem olhos enormes), o grande volume do processamento de informação da formiga se apóia nos componentes químicos dos feromônios, também chamados de semioquímicos por criarem um sistema de sinais funcionais entre as formigas. As formigas segregam um certo número de substâncias químicas pelas glândulas do reto e do esterno — e ocasionalmente regurgitam comida recém-digerida — como meio de comunicação com as outras formigas. Esses sinais químicos são a chave para o entendimento da lógica do enxame. E.O. Wilson e Bert Holldobler, em seu trabalho épico, *As formigas*, escreveram: "A soma atual de evidências indica que os feromônios desempenham o papel principal na organização das colônias."

Comparada à linguagem humana, a comunicação entre as formigas pode parecer tosca, com somente dez ou 20 sinais. A comunicação entre as operárias em colônias de formigas-de-fogo (*Solenopsis invicta*) — amplamente estudadas por Wilson no começo da década de 1960 — resume-se a um vocabulário de dez sinais, nove dos quais baseados em feromônios (a única exceção é a comunicação tátil direta entre formigas). Entre outras coisas, esses códigos de sinais químicos servem para reconhecimento de tarefas ("Minha tarefa é colheita"); atração na trilha ("Há comida ali"); comportamento de alarme ("Fuja!") e comportamento necrofórico ("Vamos nos livrar dessas colegas mortas").

No entanto, apesar da simplicidade do vocabulário e da impossibilidade de estruturas sintáticas complexas, a linguagem das formigas é caracterizada por algumas intrigantes flexões que contribuem para sua capacidade expressiva. Muitos semioquímicos operam de modo binário, relativamente simples — por exemplo, sinalizando se outra formiga é amiga ou inimiga. Porém, as formigas também podem detectar *graduações* nos feromônios, revelando onde o odor está se tornando mais forte, de modo semelhante àquele empregado por bons cães farejadores. Perceber as graduações é essencial para a formação das linhas de carregamento de alimento, tão importantes na imaginação popular sobre a vida das formigas: a fila aparentemente infinita de formigas, cada uma comicamente suportando sementes imensas, marchando firmemente na calçada ou no chão. (Como veremos no capítulo 5, o programa StarLogo de Mitch Resnick também pode modelar a maneira como as colônias tanto descobrem as fontes de recursos como transportam as mercadorias de volta para casa.) As graduações na trilha de feromônio são a diferença entre, digamos, "há comida aqui em algum lugar" e "há comida ao norte daqui".

Como muitos de seus parentes, as formigas cortadeiras da pesquisa de Deborah Gordon também são particularmente capacitadas a medir a *freqüência* de certos semioquímicos, um talento que expande o espectro semântico da sua linguagem. As formigas podem sentir a diferença entre encontrar dez ou 100 companheiras operárias no espaço de uma hora. A pesquisadora acredita que essa habilidade é especialmente crucial para a formidável capacidade da colônia em ajustar ao seu tamanho a atribuição de tarefas ou o suprimento de alimento — em outras palavras, um talento local que engendra comportamento global.

"Não acho que as formigas avaliem o tamanho da colônia", me diz ela, "mas acredito que o tamanho da colônia afeta o que uma formiga experimenta, o que é diferente. Não acho que uma formiga repare como está o crescimento populacional da colônia, mas penso que, se fizer parte de uma colônia grande, ela tem uma experiência diferente da de outra formiga de uma colônia menor. E isso explica por que colônias antigas e grandes têm um comportamento diferente do de colônias menores". Na visão de Deborah Gordon, as formigas fazem uma espécie de amostra estatística do tamanho total da população, baseadas em seus encontros acidentais com as companheiras. Talvez uma formiga forrageadora espere encontrar três outras por minuto — se encontrar mais de três, pode seguir a regra de voltar para o ninho. Como as colônias maiores e mais antigas produzem mais forrageadoras, as formigas se comportam diferentemente em grandes colônias porque encontram maior número de companheiras.

O feedback local pode se revelar como o segredo do planejamento descentralizado do mundo das formigas. Individualmente, elas não têm como saber quantas forrageadoras, ou construtoras de ninhos ou coletoras de lixo estão trabalhando em determinado momento, mas podem registrar o número de membros de cada grupo com que se encontram em suas viagens diárias. Baseadas nessa informação — tanto pelo próprio sinal de feromônio quanto pela freqüência deste no tempo —, elas podem ajustar seu comportamento à situação. Um problema que as sociedades humanas resolveriam com um sistema de comando (algum tipo de radiodifusão de controle, anunciando que há forrageadoras em excesso), as colônias resolvem utilizando probabilidades estatísticas. Dado o número de formigas movendo-se aleatoriamente em um espaço finito, a colônia será capaz de fazer uma estimativa acurada da necessidade geral de forrageadoras ou de construtoras de ninho. Obviamente, é sempre possível que uma formiga esbarre acidentalmente em um número desproporcional de forrageadoras e, portanto, superestime o estado global dos suprimentos e mude seu comportamento por causa disto. No entanto, já que o processo de tomada de decisão se dilui por milhares de indivíduos, a margem de erro é desprezível. Para cada formiga que, por acaso, superestima o número de forrageadoras, há uma outra que o subestima. Em uma grande colônia, as duas avaliações se cancelam, aparecendo assim uma leitura precisa.

Se você está construindo um sistema elaborado para aprender a partir do nível mais baixo, um sistema onde a macrointeligência e a adaptabilidade advêm de conhecimento local, há cinco princípios fundamentais a serem seguidos. As formigas forrageadoras de Deborah Gordon mostram todos eles em funcionamento:

Mais é diferente. Na realidade, esse velho lema da teoria da complexidade tem dois significados relevantes para nossas colônias de formigas. Primeiro, a natureza estatística da interação das formigas demanda que haja uma massa crítica para produzir registros confiáveis de seu estado global. Dez formigas andando solitárias não serão capazes de julgar com precisão a necessidade geral de forrageadoras ou construtoras de ninhos, mas duas mil farão esse trabalho admiravelmente. A frase "Mais é diferente" também se aplica à distinção entre micromotivos e macrocomportamento: individualmente, as formigas não "sabem" que estão priorizando determinados caminhos entre diferentes fontes de alimento quando deixam um gradiente de feromônio perto de uma pilha de sementes nutritivas. De fato, se estudássemos as formigas isoladas, não teríamos como perceber que essas secreções químicas são parte de um esforço global para criar uma linha de distribuição em massa e levar para o ninho quantidades de alimento comparativamente colossais. Somente pela observação de todo o sistema em ação é que o comportamento global se manifesta.

A ignorância é útil. A simplicidade da linguagem das formigas — e a relativa estupidez de cada uma — é, como dizem os programas de computadores, uma característica, e não um defeito. Sistemas emergentes podem ficar fora de controle quando suas partes componentes se tornam excessivamente complicadas. É melhor construir um sistema com elementos simples densamente interconectados e deixar que comportamentos mais sofisticados ocorram aos poucos (essa é uma das razões por que os chips de computador trafegam na ágil linguagem de zeros e uns). Ter agentes individuais capazes de estimar diretamente o estado global do sistema pode ser uma real deficiência na lógica do enxame; pela mesma razão, ninguém deseja que um neurônio de seu cérebro de repente se torne consciente.

Encoraje encontros aleatórios. Sistemas descentralizados como o das colônias de formigas baseiam-se fortemente nas interações aleatórias de indivíduos explorando determinado espaço sem qualquer ordem predefinida. Seus encontros com outras formigas são arbitrários, mas, por haver tantos indivíduos no sistema, esses encontros acabam por permitir aos indivíduos aferir e alterar o macroestado do próprio sistema. Sem esses encontros que acontecem ao acaso, a colônia não seria capaz de tropeçar em novas fontes de alimento ou de se adaptar a novas condições ambientais.

Procure padrões nos sinais. Embora as formigas não necessitem de um extenso vocabulário e sejam incapazes de formulações sintáticas, elas se baseiam firmemente nos semioquímicos que detectam. Um gradiente em uma trilha de feromônio leva-as a uma fonte de alimento, enquanto encontrar uma grande quantidade de construtoras de ninho em relação ao número de forrageadoras leva-as a trocar de tarefa. Essa aptidão para detectar padrões permite a circulação de metainformação para o âmago da colônia: sinais acerca de sinais. Farejar o feromônio deixado por uma simples formiga forrageadora pouco significa, mas farejar as trilhas de feromônio de cinqüenta forrageadoras no espaço de uma hora fornece informação sobre o estado global da colônia.

Prestar atenção nos vizinhos. Essa pode ser a mais importante lição que as formigas nos dão e a de maiores conseqüências. Pode-se também reformular a frase dizendo: "Informação local pode levar à sabedoria global." O principal mecanismo da lógica do enxame é a interação entre formigas vizinhas no mesmo espaço: formigas tropeçando umas nas outras, ou nas trilhas de feromônio de outras, enquanto patrulham a área em volta do ninho. O acréscimo de formigas ao sistema global irá gerar maior interação entre vizinhos e conseqüentemente permitirá à colônia resolver problemas e se ajustar com mais eficiência. Se as formigas não topassem umas com as outras, as colônias seriam somente um conjunto sem sentido de organismos individuais — um enxame sem lógica.

As colônias de formigas cortadeiras de Deborah Gordon contêm outro mistério. Já entendemos como as interações locais podem conduzir à solução de problemas globais mas ainda não temos uma resposta para a questão de como as colônias se desenvolvem com o passar do tempo. Trata-se de uma daquelas perguntas científicas que ninguém pensou em fazer, porque o fenômeno não foi observado. E não o foi porque as formigas eram estudadas — e observadas — com a utilização de uma *escala* errada. Até recentemente, os entomologistas estudavam o comportamento das colônias como se tirassem fotografias, observando um determinado ninho por dias ou meses de cada vez, e depois indo para outros ninhos ou voltando para o laboratório. Entretanto, as colônias bem-sucedidas podem viver até 15 anos — a duração da vida da formiga-rainha, que põe os ovos e cuja extinção sinaliza a morte da própria colônia. Os entomologistas observavam cada colônia somente durante semanas ou meses. Mas, para saber como as colônias se desenvolvem, deve-se trabalhar em uma escala de décadas.

Em meados da década de 1980, quando começou a fazer trabalho de campo no Arizona, Deborah Gordon optou por uma corajosa e arriscada estratégia de pesquisa que no final se revelou brilhante: ela decidiu fazer anotações ano a ano sobre cada colônia individual, acompanhando todas elas desde seu nascimento, após um acasalamento bem-sucedido, até o envelhecimento, 15 anos mais tarde. Após mais ou menos meia década do demorado projeto, os resultados começaram a aparecer e eram fascinantes. Como um filme que mostra em poucos segundos o esforço de semanas de uma videira para estender seus ramos, a pesquisa de Deborah Gordon transformou o modo como vemos as formigas, ao mudar a escala temporal na qual eram consideradas. As colônias tinham ciclos bem definidos com fases de infância, adolescência e maturidade em seus 15 anos de existência. "Eu nunca havia pensado ou lido algo sobre isso, porque sem dados a longo prazo ninguém realmente sabe a idade das colônias", ela comenta. "Somente após observar as mesmas colônias ano a ano e saber a sua idade, foi que comecei a perceber que as colônias mais jovens eram mais ativas." Na seqüência de suas observações, diferenças entre as colônias de várias idades tornaram-se evidentes, fazendo lembrar, de modo fascinante, outros ciclos de desenvolvimento no reino animal.

Para início de conversa, colônias mais jovens são mais volúveis. "Fiz experiências que imitavam os tipos de mudanças que uma colônia usualmente experimenta — por exemplo, uma mudança na disponibilidade de alimento", conta Deborah Gordon. "Se eu fizer esta experiência semana após semana com colônias mais velhas, obterei os mesmos resultados: elas respondem sempre do mesmo modo. Se fizer a mesma experiência com colônias mais jovens, elas responderão de uma forma esta semana, de outra forma na semana seguinte; portanto, as colônias mais jovens são mais sensíveis ao que é diferente nesta semana em relação à outra."

"Típico de adolescentes", digo eu, rindo.

"Talvez." Ela sorri. "E outra coisa que pode ser mais típica de adolescentes é a diferença entre as colônias antigas e as mais novas no modo de responder aos vizinhos. Colônias vizinhas de formigas cortadeiras podem se encontrar quando as forrageadoras das duas colônias se superpõem e procuram alimento nos mesmos lugares. Se uma colônia mais velha encontra outra, é provável que no dia seguinte ela mude de direção para evitar o encontro. As colônias mais jovens são mais persistentes e agressivas, mesmo se forem menores. Então, encontram-se em um dia e voltam no dia seguinte — mesmo se tiverem que lutar."

Os ciclos de desenvolvimento das colônias podem ser intrigantes por si só, mas consideremos ainda um fato adicional: embora a colônia se desenvolva e se adapte ao longo de 15 anos, as formigas que as formam não vivem mais do que 12 meses. Na verdade, os infelizes machos — que só aparecem uma vez por ano para acasalar — vivem somente um dia (seu tempo de vida é tão breve que a seleção natural não se preocupou em dar-lhes mandíbulas para comer, pois não vivem tempo suficiente para ter fome). Somente a formiga-rainha vive por mais de um ano, mas não faz mais nada a não ser pôr ovos, e mantém-se totalmente à parte da atividade das operárias no lado de fora. A colônia fica mais estável e menos impetuosa à medida que se desenvolve, e a população recomeça a partir do zero a cada ano. Como pode o todo desenvolver um ciclo de vida quando suas partes vivem tão pouco?

Não seria errado dizer que, para se compreender a emergência, deve-se começar pela solução deste enigma. A persistência do todo no tempo — o comportamento global durando mais do que qualquer um de seus componentes — é uma das características que definem os sistemas complexos. Gerações de formigas vêm e vão e, apesar disso, a colônia amadurece, torna-se mais estável, mais organizada. Naturalmente nossa mente se embaralha diante dessa mistura de permanência e instabilidade. Podemos entender quando deparamos, por exemplo, com uma casa Tudor nos Cotswolds, cujas madeiras, vigas e tijolos foram substituídos no mínimo uma vez na vida, porque são mudados pelos "mestres": artesãos ou moradores que conhecem o estilo da casa seguem deliberadamente o projeto original. As colônias de formigas de Gordon são mais parecidas com uma casa que automaticamente muda seu revestimento uma vez por ano sem a ajuda de ninguém. Ou, melhor ainda, uma vez que as colônias de formigas, com o passar do tempo, ficam cada vez mais duráveis, seria mais como uma casa que desenvolve espontaneamente um vigoroso sistema de isolamento após cinco anos e faz brotar uma nova garagem depois de dez anos.

A colônia de formigas pode nos surpreender com sua capacidade de crescer e evoluir ao mesmo tempo que se descarta de gerações inteiras de operárias, mas, no fundo, não somos tão diferentes dos insetos sociais, como formigas, cupins e abelhas. Conforme observa Matt Ridley, autor de livros de divulgação científica: "A relação entre as células do nosso corpo é muito parecida como a que existe entre as abelhas em uma colméia. Os ancestrais de nossas células foram um dia entidades individuais, e sua "decisão" evolucionária de cooperar, cerca de 600 milhões de anos atrás, é quase exatamente equivalente à mesma decisão, talvez tomada há 50 milhões de anos pelos insetos sociais, de cooperar, no nível da colméia; parentes geneticamente próximos descobriram que poderiam se reproduzir mais eficientemente se o fizessem por substituição, delegando a tarefa a células germinativas no caso das células, ou a uma rainha, no caso das abelhas."

O corpo humano é constituído de milhares de diferentes tipos de células — de músculos, de sangue, nervosas etc. Em dado momento, aproximadamente 75 trilhões de células estão trabalhando no seu corpo. Na verdade, você é o resultado das ações dessas células, não há *você* sem elas. E, no entanto, elas estão morrendo o tempo todo! Provavelmente milhares delas morreram durante o tempo que você levou para ler a última frase e na próxima semana você será composto por bilhões de células novas que não estavam aqui para desfrutar a leitura da frase e, menos ainda, para se alegrar com seus primeiros passos ou com sua festa de formatura. Células estão morrendo no seu corpo o tempo todo — e muitas delas estão sendo substituídas rapidamente (mesmo as células do cérebro se auto-regeneram na maturidade). E, no entanto, apesar dessa enorme troca de células, você continua a se sentir o mesmo semana após semana, ano após ano. Como isto é possível?

Alguns leitores podem estar inclinados, neste momento, a objetar que os seres humanos, de fato, estão mais próximos da reconstrução contínua da casa Tudor do que uma colônia de formigas porque, no caso do desenvolvimento humano, temos um líder planejador e um projeto a seguir: as espirais de DNA envolvidas em cada célula de nosso corpo. Nossas células sabem como construir nossos corpos porque a seleção natural as dotou de um meticuloso e detalhado plano e garantiu que 75 trilhões de cópias fossem distribuídas por nosso corpo em qualquer instante. A tirania do DNA parece ir contra os princípios da emergência: se todas as células estão lendo o mesmo manual, não se trata em absoluto de um sistema bottom-up; é o máximo da centralização. Seria como uma colônia em que cada formiga começasse seu dia com uma agenda cuidadosamente planejada: armazenar das seis às dez; trabalhar no depósito de lixo até o meio-dia; almoço; limpeza na parte da tarde. Isto é uma economia de comando, não um sistema bottom-up.

Assim, será que isso significa que nossos genes são Stalins secretos distribuindo planos fixos de crescimento para os stakhanovitas de nossas células? E somos mais parecidos com um complexo habitacional socialista do que com uma colônia de formigas? Ninguém questiona que o DNA exerce uma extraordinária influência sobre o desenvolvimento de nossas células e que todas as células do nosso corpo contêm a mesma impressão genética. Caso cada célula simplesmente lesse as instruções no livro dos cromossomos e se comportasse de acordo com o mesmo, poderíamos realmente argumentar que nossos corpos não funcionam como uma colônia de formigas. Mas as células fazem mais do que seguir as regras do DNA. Elas também aprendem com as vizinhas. E, sem essa interação local, o plano central do nosso código genético seria totalmente inútil.

As células extraem informação seletivamente do plano que é o DNA: cada núcleo de célula contém o genoma inteiro do organismo, mas somente uma mínima parte está disponível para cada célula individualmente. As células dos músculos lêem somente as linhas de código que interessam às células musculares, enquanto as do sangue consultam os trechos relativos ao sangue. Tudo isso parece muito simples, até que se faça a pergunta: como um célula de músculo se torna uma célula de músculo? E essa questão encobre um dos mais fundamentais mistérios da emergência: como organismos tão complicados, com uma variedade tão grande de blocos de construção, podem se desenvolver a partir de um início tão simples? Todos nós começamos a vida como um organismo de uma só célula e, no final do nosso desenvolvimento, acabamos compostos por cerca de 200 variações, todas intrinsecamente conectadas umas às outras, e todas desempenhando tarefas surpreendentemente complexas. Afinal, como um ovo sabe como construir uma galinha?

A resposta não é tão diferente da solução para o enigma das colônias de formigas. As células se auto-organizam em estruturas mais complicadas aprendendo com suas vizinhas. Cada célula do corpo contém um intricado conjunto de ferramentas para detectar o estado das vizinhas e se comunicar com as que estão usando mensageiros químicos. Enquanto as formigas usam feromônio para informar suas atividades às demais formigas, as células se comunicam por meio de sais, açúcares, aminoácidos — até mesmo moléculas maiores como proteínas e ácidos nucleicos. As mensagens são parcialmente transmitidas através de "junções" nas células, pequenos corredores que levam moléculas do citoplasma de uma célula para outra. Essa comunicação desempenha um papel essencial em toda a atividade celular, mas é particularmente decisiva para o desenvolvimento embrionário, durante o qual um organismo unicelular se auto-organiza para ser um rato, uma lombriga ou um ser humano.

Todos começamos a vida como um embrião unicelular, mas segundos após a concepção o embrião se divide em duas seções: uma "cabeça" e uma "cauda". Neste ponto, o organismo juntou-se às fileiras da vida multicelular, sendo agora composto de duas células distintas. E as duas — cabeça e cauda — têm instruções separadas de crescimento codificadas no DNA; uma célula se dirige ao capítulo "célula da cabeça" e a outra ao capítulo da "célula da cauda". Nesse primeiro estágio de desenvolvimento, as instruções seguem um padrão previsível: divisão em outra "cabeça" e "cauda". Assim, no segundo tempo do desenvolvimento embrionário, há quatro células: a cabeça da cabeça, a cauda da cabeça, a cabeça da cauda e a cauda da cauda. Quatro unidades podem não parecer muita coisa, mas o ciclo de divisões celulares continua acelerado. Um embrião de sapo se autodivide em cerca de dez mil células em questão de horas. A potencialidade dessa progressão geométrica não é somente uma singularidade matemática — ela é essencial para a própria origem da vida.

Após o embrião ter alcançado um certo tamanho, começam a formar-se células "coletivas" e aqui as coisas ficam mais complicadas. Um grupo de células pode ser o começo de um braço, enquanto outro pode constituir o primeiro esboço da massa cinzenta do cérebro. De alguma forma, cada célula tem que se posicionar no grande esquema de coisas — e ainda assim, como uma formiga, ela não tem condições de ver o todo, não tem endereço fixo estampado em si mesma quando vem ao mundo, nem número de série de fabricação. Porém, embora careçam de uma visão total do organismo que as contém, as células podem fazer avaliações no nível da rua, através de sinais moleculares transmitidos pelas suas junções. Este é o segredo da automontagem: células coletivas emergem porque cada célula olha para as vizinhas procurando "dicas" de como se comportar. Essas dicas controlam diretamente o que os biólogos chamam de "expressão genética"; são a "cola" que permite a cada célula descobrir que segmento de DNA deve consultar para ter suas instruções. Trata-se de uma espécie de microscópica mentalidade de rebanho: uma célula olha em volta para as vizinhas e vê que todas estão empenhadas na criação de um tímpano ou de uma válvula do coração, o que a leva, por sua vez, a começar a trabalhar na mesma tarefa.

A chave aqui está em que a vida não se reduz à transcrição de trechos estáticos de nossa escritura genética. As células avaliam a que trechos devem prestar atenção, observando sinais das outras à sua volta: somente com essa interação local podem surgir "comunidades" complexas de células. O prêmio Nobel Gerald Edelman chama esse processo de topobiologia, da palavra grega para "lugar", *topos*. As células baseiam-se fundamentalmente no código de DNA para seu desenvolvimento, mas também precisam de um sentido de lugar para cumprir sua tarefa. Na verdade, o código é totalmente inútil sem a habilidade da célula para determinar seu lugar no organismo total, uma façanha conseguida graças à gentil estratégia de prestar atenção às vizinhas. Como escreve Ridley, "a grande beleza do desenvolvimento embrionário, a parte que os seres humanos acham tão difícil de captar, é que ele é um processo totalmente descentralizado. Como cada célula do corpo carrega uma cópia completa do genoma, nenhuma delas aguarda instruções ditadas por autoridades; cada uma age com sua própria informação e com os sinais que recebe das vizinhas". E então voltamos às formigas de Deborah Gordon com suas misteriosas habilidades para gerar um comportamento global coordenado a partir de interações locais.

Vizinhos e *Vizinhanças*. As palavras parecem mais ligadas às comunidades humanas do que aos domínios microscópicos das células dos músculos ou das formigas cortadeiras. Mas como estender nossa visão a um nível mais alto na cadeia da vida, ao "superorganismo" da cidade? Sem dúvida, é possível *modelar* o comportamento das cidades com as ferramentas da lógica do enxame.

Simulações computacionais podem nos ensinar bastante sobre os sistemas complexos: se uma imagem vale mil palavras, um modelo interativo deve valer milhões. Entretanto, uma rápida olhada na listas dos softwares mais vendidos nos dirá que as simulações de cidades são mais do que um dispositivo educacional. A franquia do SimCity de Will Wright vendeu até hoje milhões de cópias, o que significa que o número de cidades virtuais criadas por meio das ferramentas do programa excede o número real de cidades criadas na história moderna da humanidade. Alguns jogos atraem a atenção em virtude do nosso apetite por contar histórias, seguindo uma progressão linear de lance e contralance, com começos e finais bem definidos; outros jogos prendem a atenção fazendo explodir coisas. O SimCity foi um dos primeiros jogos a explorar os misteriosos poderes da emergência bottom-up. A genialidade de Wright não foi simplesmente reconhecer o divertimento de simular uma metrópole inteira na tela. Ele também incluiu um truque brilhante de programação que permitiu que a cidade evoluísse de forma parecida à de um ser vivo — um truque que se assemelha bastante ao comportamento dos embriões e das colônias de formigas.

Muito foi dito sobre o fato de não se poder "ganhar" no SimCity, mas provavelmente é mais importante notar que realmente não se "joga" SimCity, pelo menos da maneira como se faz em jogos convencionais. Os usuários "amadurecem" suas cidades virtuais, mas elas evoluem de modo imprevisível e o controle sobre a forma final da cidade é sempre indireto. É possível criar zonas comerciais ou construir uma rodovia, mas nunca há uma garantia de que o bairro vai deslanchar ou a taxa de crimes retroceder (certamente, os desdobramentos não acontecem de modo aleatório — jogadores experientes aprendem como empurrar sua cidade virtual em certas direções). Para a maioria das pessoas, a visão de sua primeira cidade digital fazendo brotar enormes bairros e favelas deprimentes é sem dúvida fascinante, como se a pesada matemática do computador digital tivesse de alguma maneira gerado uma forma de vida, algo mais orgânico e fluido, alguma coisa entre as instruções rígidas da programação e o puro acaso.

Como foi que Wright criou essa extraordinária ilusão? Projetando o jogo como um sistema emergente, uma trama de células que são conectadas a outras células e que alteram seu comportamento em resposta a atitudes de outras na rede. Todo quarteirão da cidade no SimCity possui um certo número de valores — digamos, o preço dos terrenos ou o nível de poluição. Assim como em uma cidade real, os valores mudam em relação aos valores dos quarteirões vizinhos; se, por exemplo, um quarteirão está perto de outro cujo valor caiu e de um terceiro, onde os índices de criminalidade cresceram, então ele pode se tornar menos valioso (um bom jogador de SimCity pode conter esse declínio colocando um posto de polícia a dez quarteirões da área desvalorizada). Os próprios algoritmos são relativamente simples — repare na situação do seu vizinho e se ajuste a ele —, mas a mágica da simulação ocorre porque o computador faz milhares desses cálculos por segundo. Já que cada célula está influenciando o comportamento das outras células, parecem surgir ondas de mudanças em todo o sistema, com uma fluidez e definição que só podem ser descritas como vivas.

A semelhança com nossas formigas e embriões é surpreendente. Cada quarteirão em SimCity obedece a um conjunto de instruções rígidas que governam seu comportamento, assim como nossas células consultam a "cola" de nossos genes. Contudo, as instruções são dependentes dos sinais recebidos de outros quarteirões da vizinhança, assim como no caso das células que observam através das aberturas das junções a situação das vizinhas. Com apenas um punhado de quarteirões, o jogo torna-se tremendamente maçante e robotizado, mas com milhares deles, cada um respondendo a dúzias de variáveis, a cidade simulada parece viva, com o surgimento de bairros e favelas, acossados por recessões virtuais e melhorados por repentinos desenvolvimentos. Da mesma forma que nas colônias de formigas, mais é diferente. "Grandes cidades não são como lugarejos maiores", escreve Jane Jacobs. "Não são como subúrbios mais povoados. Elas se diferenciam de lugarejos e subúrbios por formas básicas." Claro que ela estava escrevendo sobre cidades reais, mas poderia, perfeitamente, estar se referindo à rede de algoritmos de SimCity ou às prolíficas colônias de formigas cortadeiras do Arizona.

Os economistas e sociólogos especializados em questões urbanas também têm feito experiências com modelos que podem simular como uma cidade se auto-organiza ao longo do tempo. Embora as cidades atuais sejam rigidamente definidas de cima para baixo, por forças top-down, como as leis de zoneamento e as comissões de planejamento, estudiosos há muito tempo reconheceram que forças bottom-up desempenham um papel fundamental na formação das cidades, criando comunidades distintas e grupos demográficos não planejados. Nos últimos anos, alguns desses teóricos — sem falar em vários economistas influentes — desenvolveram modelos mais confiáveis, que recriam o processo de formação de bairros com uma precisão impressionante.

O economista Paul Krugman (atualmente editorialista do *New York Times*) apresentou em 1995 a série de conferências "A economia auto-organizada" — publicada em livro no ano seguinte —, que incluía um modelo matemático notavelmente simples, capaz de dar conta do "padrão policêntrico das modernas metrópoles". Trabalhando com modelos da teoria de jogos desenvolvida por Thomas Schelling para explicar a formação de cidades segregadas, o sistema de Krugman pressupõe uma cidade simplificada, construída somente para negócios, em que cada um toma a decisão de se instalar com base na localização dos outros negócios. Algumas forças centrípetas aproximam os negócios (porque as firmas desejam compartilhar uma base de clientes ou outros serviços locais) e outras, centrífugas, os dispersam (porque as firmas competem por mão-de-obra, terras e, em alguns casos, clientes). Nesse ambiente, o modelo de Krugman baseia-se em dois axiomas primários:

1. Deve haver uma tensão entre as forças centrípetas e centrífugas, sem que uma dela seja forte demais.
2. O alcance das forças centrípetas deve ser menor que o das centrífugas: os negócios devem "gostar" de ter outros por perto, e não gostar de que eles estejam mais distantes (uma loja especializada gosta quando outras lojas se instalam no mesmo shopping, porque trazem clientes em potencial; mas não gosta quando elas se localizam em um shopping concorrente, alguns quilômetros adiante).

"E isso é tudo de que precisamos", continua Krugman. "Em qualquer modelo que siga esses critérios, a distribuição inicial dos negócios em termos de localização, por mais planejada (ou acidental) que seja, se organizará espontaneamente segundo um padrão de múltiplos negócios claramente separados."

Krugman chega a apresentar um gráfico demonstrativo da auto- organização da cidade no tempo — uma imagem que capta a elegância do modelo. Disperse milhares de negócios ao acaso na paisagem, depois ligue o relógio e veja como eles se embaralham no espaço. No final, independentemente da configuração inicial, as firmas se juntarão em uma série de agrupamentos distintos, com espaços regulares entre si. As firmas não seguem regras para agrupar-se: seus motivos são estritamente locais. No entanto, esses micromotivos se combinam para formar um macrocomportamento, uma ordem superior que existe no nível da própria cidade. Regras locais levam à estrutura global — mas uma estrutura que não seria necessariamente previsível a partir das regras.

Krugman fala sobre seu policentrismo como uma característica da moderna "cidade periférica", mas seu modelo também pode explicar uma antiga convenção: a formação de comunidades dentro de uma unidade metropolitana maior. As próprias comunidades são estruturas policêntricas, nascidas de milhares de interações locais, formas em gestação dentro da forma maior da cidade. Assim como as colônias de formigas de Deborah Gordon ou as células de um embrião em desenvolvimento, as comunidades formam padrões no tempo. Ninguém consegue fazê-las existir por sua vontade; elas surgem por um tipo de consenso: os artistas ficam aqui, os banqueiros ali, mexicanos lá, gays e lésbicas ali. A grande maioria dos habitantes das cidades vive segundo essas leis, sem nenhuma imposição de qualquer autoridade legal. São as calçadas — o espaço público onde as interações entre vizinhos são as mais expressivas e freqüentes — que ajudam a criar essas leis. Na democracia popular para formação de comunidades, votamos com os pés.

Um amigo meu que se mudou para a Califórnia alguns anos atrás comentou comigo, com uma expressão séria: "A segregação de classes em Los Angeles não é tão ruim quanto se pensa. Você ficaria surpreso ao ver quantas áreas pobres eu atravesso quando vou para o trabalho."

Trata-se de um desses comentários que revela toda uma *Weltanschauung* [visão de mundo]. "Não é um encontro com a classe trabalhadora", censurei-o, "se você os olha de cima do viaduto." Mas ele levantou uma questão. Em uma cidade dispersa, centrada no automóvel como Los Angeles, as rodovias são os nódulos de conexão, uma das poucas zonas onde os diferentes grupos da cidade se encontram — mesmo que seja a 80 quilômetros por hora.

Desde a primeira publicação de *Morte e vida*, no início da década de 1960, críticos inspirados em Jacobs desancaram as dispersas comunidades de Los Angeles e Phoenix e suas descendentes ainda mais anônimas — as cidades "periféricas" que pipocaram em torno de convenientes interseções de auto-estradas ou de enormes estacionamentos, da mesma maneira como antes as cidades se aninhavam junto a portos ou rios importantes. Hoje, os urbanistas lamentam a decadência da cidade americana, cujas ruas vibrantes cederam lugar a complexos comerciais, fechados e anônimos. O carnavalesco de rua, tão bem retratado por Wordsworth e Baudelaire no século passado, parece que deu lugar a cavalos e charretes. Nos dois casos, o culpado acabou sendo o mesmo: o automóvel, que necessitava de todos os males inerentes ao alargamento de espaço — zoneamento, comunidades fechadas, calçadas desertas ou inexistentes.

No âmago dessa lamentável transformação estava a própria rua e as interações entre estranhos que antes aconteciam nelas. A inteligência de *Morte e vida* foi que Jacobs compreendeu — antes de as ciências terem desenvolvido um vocabulário próprio para descrever o fenômeno — que essas interações permitiam que as cidades criassem sistemas emergentes. Ela lutou tão apaixonadamente contra o planejamento urbano, que "tirava as pessoas das ruas", porque reconheceu que tanto a ordem quanto a vitalidade das cidades vinham da reunião informal e improvisada de indivíduos que habitavam aquelas ruas. Jacobs compreendeu que as cidades não foram criadas por comissões de planejamento central, mas pelas pequenas ações de estranhos que se encontravam em seus afazeres diários vinculados à vida pública. O espaço metropolitano habitualmente aparece como uma linha de arranha-céus, mas a verdadeira magia da cidade vem de baixo.

Parte dessa magia é a elementar necessidade humana de segurança. O capítulo 2 de *Morte e vida* investiga o modo como densos centros urbanos solucionam coletivamente o problema da manutenção de sua segurança, uma solução que tem tudo a ver com as interações locais de estranhos dividindo os espaços públicos das calçadas:

> Sob a aparente desordem da velha cidade, sempre que a cidade funciona bem, há uma ordem maravilhosa que mantém a segurança das ruas e a liberdade da cidade. É uma ordem complexa. Sua essência é a intimidade do uso da calçada, trazendo consigo uma constante sucessão de olhos. Essa ordem é totalmente composta de movimento e mudança... O balé da calçada da boa cidade nunca se repete, e em qualquer lugar está sempre repleto de novas improvisações.

Após um longo e maravilhoso retrato detalhado da coreografia diária, Jacobs termina com um dos melhores trechos da história da crítica cultural:

> Eu fiz o balé diário da rua Hudson parecer mais frenético do que é, porque descrevê-lo é ampliá-lo. Na vida real, não acontece desse jeito. De fato, na vida real, está sempre acontecendo algo, o balé nunca pára, mas o efeito geral é pacífico e o tom geral até sereno. As pessoas que conhecem bem essas animadas ruas das cidades sabem do que estou falando. Tenho medo de que as pessoas que não as conhecem tenham uma impressão errada em suas cabeças — como as antigas gravuras de rinocerontes feitas de acordo com as descrições de viajantes.
>
> Na rua Hudson, o mesmo ocorrendo na North End de Boston ou em qualquer outra animada comunidade das grandes cidades, não nascemos com mais competência para conservar as calçadas seguras do que as pessoas que tentam sobreviver na hostil trégua dos espaços de cidades cegas. Somos os felizes proprietários de uma cidade com ordem, o que torna relativamente simples manter a paz, pois há muitos olhos na rua. Mas não há nada simples nessa ordem em si ou com o número assombroso de seus componentes. A maioria desses componentes são especializados de uma forma ou outra. Eles se unem para um efeito conjunto na calçada, que não é especializada em nada. Esta é sua força.

De novo, voltamos para o mundo das formigas: interações locais aleatórias conduzindo à ordem global; componentes especializados criando uma inteligência não especializada; comunidades de indivíduos solucionando problemas sem que nenhum deles saiba disto. E a segurança é somente uma parte da história: há muitos "usos de calçadas" em *Morte e vida*, alguns dos quais encontraremos nos capítulos finais.

Aqui, o elemento chave é a importância das calçadas, *não* porque proporcionem uma alternativa ecológica confiável às rodovias (embora isso seja verdade), nem porque andar é um exercício melhor do que dirigir um automóvel (o que também é verdade, aliás), nem porque as cidades centradas em pedestres sejam graciosamente antiquadas (o que é mais uma questão de moda do que uma evidência empírica). Na realidade, não há nada acerca da existência física das calçadas que interesse Jacobs. O que importa é que elas são as condutoras primárias do fluxo de informações entre os habitantes. Os vizinhos aprendem uns com os outros porque passam uns pelos outros — e pelas lojas e moradias dos outros — nas calçadas. Elas permitem uma banda de comunicação relativamente larga entre totais estranhos e misturam grande número de indivíduos em configurações acidentais. Sem as calçadas, as cidades seriam como formigas sem o sentido do olfato ou uma colônia com um número muito reduzido de operárias. As calçadas suprem o *tipo* correto e o *número* correto das interrelações locais. Elas são as junções da vida da cidade.

Esse é um daqueles exemplos a respeito do qual pensar sobre um problema social com as ferramentas conceituais da emergência projeta novas luzes, e também a respeito do modo como estava sendo abordado no passado. Desde *Morte e vida*, a celebração da cultura da calçada tornou-se uma idéia fixa de todos os urbanistas de inclinações à esquerda, um axioma tão amplamente aceito quanto qualquer outro dos cânones liberais. A ironia é que muitos dos mesmos críticos que citaram Jacobs como a primeira guerreira da cruzada das calçadas se equivocaram quanto às razões pelas quais ela abraçou as calçadas inicialmente. Eles viam a cidade como um tipo de teatro político, e não como um sistema emergente. O choque e a contradição das ruas da cidade — em oposição às segregações assépticas dos subúrbios — tornaram-se uma virtude em si, algo a que as pessoas deveriam ser "expostas" para seu próprio bem. A lógica era uma espécie de tradução invertida do velho clichê sobre crianças vendo televisão demais: se as pessoas ficassem de alguma maneira privadas dos conflitos teatrais das calçadas da cidade, elas acabariam por se tornar seres vazios — ou, pior, republicanos.

Isso acaba sendo uma agenda estética embrulhada em um fino véu de política. Alguns críticos cantaram seus louvores às diversidades das calçadas, chegando a extremos jocosamente condescendentes. "Os pobres nos ensinaram um bocado do que sabemos sobre ser cheios de vida em público", escreveu Marshall Berman em um ensaio do começo da década de 1980 intitulado "Leve para as ruas". "[Eles nos ensinaram] como nos mover rítmica e melodiosamente pela rua; como usar cor e enfeites para transmitir coisas novas sobre nós mesmos e realizar novas conexões com o mundo; como fazer brotar os poderes retóricos e teatrais da língua inglesa em nossa conversa diária." Paráfrase: Os pobres têm tanto ritmo!

No entanto, por mais que Berman possa resistir à idéia, a mesma moralidade está subjacente à ode de meu amigo sobre a cultura de rodovia de Los Angeles: ambas as perspectivas pretendem que *a visão* da diversidade econômica e racial é intrinsecamente boa para você, algo como um exercício cardiovascular político. Dessa perspectiva, o que era jocoso na observação de meu amigo era a idéia de que poderia reconhecer os "movimentos melodiosos" ou ouvir os "floreios retóricos" de South Central enquanto dirigia na rodovia. À primeira vista, supõe-se que a exposição faz bem à alma. A única questão é saber se, de seu carro, meu amigo estava recebendo a dose suficiente.

Tudo isso é perfeitamente recomendável, embora um pouco paternalista e, por tudo que sei, talvez nos tornemos realmente mais caridosos e expansivos se encontrarmos maior diversidade nas ruas. Esse fato, porém, não tem relação com o que Jacobs entendia a respeito de calçadas e seus usos. De acordo com o evangelho de *Morte e vida*, os indivíduos somente se beneficiam *indiretamente* dos rituais das calçadas: melhores calçadas significam melhores cidades, o que, por sua vez, melhora as vidas dos habitantes. O valor da troca entre estranhos está no que ela faz pelo superorganismo da cidade, e não nos próprios estranhos. As calçadas existem para criar a "ordem complexa" da cidade, não para tornar os cidadãos melhores. Elas funcionam porque permitem interações locais para criar uma ordem global.

Desse ângulo, o problema das passagens de meu amigo pela rodovia de Santa Monica — e, na verdade, o problema de todas as cidades centradas em automóveis — é que o potencial para interações locais é tão limitado pela velocidade e distância percorrida pelo automóvel que nenhuma ordem superior pode emergir. Por tudo o que sabemos, deve haver algum alargamento psicológico em olhar as favelas de dentro de seu Ford Explorer, mas essa experiência nada fará pela melhorar a saúde da cidade, pois a informação transmitida entre os agentes é esquálida e efêmera demais. A vida da cidade depende da interação acidental entre estranhos que muda o comportamento individual: a guinada repentina para entrar em uma loja que nunca havia sido notada ou a decisão de sair da vizinhança depois de passar pelo centésimo garoto ponto-com falando em um telefone celular. Encontrar a diversidade nada faz pelo sistema global da cidade, a menos que esse encontro tenha alguma chance de alterar um comportamento. É necessário haver feedback entre agentes, células que mudam em resposta a outras células. A 100 quilômetros por hora, a informação transmitida entre agentes é limitada demais para interações sutis, assim como seria no mundo das formigas se uma operária começasse a disparar, com uma velocidade dez vezes maior do que a das vizinhas.

Esta é a lição decisiva que Jacobs tira das calçadas, e influi em sua maneira de ver as cidades como sistemas auto-organizáveis. As redes de informação das vidas nas calçadas têm uma granularidade tal que permitem o surgimento de um aprendizado de nível superior. Os carros ocupam uma escala diferente das calçadas e, portanto, as linhas de comunicação entre as duas ordens são necessariamente finitas. Em velocidade apropriada para rodovias, os únicos sistemas complexos que se formam envolvem apenas os próprios carros — em outras palavras, os agentes que operam na mesma escala. Diferentemente do balé dos pedestres da cidade, tais sistemas seriam os padrões globais familiares para qualquer morador de Los Angeles — nós os chamamos de engarrafamentos.

Contudo, uma importante distinção deve ser feita entre colônias de formigas e cidades — ela envolve a questão da volição. Em uma colônia de formigas, cada animal é relativamente estúpido e segue leis elementares sem nada mostrar que se pareça com livre-arbítrio. Como vimos, na realidade a inteligência da colônia baseia-se na estupidez de suas partes componentes: uma formiga que de repente começasse a tomar decisões sobre, digamos, o número de companheiras nos depósitos de lixo, provocaria um efeito desastroso para o grupo como um todo. Pode-se levantar a questão de que esse cenário não se aplica a todos os povoamentos humanos: as cidades são organismos de nível superior, mas suas partes componentes — os seres humanos — são muito mais inteligentes e auto-reflexivas do que as formigas. Conscientemente tomamos decisões sobre onde morar, comprar ou passear; não somos simplesmente levados por genes ou trilhas de feromônio. Portanto, os padrões sociais que formamos tendem a ser substancialmente mais complexos do que aqueles do mundo das formigas.

Até mesmo Deborah Gordon tem simpatia por tal objeção. "Em uma sociedade humana, cada pessoa sempre pensa que sabe o que está fazendo, mesmo que esteja errada", ela me diz no fim da minha visita. "É muito difícil imaginar uma sociedade humana onde as pessoas reagem imediatamente aos acontecimentos, sem qualquer concepção de por que estão fazendo aquilo. Por isso é que sempre hesito em fazer analogias entre formigas e pessoas, pois as formigas são muito diferentes das pessoas. Na realidade, acho que é a alienação das formigas que as torna tão interessantes."

As advertências da pesquisadora são importantes e, como vimos, as cidades envolvem inúmeros elementos que são os opostos de sistemas bottom-up (até SimCity tem um prefeito!). O fato de os humanos pensarem e de a organização das cidades se basear em hierarquias e heterarquias não significa que o "formigueiro na planície" de Wordsworth pertença totalmente ao mundo da metáfora. Alguns elementos-chave da vida urbana tradicional — na verdade, alguns dos elementos de que mais gostamos — pertencem ao mundo da emergência. O que as formigas, as células e as calçadas fazem deve ser visto como exemplos ilustrativos da mesma idéia, da mesma atividade realizada a partir de material variado, como uma pauta musical tocada por diferentes instrumentos. Porém, para vermos além das objeções da volição humana individual, precisamos pensar nas cidades com a escala certa. A ênfase no livre-arbítrio só tem importância na escala da vida humana individual. Temos que pensar nas cidades da mesma forma como Deborah Gordon nas colônias de formigas — na escala do próprio superorganismo.

A tomada de decisão de uma formiga existe em uma escala minuto a minuto: contar forrageadoras, seguir gradientes de feromônio. A soma de todas essas decisões isoladas cria uma vida mais longa para toda a colônia, mas as próprias formigas são totalmente ignorantes a respeito desse macronível. O comportamento humano trabalha em duas escalas comparáveis: nossa sobrevivência cotidiana, que envolve estimativas para, no máximo, os próximos 30 ou 40 anos; e a escala milenar das cidades e de outros ecossistemas econômicos. Dirigir um carro tem conseqüências a curto e a longo prazos. A curto prazo, pode significar que chegaremos a tempo para a partida de futebol; a longo prazo, pode-se alterar a própria forma da cidade. Interagimos diretamente com as influências a curto prazo; e tomamos conhecimento delas — e pareceria que as *controlamos*. Lamentavelmente não percebemos as outras. Nossas decisões de comprar em uma loja local, ir de um bairro a outro, ou até deixar a cidade são todas tomadas na escala da vida humana — e, em geral, em um intervalo bem menor do que ela. Tomamos essas decisões conscientemente, mas elas também contribuem para um macrodesenvolvimento que quase não temos como compreender, apesar de nossos cérebros avançados. O macrodesenvolvimento pertence ao organismo da própria cidade, que cresce, progride e aprende em ciclos de mil anos, enquanto dúzias de gerações humanas vêm e vão.

Vista nessa velocidade — no comprimento do espaço de tempo de milênios —, nossa volição individual não parece tão diferente daquela das formigas cortadeiras de Gordon, que só vivem para ver uma pequena fração da existência de 15 anos da colônia. As pessoas que caminham nas calçadas das cidades modernas permanecem tão ignorantes a respeito da visão a longo prazo — a escala de mil anos da metrópole — quanto as formigas a respeito da vida da colônia. Percebido nessa escala, o sucesso do superorganismo urbano pode ser o evento global mais significativo dos últimos séculos: até a era moderna, menos de três por cento da população mundial morava em comunidades de mais de cinco mil pessoas; hoje em dia, metade do planeta mora em ambientes urbanos. Assim como os insetos sociais merecem ser incluídos entre os organismos de maior sucesso do planeta, o mesmo se pode dizer do superorganismo das cidades; não necessariamente porque as cidades são mais humanas ou civilizadas, mas porque fazem um trabalho tão bom replicando-se, estabelecendo populações migratórias em todo o mundo e encorajando — na maior parte das vezes — maiores taxas de nascimento e de expectativa de vida em seus domínios. Podem-se debater os méritos da transformação, mas o fato é que a vida humana na terra atualmente se desenvolve mais nas cidades do que em outros lugares. Em termos quantitativos, nossa espécie agora é composta de habitantes de cidades.

Por que o superorganismo da cidade triunfou sobre outras formas sociais? Assim como no caso dos insetos sociais, há vários fatores, mas um deles, crucial, é que as cidades, como as colônias de formigas, possuem uma espécie de inteligência emergente: uma habilidade de guardar e recuperar informação, reconhecer e responder a padrões de comportamento humano. Nós contribuímos para essa inteligência emergente, mas quase nos é impossível perceber essa contribuição, porque nossas vidas se desdobraram na escala errada. O próximo capítulo faz uma tentativa de ver nosso caminho em torno desse ponto cego.

CAPÍTULO 3

Padrões equivalentes

Nas décadas finais do século XII, a Societas Mercatorum, organização de mercadores que governou a cultura comercial de Florença por aproximadamente 100 anos, começou a se dividir em pequenos grupos: guildas, com nomes como Arte di Por Santa Maria e Arte di Calimala, foram estruturadas a partir de comércios específicos — ferreiros, agiotas, mercadores de vinho. Umas poucas guildas englobaram diversos grupos sob um guarda-chuva maior. Uma dessas guildas, a Arte di Por Santa Maria, incluía tanto tecelões de seda quanto joalheiros.

Sob todos os aspectos, a criação do sistema de guildas provou ser a reorganização que literalmente mudou o mundo. Os historiadores gostam de falar sobre as realizações estéticas do Renascimento, mas o sistema de guildas inventado em Florença teve tanto impacto na civilização ocidental quanto qualquer coisa sonhada por Leonardo da Vinci ou Brunelleschi. O florim de ouro, moeda local cunhada pelas guildas florentinas, foi durante muito tempo a moeda corrente da Europa e, desde os dias de Roma, uma das primeiras a ser amplamente aceita. Um certo número de invenções que se tornaram essenciais para a vida comercial moderna — contabilidade com ativo-passivo, para citar uma — data da época de ouro das guildas. Se a máquina da história retomou seu curso na Itália durante os séculos XII e XIII, como se costuma dizer, as guildas foram suas turbinas.

A associação de Por Santa Maria recebeu esse nome por causa da rua central que vai diretamente à antiga Ponte Vecchio, a tão fotografada ponte sobre o rio Arno, abarrotada de lojas e com um corredor secreto construído para o duque florentino Cosimo I em 1565. Há registros de tecelões de seda instalando suas lojas ao longo da Por Santa Maria já no ano de 1100, um século antes de juntarem forças com os joalheiros para formar sua associação. Mercadores do comércio de seda e outros ricos florentinos podiam passear pelas diversas lojas da Por Santa Maria, enquanto seus servos desciam a Ponte

Vecchio para comprar a carne vendida pelos açougueiros que se instalaram na ponte nos primeiros séculos do milênio.

Ainda hoje eles estão lá. Caminhe para o norte da Ponte Vecchio em uma manhã qualquer e encontrará lojas vendendo finas sedas, algumas apregoando artigos manufaturados, como blusas e lenços, outras vendendo mercadorias não industrializadas, como faziam cerca de mil anos atrás.

Será que as cidades aprendem? Não me refiro aos indivíduos que as habitam, nem às instituições que se criam, mas a elas mesmas. Acho que a resposta é sim. E os tecelões de seda de Florença podem explicar por quê.

Aprender é uma dessas atividades que habitualmente identificamos a uma atividade consciente — como enamorar-se por alguém ou chorar pela perda de um parente. Aprender, entretanto, é um fenômeno tão complicado que existe simultaneamente em diversos níveis. Quando dizemos que reconhecemos alguém, há uma forte implicação de consciência no fato — você *sente* algo diferente quando vê alguém que conhece e o sentimento de reconhecimento é parte do significado da aprendizagem, tanto que, muitas vezes, parece intercambiar-se com a própria experiência.

Aprender nem sempre é dependente da consciência. Nossos sistemas imunológicos aprendem durante toda a nossa vida, criando vocabulários de anticorpos que evoluem em resposta aos desafios propostos por microorganismos invasores. A maioria das pessoas desenvolveu imunidade ao vírus de varicela — também conhecido como catapora — por terem sido expostas a ele na infância. Essa imunidade é um processo de aprendizado: os anticorpos de nosso sistema imunológico aprendem a neutralizar os antígenos do vírus e recordam as estratégias de neutralização durante o resto de nossas vidas. Nós não viemos ao mundo predispostos a repelir o vírus da catapora — nossos corpos aprendem a fazê-lo sozinhos, sem qualquer treinamento específico. Os anticorpos funcionam como "um sistema de reconhecimento" segundo a frase de Gerald Edelman, atacando o vírus com sucesso, armazenando informação sobre ele e, posteriormente, recuperando essa informação sempre que o vírus aparece no radar.

Como um bebê de seis meses, o sistema imunológico primeiro aprende a reconhecer coisas diferentes de si mesmo, depois começa a controlá-las. Faz parte da maravilha desse processo que funcione tão bem quanto funciona. O que surpreende é o fato de que o reconhecimento acontece totalmente em nível celular: não temos nenhuma *consciência* do vírus da varicela e, embora nossos cérebros se lembrem de como foi ter catapora na infância, nossa memória consciente não tem nada a ver com nossa resistência à doença.

O corpo aprende sem consciência, e também as cidades, porque aprender não quer dizer apenas estar *consciente* da informação; é também armazenar informação e saber onde encontrá-la. É ser capaz de reconhecer e responder a mudanças de padrões — como fazem o software de Pandemônio de Oliver Selfridge e as formigas cortadeiras de Deborah Gordon. É alterar o comportamento de um sistema em resposta a padrões, de modo a torná-lo mais capaz de atingir o objetivo a que se propõe. O sistema não precisa estar consciente de que é capaz desse tipo de aprendizado, assim como o sistema imunológico não precisa ter consciência para aprender a se proteger da catapora.

Imagine um cidadão contemporâneo de Florença que voltasse oitocentos anos no tempo, para a era de ouro das guildas. O que essa experiência — o "choque do antigo" — pareceria? A maior parte dela seria desnorteante: poucas marcas da Florença atual existiriam — a galeria Uffizi, por exemplo, ou a igreja de San Lorenzo. Somente o batistério do Duomo seria reconhecível, assim como a antiga prefeitura, o Bargello. O desenho da maioria das ruas pareceria familiar, mas em muitos casos seus nomes teriam mudado e nosso viajante do tempo não encontraria quase nada reconhecível nos prédios ao longo dessas ruas. A vida cultural da cidade lhe pareceria ainda mais desconcertante: os sistemas de comércio e governo seriam totalmente diferentes aos de hoje em Florença. Nosso viajante perceberia algumas palavras que soariam familiares na língua falada, já que a língua italiana é um produto da cultura florentina, datada da virada do milênio. Porém, se viajasse para qualquer outro lugar da Itália, teria sérias dificuldades lingüísticas — até o fim do século XIII, o latim era a única língua comum a todos os italianos.

Apesar dessa patética confusão, uma coisa extraordinária permanece constante: nosso viajante ainda saberia onde comprar um metro de seda. Avançando uns 100 anos, ele saberia onde adquirir um bracelete de ouro ou luvas de couro, ou onde pedir dinheiro emprestado. Não estaria equipado para comprar nenhuma dessas coisas ou mesmo para se comunicar de modo inteligível com os vendedores, mas saberia onde encontrar as mercadorias.

Como qualquer sistema emergente, a cidade é padrão no tempo. Dezenas de gerações vêm e vão, conquistadores aparecem e somem, surge a imprensa, depois a máquina a vapor, o rádio, a televisão, a Web — e, acima de toda essa turbulência, um padrão retém sua forma: tecelões de seda agrupados na Por Santa Maria, em Florença, os sopradores de vidro de Murano, em Veneza, os comerciantes em torno de Les Halles, em Paris. O mundo entra em convulsão, troca a pele mil vezes e, ainda assim, os tecelões de seda continuam no mesmo lugar. Temos tendência a relegar esses padrões que atravessam gerações para a nostalgia fossilizada da "tradição", admirando por motivos puramente sentimentais o ferreiro que trabalha na mesma loja desde o tempo de seus antepassados da época medieval. Contudo, essa continuidade tem muito mais do que um valor sentimental e, na verdade, está mais próxima de uma conquista do que poderíamos inicialmente supor. Esse padrão que se mantém no tempo é um dos pequenos milagres da emergência.

Por que as cidades conservam suas formas? Alguns elementos da vida urbana passam de geração em geração porque são associados com uma estrutura física que tem sua própria durabilidade. As catedrais e as universidades são o melhor exemplo desse fenômeno — a Basílica de São Pedro, no Vaticano, durante mil anos fomentou uma comunidade religiosa a oeste do Tibre, e em Paris a margem esquerda do rio Sena fervilha de estudantes desde que a Sorbonne foi criada em 1257. Porque são comunidades ancoradas em estruturas específicas, sua persistência tem muito a ver com as leis da física, como todas as coisas têm: contanto que a catedral não se incendeie ou se desintegre, haverá sempre um caráter religioso nas ruas ao seu redor. Mas o caso dos tecelões de seda florentinos é diferente. Não há nada na estrutura física das lojas que determine que sejam ocupadas por eles. Na verdade, muitas das construções em Por Santa Maria foram refeitas muitas vezes durante os últimos mil anos. Elas poderiam alojar banqueiros, mercadores de vinho, ou qualquer outro tipo de artesãos. No entanto, os tecelões de seda permanecem ali presos àquele lugar pelas leis da emergência, pelo talento da cidade em se auto-organizar.

Pode-se argumentar que os tecelões de seda se estabilizaram não porque fazem parte de um sistema emergente, mas sim porque estão sujeitos à lei da inércia. Continuam situados na Por Santa Maria por ser mais fácil ficar do que mudar. Isto é, não é a emergência o que vemos aqui — mas sim a preguiça. A objeção poderia fazer algum sentido se estivéssemos falando de um período de 50 ou mesmo 100 anos. Porém, em uma escala de mil anos, a força da deriva cultural se torna muito mais poderosa. Obviamente mudanças tecnológicas e geopolíticas têm um tremendo impacto — eliminando indústrias inteiras, desencadeando migrações em massa, iniciando guerras ou precipitando epidemias. Conjuntos de vizinhos são extremamente vulneráveis a forças drásticas de mudança, mas também são sensíveis à deriva mais lenta, menos visível, que toda cultura sofre. Em 20 ou 30 gerações, mesmo algo tão fundamental como um nome de um artigo qualquer pode se transformar em algo incompreensível, e uma mudança constante, mas imperceptível, de pronúncia pode transformar uma língua falada em ininteligível para os ouvintes. Por mais difícil que seja desorientador ler os *Contos de Cantuária* de Chaucer no original, seria ainda mais difícil entendê-los se lidos em voz alta por um habitante da Grã-Bretanha no século XIV. Se as palavras podem se transformar no tempo, as mudanças nos costumes, etiquetas e moda são muito profundas, quase inimagináveis (analisar os complexos códigos sexuais do século XIII em Florença a partir de uma perspectiva moderna seria, sem dúvida, uma árdua tarefa). Vistos em uma escala de um milênio, os valores da sociedade florentina parecem mais um furacão do que uma ordem social estável: somente turbulência e mudanças. E, apesar de todas as forças de ruptura, os tecelões de seda continuam lá.

As cidades são abençoadas por uma força oponente que mantém a deriva e o tumulto da história à distância: um tipo de fixação de auto-organização que permite aos tecelões de seda permanecerem agrupados ao longo da mesma rua durante mil anos, enquanto o resto do mundo está em permanente reinvenção. Esses ajuntamentos são como ímãs plantados no tecido da cidade, que conservam juntas as mentes semelhantes, mesmo quando as forças da história tentam separá-las. Eles não se limitam às cidades italianas, embora os grupos de Florença estejam entre os mais antigos. Os aglomerados comerciais de Saville Row e Fleet Street, em Londres, também têm centenas de anos. Em Pequim, os nomes das ruas reproduzem os bolsões de negócios a eles relacionados: Passagem do Chapéu de Brocado de Seda, Rua do Macarrão Seco. Ainda hoje, em Manhattan, você pode ver os primeiros desenvolvimentos de aglomerados, alguns com apenas poucas décadas de existência: a série de lojas de diamantes da rua 47 Oeste, o bairro dos botões, e até um quarteirão inteiramente dedicado a suprimentos para restaurantes. Os joalheiros da rua 47 Oeste não têm o *pedigree* de seus colegas da Ponte Vecchio; mas Nova York é uma cidade jovem pelos padrões italianos. Olhe para essas ruas de Manhattan com uma visão de mil anos, a escala do superorganismo, e o que vem à mente é um embrião se auto-organizando em formas reconhecíveis, formando padrões que durarão uma vida.

"Desde as suas origens", escreve Lewis Mumford em seu clássico trabalho *A cidade na história*, "a cidade pode ser descrita como uma estrutura especialmente equipada para armazenar e transmitir os produtos da civilização". Entre os "produtos" guardados e transmitidos pela cidade destaca-se o incalculável material de informação: preços atuais do mercado; planos de racionalização do trabalho sonhados pelos artesãos; novos medicamentos para doenças. Esse jeito de captar informação e reunir conjuntos de informação relacionadas entre si define o modo pelo qual as cidade aprendem. Negócios semelhantes agrupam-se em função de incentivos financeiros — o que os acadêmicos chamam de economia de aglomeração —, permitindo que os artesãos compartilhem técnicas e serviços aos quais não teriam acesso por si mesmos. Esse ajuntamento torna-se um ciclo que se autoperpetua: empregados e consumidores potenciais têm mais facilidade para encontrar as mercadorias e os empregos que procuram; a informação compartilhada torna o conglomerado de negócios mais competitivo do que o comércio isolado.

Há objetivos explícitos para uma cidade — razões de ser que normalmente seus cidadãos conhecem, decorrentes da proteção proporcionada pela cidade murada ou do comércio livre nos mercados. No entanto, as cidades também têm um objetivo latente: funcionar como mecanismos de armazenamento e recuperação de informação. As cidades criaram interfaces amigáveis milhares de anos antes que alguém sonhasse com computadores digitais. As cidades juntam mentes semelhantes e as colocam em escaninhos conexos. Sapateiros junto de outros sapateiros e fabricantes de botões perto de outros fabricantes de botões. Idéias e mercadorias fluem rapidamente nesses conjuntos, levando à produtiva polinização cruzada, garantindo que boas idéias não morram em áreas rurais isoladas. O poder desencadeado pelo armazenamento de dados fica evidente nos mais antigos povoamentos humanos, localizados na costa da Suméria e no Vale do Indo, que datam de 3500 a.C. De acordo com alguns relatos, o cultivo de grãos, o arado, a roda do oleiro, o barco a vela, a tecelagem, a metalurgia do cobre, a matemática abstrata, a observação astronômica exata, o calendário — todas essas invenções apareceram poucos séculos depois do surgimento das primeiras populações urbanas. É possível, e até mesmo provável, que mais indivíduos ou grupos isolados tenham se deparado com algumas dessas tecnologias em data ainda mais antiga, mas elas não se tornaram parte da inteligência coletiva da civilização até que houvesse cidades que as armazenassem e as transmitissem.

O sistema urbano de divisão em comunidades funciona como uma espécie de interface com o usuário da mesma forma que interfaces tradicionais dos computadores: há limites para a quantidade de informação que nossos cérebros podem processar em um tempo determinado. Precisamos de interfaces visuais em nossos computadores porque a quantidade de informação armazenada nos nossos discos rígidos — sem mencionar a Internet — excede enormemente a capacidade de estocagem da mente humana. As cidades são uma solução para problemas comparáveis, tanto em nível coletivo quanto individual. Elas armazenam e transmitem idéias novas e úteis a um maior número de pessoas, garantindo que novas e potentes tecnologias não desapareçam logo que são inventadas. Entretanto, os aglomerados auto-organizadores das comunidades também servem para tornar as cidades mais inteligíveis para seus habitantes — como vimos no caso do nosso navegador no tempo em Florença. A especialização da cidade a torna mais esperta, mais útil para seus habitantes. E aqui, outra vez, a coisa mais extraordinária é que esse aprendizado emerge sem que ninguém tenha conhecimento dele. A administração da informação

— subjugando a complexidade do povoamento humano de larga escala — é o objetivo *latente* de uma cidade, pois quando as cidade aparecem, seus habitantes são impelidos por outros motivos, como segurança e comércio. Ninguém funda uma cidade com a explícita intenção de armazenar informação mais eficientemente ou tornar sua organização social mais palatável para a limitada capacidade da mente humana. A administração da informação acontece somente mais tarde, como um tipo de pensamento *a posteriori* da coletividade: trata-se de outro macrocomportamento que não pode ser previsível a partir de micromotivos. As cidades podem funcionar como bibliotecas e interfaces, mas não são construídas com esse objetivo explícito.

Na verdade, as cidades tradicionais — como as que surgiram em toda a Europa entre os séculos XII e XIII — raramente foram construídas com qualquer objetivo: simplesmente aconteceram. Claro, há exceções: as cidades imperiais, como São Petersburgo e Washington, planejadas de acordo com a imagem do Estado. Mas as cidades orgânicas — Florença, Istambul ou a parte sul de Manhattan — são mais uma marca do comportamento coletivo do que o resultado de planejadores. Elas são a soma de milhares de interações locais: ajuntamento, compartilhamento, comercialização — todas as atividades díspares que se misturam na totalidade da vida urbana.

A partir dessas considerações surge a questão de por que — uma vez que elas são tão úteis — as cidades levaram tanto tempo para aparecer, e por que a história inclui períodos tão grandes de declínio urbano. Consideremos o estado da Europa depois da queda do Império Romano: por aproximadamente mil anos, as cidades européias se retraíram em castelos e fortalezas, ou espalharam sua população no campo. Imagine um filme condensado da Europa ocidental, como se fosse visto por um satélite, cada década correspondendo a um simples segundo. Comece o filme no ano 100 d.C., e o continente mostra uma centena de pontos de luz, cheios de atividade florescente. A própria Roma brilha com muito mais intensidade do que qualquer outro ponto, mas o resto do continente é pontilhado com prósperas capitais regionais: Córdoba, Marselha, até mesmo Paris, grande o suficiente para ocupar a margem esquerda do Sena. No entanto, à medida que o filme passa, as luzes começam a diminuir: cidades saqueadas por invasores nômades do Oriente, ou murchando pelo declínio das rotas de comércio do Império. Os parisienses se retraem para sua ilha-fortaleza e lá ficam por 500 anos. Quando finalmente os visigodos conquistam Roma em 476, a imagem do satélite sugere que a sistema elétrico da Europa perdeu seu primeiro gerador: todas as luzes tornam-se mais fracas e algumas se apagam. O sistema da Europa muda de uma rede de cidades e vilas para uma mistura instável e esparsa de aldeolas e imigrantes, em que as maiores cidades não têm mais do que mil habitantes. Essa situação perdurou por 500 anos.

E então, subitamente, logo após a virada do milênio, a imagem muda de maneira drástica: do continente brotam dúzias de cidades de bom tamanho, com populações da ordem de dez mil habitantes. Há pontos no mapa — em Veneza ou Trieste — que brilham quase tanto quanto a Roma antiga no começo do filme, cidades nascentes sustentando mais de cem mil habitantes. O efeito não é diferente daquele que se tem vendo um filme condensado de um campo aberto, adormecido durante os meses de inverno e que, de repente, se transforma bruscamente com o surgimento de flores selvagens. Não há nada gradual ou linear na troca; ela é tão repentina e tão impactante como acender uma luz. Conforme a descrição do físico Arthur Iberall, a Europa sofreu uma transição nada diferente daquela que ocorre quando moléculas de H_2O mudam do estado líquido da água para o estado cristalizado do gelo: por centenas de anos, as populações eram líquidas e não estabelecidas — e então, repentinamente, aparece uma rede de cidades com uma estrutura estável que persistiria mais ou menos intacta até a próxima transformação no século XIX, quando surgiu a metrópole industrial.

Como se pode explicar esta súbita decolagem? Cidades não são idéias que se espalham, como vírus, em grandes populações; o sistema de vilas da Idade Média não se reproduz por esporos, como acontecia com as antigas cidades-estado da Grécia antiga. A Europa não era mais unida por um império; portanto, não havia um comando central para decretar que uma centena de cidades fosse construída em um espaço de dois séculos. Como se pode então entender o surpreendente surgimento urbano coordenado da Idade Média?

Comecemos interpretando literalmente as analogias. Por que um campo de flores selvagens de repente começa a florescer na primavera? Por que a água se transforma em gelo? Ambos os sistemas sofrem "transições de fase" — alteração de um estado definido para outro em uma conjuntura crítica — em resposta a níveis de mudança de energia que fluem através deles. Se deixarmos uma chaleira de água repousando à temperatura ambiente na cozinha, ela reterá o líquido por semanas. Se aumentarmos o fluxo de energia na chaleira, colocando-a sobre a chama de um fogão, em poucos minutos produziremos uma transição de fase na água, transformando-a em gás. Tomemos um prado com botões-de-ouro acostumados a congelamentos noturnos e a dez horas de sol; se aumentarmos a temperatura em cerca de 15 graus e acrescentarmos quatro horas de sol, após um ou dois meses o prado estará dourado com botões-de-ouro. Um aumento linear de energia pode produzir uma mudança não-linear no sistema que conduz aquela energia, uma mudança que seria difícil prever com antecedência — isto é, desde que nunca tivéssemos visto antes um desabrochar de flores, ou uma sauna a vapor.

A explosão urbana da Idade Média é um exemplo do mesmo fenômeno. Vimos antes que a idéia da construção de cidades não se espalhou em toda a Europa por meio de propaganda boca a boca, mas o que aconteceu, começando cerca do ano 1000 d.C., foi uma série de avanços tecnológicos que se combinaram para produzir uma mudança drástica na capacidade humana de captar fluxos de energia. Como escreve o historiador Lynn White Jr., "essas inovações... consolidaram-se para formar uma nova maneira incrivelmente eficiente de exploração do solo." Primeiro, o pesado arado com rodas, que usava a energia muscular de animais domésticos, chegou com os invasores germânios, e depois se difundiu pelos vales ao norte do rio Loire; praticamente ao mesmo tempo, os fazendeiros europeus adotaram a rotação trienal dos campos, o que aumentou a produtividade da terra em pelo menos um terço. Captar mais energia do solo significa manter maiores densidades populacionais. Quando novas cidades começaram a se formar, uma outra tecnologia de utilização do solo ainda menos agressiva ao meio ambiente tornou-se comum: a reciclagem de produtos do lixo gerado pelos habitantes da cidade sob a forma de fertilizantes para a safra. Mumford escreveu: "Áreas florestais na Alemanha, um lugar ermo no século IX, deram lugar a terras aráveis; as pantanosas regiões dos Países Baixos, que serviam somente a um punhado de pescadores rudes, foram transformadas em um dos mais produtivos solos da Europa." O resultado é um círculo de feedback positivo: o arado e a rotação da lavoura tornam o solo melhor, o que fornece energia suficiente para manter as cidades, que geram fertilizantes em quantidade suficiente para melhorar o solo, o que gera mais energia para manter cidades maiores.

Algumas vezes falamos sobre sistemas emergentes que, como o Barão de Munchausen, sobem ao céu puxando-se pelos fios de seus sapatos, mas, no caso da Idade Média, pode-se com certeza afirmar que os habitantes das primeiras aldeias se juntavam em verdadeiras cidades. Contudo, eles não se fixavam com o intuito de construir agrupamentos maiores: estavam resolvendo problemas locais, tais como tornar os campos mais produtivos ou o que fazer com todo o lixo produzido pela cidade. Ainda assim, essas decisões locais combinam-se para formar o macrocomportamento da explosão urbana. "A aceleração do desenvolvimento urbano", escreve o historiador e filósofo Manuel De Landa, "só teria equivalente após mais de quinhentos anos, quando uma nova intensificação do fluxo de energia — desta vez oriunda da exploração de combustíveis fósseis — deslanchou outro grande impulso para o nascimento e o crescimento de cidades a partir de 1800." Nesse novo fluxo de energia, novos tipos de cidade surgiram: as cidades industriais de Manchester e Leeds, e os grandes superorganismos metropolitanos de Londres, Paris e Nova York.

Sob todos os aspectos, estamos no meio de outra revolução tecnológica — a idade da informação, uma época de conexões quase infinitas. Se o armazenamento e a recuperação de informação eram o objetivo latente da explosão urbana da Idade Média, eles são os propósitos evidentes da revolução digital. Isso nos leva à seguinte questão: a Web também está aprendendo? Se é fato que as cidades podem gerar inteligência emergente — um macrocomportamento provocado por milhões de micromotivos —, que forma de nível mais alto está sendo gerada entre os roteadores e os cabos de fibra óptica da Internet?

Comecei a pensar sobre essa questão há alguns anos, durante a viagem promocional do meu último livro, *A cultura da interface*. Acontece que meu editor também é especializado em títulos de "espiritualidade contemporânea", e o departamento de publicidade da editora enviou *releases* sobre o que eu achava que decididamente não era um livro da Nova Era, para estações de rádio e jornais de Nova Era e para *ashrams** de todo o país. E, o que é pior, alguns deles morderam a isca e a viagem de divulgação assumiu um ar ligeiramente esquizofrênico: de manhã entrevista na estação de rádio pública, seguida de uma sessão de perguntas e respostas com revistas alternativas como a *Mistura mágica*, de São Francisco, na parte da tarde.

As perguntas da coleção Convergência Harmônica mostraram-se tão pertinentes, clarividentes e tecnologicamente adequadas quanto todas as que me fizeram no resto da viagem. As pessoas ligadas à Nova Era eram sensíveis às nuances de meus argumentos, e saudavelmente indiferentes ao último preço IPO** (um verdadeiro contraste com os repórteres de TV, aparentemente incapazes de perguntar outra coisa que não: "Qual é a sua cotação no mercado do Yahoo?"). Mas quando eu já estava dando o braço a torcer por ter participado das entrevistas com tanto preconceito, meus interlocutores lançaram a Pergunta Final. "Você escreveu bastante sobre a Web e sua influência na sociedade moderna", disseram. "Acha que, a longo prazo, o crescimento da Web está conduzindo a uma consciência única, global, holística, que nos unirá à divindade?" Eu me vi gaguejando ao microfone e procurando a porta de saída.

Trata-se de uma pergunta com uma única resposta: "Não tenho qualificação para responder." Cada vez que dizia isto, pensava comigo mesmo que

---

* Retiros religiosos. (N.T.)

** IPO, oferta pública inicial (*Initial Public Offering*) de uma empresa que pela primeira vez vende suas ações para o público. (N.T.)

alguma coisa estava fundamentalmente falha sobre o conceito, algo perto de um erro de categoria. Para ser uma consciência única, global, a Web deveria estar se tornando mais inteligente, e ela não era algo unificado, único — era somente uma vasta soma de informações interligadas. Pode-se argumentar que a Web está nos tornando mais espertos, mas que ela esteja se encaminhando em direção à consciência me pareceu ridículo.

Com o passar dos anos, porém, a pergunta ainda continuava quicando em minha cabeça e, lentamente, comecei a aceitá-la por caminhos indiretos. Alguns críticos, como Robert Wright, falam sobre "um cérebro global" unindo todos os conjuntos de informação díspares espalhados pelo mundo, enquanto outros visionários — como Bill Joy e Ray Kurzweil — acreditam que os poderes computacionais da tecnologia digital estão sendo acelerados em uma escala tal que grandes redes de computadores podem, na realidade, se tornar autoconscientes em algum momento do próximo século.

Será que Arthur C. Clarke e *The Matrix* estavam certos o tempo todo? Será que a Web está se tornando um cérebro gigantesco? Ainda acho que a resposta seja não, mas penso que vale a pena perguntar por que não.

Comece por alijar duas maneiras habituais de pensar como é o cérebro. Primeiro, esqueça massa cinzenta e sinapses. Quando alguém como Wright diz "cérebro gigantesco", quer dizer um dispositivo para processar e armazenar informação, como os grupos de vizinhos de Florença. Segundo, aceite a premissa de que os cérebros podem ser uma empresa coletiva. Sendo nós mesmos organismos individuais, tendemos a pensar sobre cérebros como coisas separadas, possuídas por organismos individuais. Mas ambas as categorias acabam sendo pouco mais do que ficções úteis. Como vimos, formigas fazem seu "aprendizado" no nível da colônia — tornando-se menos agressivas com a idade, ou mudando a rota de coleta da comida quando há um distúrbio —, enquanto, como indivíduos, as formigas permanecem alegremente ignorantes do projeto maior. O "cérebro da colônia" é a soma de milhares e milhares de decisões simples executadas pelas formigas individualmente. As formigas não têm nada parecido com personalidade, mas a colônia tem.

Substitua *formigas* por *neurônios*, e *feromônio* por *neurotransmissores*, e poderá da mesma maneira estar falando do cérebro humano. Se os neurônios encontram seu caminho em cérebros dotados de sensações, é tão inconcebível assim que o processo possa subir mais um nível? Não poderiam os cérebros individuais conectar-se uns aos outros por meio da linguagem digital da Web, e formar algo maior do que a soma de suas partes — o que o famoso filósofo/padre Teilhard de Chardin chamou de noosfera? Wright não está inteiramente convencido que a resposta seja sim, mas quer registrar que a pergunta não é, segundo suas palavras, "insana":

> Falar hoje de um cérebro global gigantesco é de pouco valor. Mas há uma diferença. Atualmente, a maioria das pessoas que falam sobre isso o fazem sem comprometimento. Tim Berners-Lee, que inventou a World Wide Web, notou paralelos entre a Web e a estrutura do cérebro, mas insiste que o "cérebro global" é mera metáfora. Teilhard de Chardin, ao contrário, parece ter falado literalmente: a humanidade está em vias de se tornar um verdadeiro cérebro — como aquele da nossa cabeça, só que é maior. Sem dúvida, há mais pessoas hoje que adotam literalmente a idéia de um cérebro global do que na época de Teilhard. Serão loucos? Teilhard era louco? Não tão louco quanto você pode imaginar.

Parte da evidência de Wright é que os cérebros do *Homo sapiens* já têm uma longa história de formação de inteligência em nível superior. Muitas vezes na história moderna as mentes humanas se fundiram em "grupos de cérebros", com mais força nos grupos comunais das cidades. Na visão de Wright, a cidade funciona como um tipo de ensaio geral, em escala menor, do espetáculo mundial da Web, da mesma forma que um musical de Andrew Lloyd Weber pode fazer um teste estreando em Toronto antes da Broadway. Como na explosão urbana da Idade Média, uma cidade grande não é somente um efeito acidental do crescimento da densidade populacional — é um tipo de ruptura tecnológica em si. A vida da cidade sustentável tem um lugar de destaque entre as invenções modernas — tão transformadora quanto o alfabeto (o qual ajudou a engendrar) ou a Internet (que talvez seja sua destruição). Não é coincidência que a grande maioria das invenções do último milênio tenha surgido nos centros urbanos. Como os diretórios de arquivos e pastas de um enorme disco rígido, o cérebro complexo da vida urbana dotou a informação de mais estrutura e maior durabilidade do que possuía anteriormente. A posição de Wright é que a Web parece ser a herdeira digital daquela orgulhosa tradição, unindo os intelectos do mundo de um modo que teria surpreendido as primeiras redes de trabalhos de Florença ou Amsterdã. A macrointeligência emergiu da organização bottom-up da vida da cidade e fará o mesmo na Web.

Sou obviamente simpático ao argumento de Wright, mas acho que é preciso esclarecê-lo. A emergência não é nenhuma força mística que aparece quando agentes colaboram; como no debate entre auto-estradas e calçadas, há ambientes que facilitam a inteligência de nível superior e outros que a suprimem. Levando-se em conta que Web conectou mais seres sencientes do que qualquer tecnologia anterior, você pode vê-la como um cérebro global. Mas tanto os cérebros quanto as cidades fazem mais do que conectar, pois a inteligência requer conexão *e* organização. Muitos dos sistemas descentralizados do mundo real geram espontaneamente estruturas quando aumentam de tamanho: as cidades se organizam em bairros ou cidades-satélites; as conexões neurais de nossos cérebros desenvolvem regiões extraordinariamente especializadas. A Web seguiu um caminho de desenvolvimento comparável nos últimos anos? Será que ela está se tornando mais organizada à medida que cresce?

Basta dar uma rápida olhada na lista mais ativa do NASDAQ para ver que a resposta é um inequívoco não. Em primeiro lugar, os portais e os mecanismos de busca existem porque a Web é um espaço tremendamente desorganizado, um sistema em que a desordem cresce com o volume total. De certo modo, Yahoo e Google funcionam como antídotos criados pelo homem para o natural caos da Web — uma tentativa de engenharia para restaurar a estrutura de um sistema que é incapaz de gerá-la por si mesmo. Este é o mais relevante paradoxo da Web: quanto mais informação flui em seus reservatórios, maior se torna a dificuldade de achar um simples dado no seu oceano.

Imagine o universo dos documentos HTML como um tipo de cidade espalhada em uma grande paisagem, onde cada documento representa um edifício no espaço. A cidade da Web seria mais anárquica que qualquer outra do planeta — nenhum ajuntamento de lojas e comércios semelhantes; nenhuma região de teatros ou de frigoríficos, nenhum bairro boêmio ou de casas elegantes; nem mesmo as tão lamentadas "cidades periféricas" de Los Angeles ou Tyson's Corner. A cidade da Web seria simplesmente uma massa de dados disforme, aumentando sua confusão a cada "edifício" que fosse erguido — de fato, tão confusa que os criadores de mapas (os Yahoos e Googles) gerariam quase o mesmo interesse que a própria cidade.

E se a Web funciona tão mal como cidade, seu desempenho seria ainda pior como cérebro. A seguir, palavras de Steven Pinker, autor de *Como a mente funciona* em um diálogo com Wright em *Slate*:

> Em alguns aspectos, a Internet é como um cérebro, mas em outros importantes aspectos, não. O cérebro não deixa a informação ricochetear no crânio. Ele é organizado para fazer algo: mover os músculos de modo que permitam que todo o corpo consiga atingir os objetivos definidos pelas emoções. A anatomia do cérebro reflete isso: não é uma web ou rede uniforme, mas uma organização específica na qual circuitos emocionais se interconectam com os lobos frontais, que recebem informação de sistemas perceptuais e enviam comandos para o sistema motor. Essa organização dirigida a objetivos vem de uma importante propriedade dos organismos que você discute: suas células estão no mesmo barco reprodutivo e, portanto, não têm um "incentivo" para agir contra os inte-

resses de todo o corpo. A Internet, não sendo um sistema coeso de reprodução, não tem essa organização.

De novo, a questão aqui é que os sistemas inteligentes dependem da estrutura e da organização, assim como da conectividade pura — e os sistemas inteligentes são guiados para tipos particulares de estruturas pelas leis da seleção natural. Um moderno Demônio de Maxwell, que de alguma maneira consegue supercolar um bilhão de neurônios uns aos outros, não criaria nada como um cérebro humano, porque este se baseia em conjuntos específicos para dar um sentido ao mundo, e esses conjuntos emergem somente de uma complexa troca entre neurônios, o mundo exterior e nossos genes (para não mencionar alguns milhares de outros fatores). Alguns sistemas, como a Web, são gênios em fazer conexões, mas pobres em estrutura. As tecnologias que suportam a Internet — desde os microprocessadores em cada servidor da Web até os protocolos abertos que governam os próprios dados — são elaboradas de forma brilhante para manusear aumentos drásticos de escala, mas são indiferentes, se não claramente hostis, à tarefa de criar uma ordem de nível superior. Certamente, há um equivalente neurológico da taxa de crescimento da Web, mas não é nada que você queira emular. É chamado tumor cerebral.

Entretanto, no meio de todo esse caos reticular, alguns observadores começaram a detectar macropadrões no desenvolvimento da Web, padrões que são invisíveis a seu usuários e, na maioria das vezes, inúteis. A distribuição dos sites da Web e seus públicos parece seguir o que é chamado de lei de potência: os dez sites mais populares são dez vezes maiores do que os próximos cem mais populares, que, por sua vez, são dez vezes mais populares que os próximos mil. Outros cartógrafos on-line detectaram padrões de "eixo de roda" ou de "raio de roda" no fluxo de tráfego. Porém, nenhuma dessas macroformas, mesmo que elas realmente existam, tornam a Web um sistema mais navegável ou informativo. Esses padrões podem ser auto-organizáveis, mas não são, de nenhuma maneira, *adaptáveis.* Eles estão mais perto da complexidade de um floco de neve do que de uma rede neural do cérebro: o floco de neve se auto-organiza em formas miraculosamente complicadas, mas é incapaz de se tornar um floco mais *esperto*, ou mais efetivo. É simplesmente um padrão congelado. Compare-o com os padrões dinâmicos, vivos dos bairros de uma cidade ou do cérebro humano. As duas formas evoluíram para estruturas úteis, pois foram empurradas naquela direção pelas forças da evolução biológica ou cultural: nossos cérebros são obras-primas da emergência, porque primatas com cérebros maiores eram, no geral, mais propícios a se reproduzir do que seus competidores de cérebros menores; os conjuntos comerciais da cidade moderna proliferaram porque seus habitantes prosperaram mais do que artesãos isolados das zonas rurais. Certamente, há grande potência e energia criativa na auto-organização, mas ela precisa ser canalizada em direção a formas específicas, para florescer em algo como inteligência.

O fato de que a Web, como a conhecemos, tende mais para conexões caóticas do que para a inteligência emergente não é intrínseco a todas as redes de computadores. Mexendo com algumas suposições subjacentes à Web hoje, você poderia esboçar uma versão alternativa que, potencialmente, seria capaz de imitar a auto-organização dos bairros das cidades ou os lobos diferenciados do cérebro humano — e reproduzir a mais simples maneira coletiva de resolver problemas própria das colônias de formigas. A Web não é inerentemente desorganizada, ela foi construída assim. Se sua arquitetura subjacente for modificada, talvez ela seja capaz de pensar em forma de grupo, como anteviu Teilhard.

Como se poderia fazer essa mudança? Pense nas formigas cortadeiras de Deborah Gordon ou no modelo de Paul Krugman para o crescimento das cidades periféricas. Em ambos os sistemas, a interação entre vizinhos é de duas vias: a formiga forrageadora que tropeça em outra que é construtora de ninhos registra algo do encontro e vice-versa; a nova loja que abre nas proximidades de outra já existente influencia o comportamento desta, que, por sua vez, influencia a mais nova. As relações nesses sistemas são mútuas: você influencia seus vizinhos e é influenciado por eles. Todos os sistemas emergentes são construídos com esse tipo de feedback: conexões de duas vias que fomentam a aprendizagem de nível mais alto.

Ironicamente é precisamente esse feedback que falta à Web, porque os links baseados em HTML são unidirecionais. Você pode apontar para dez outros sites em sua homepage, mas não há como essas páginas saberem que você apontou para elas, a não ser que você tome um tempo para enviar um e-mail para seus respectivos webmasters. Toda página da Web contém informação precisa sobre os outros endereços para os quais aponta e, no entanto, por definição, nenhuma página da Web sabe quem está apontando de volta. É uma limitação que seria inimaginável em qualquer outro sistema considerado até agora. É como se uma loja da Gap não tomasse conhecimento da J. Crew que se instalou do outro lado da rua, ou como se uma formiga ignorasse as outras que encontra durante o dia. A inteligência de uma colônia de formigas cortadeiras deriva do feedback densamente interconectado entre formigas que se encontram e mudam seu comportamento de acordo com regras preestabelecidas. Sem esse feedback, teríamos um agrupamento acidental de criaturas dando cabeçadas e indo em frente, incapazes de mostrar o complexo comportamento que se esperaria desses insetos sociais (também as redes neurais do cérebro são bastante dependentes dos círculos de feedback). Os sistemas auto-organizáveis usam o feedback para evoluir para uma estrutura mais ordenada. Em vista das conexões de mão única e da intolerância ao feedback encontradas na Web, não há como a rede aprender enquanto cresce, o que explica por que ela é atualmente tão dependente dos dispositivos de busca para controlar seu caos natural.

Há algo a fazer sobre essa limitação? De fato, já existe uma solução, embora ela nada faça para modificar os protocolos da Web, e, em vez disso, trabalhe engenhosamente em torno das deficiências da HTML para criar uma verdadeira rede de aprendizado que esteja acima da Web, uma rede que exista em escala global. Bastante apropriadamente, a primeira tentativa para alimentar inteligência emergente online começou com o desejo de fazer com que a Web deixe de ser tão desatenta.

De fato você não pode *verdadeiramente* entender Brewster Kahle até que ele lhe mostre a fazenda de servidores no porão da Alexa Internet. Descendo um lance de degraus externos, ao lado de uma antiga construção militar de triagem de pessoal, no Presídio de São Francisco, há um universo inteiro de informações — ou, ao menos, um banco de servidores Linux, de tons escuros, arrumados ao longo de uma parede de quase sete metros. A sala — de concreto, com umas poucas janelas que dão para o nível da calçada — deve ter abrigado um cortador de grama e algumas estantes esparsas alguns anos atrás. Atualmente, ela conserva o que deve ser o retrato mais perfeito da Inteligência Coletiva no mundo inteiro: 30 terabytes de dados que arquivam tanto a Web quanto os padrões de tráfego fluindo através dela.

Como criador do sistema Servidor de Informação de Grande Área, que tem a sigla WAIS, a partir do nome em inglês (Wide Area Information Server), Kahle já era uma lenda quando lançou a Alexa em 1996. O software Alexa usava tecnologia do tipo de filtragem colaborativa para construir conexões entre sites baseadas no tráfego de usuários. Os resultados dessa tecnologia são exibidos na opção de menu de "sites relacionados" na maioria dos navegadores de hoje. A Amazon.com adquiriu o Alexa Internet em 1999, mas a companhia permanece comodamente instalada nos seus escritórios low tech no presídio, estruturas temporárias da Segunda Guerra Mundial repletas com o odor de eucaliptos próximos. "Em apenas três anos, ficamos maiores do que a Biblioteca do Congresso, que é a maior do planeta", diz Khale, braços abertos no seu porão de servidores. "Portanto, a pergunta é: o que faremos agora?"

Obcecado com a impermanência dos atuais fluxos de dados, Kahle e seu sócio Bruce Gilliat fundaram a firma Alexa com a idéia de fazer "instantâneos" da Web, indexando-os permanentemente em grandes arquivos para armazenamento em benefício dos futuros historiadores. Ao desenvolver o projeto, ocorreu-lhes que poderiam facilmente abrir o maciço banco de dados a qualquer usuário da Web, de modo que este, em sua navegação na Web, tivesse a possibilidade de acessar páginas relevantes a partir do banco da Alexa. Toda vez que um navegador encontrasse um erro do tipo "Página 404 não encontrada" — o que significa que uma página antiga havia sido apagada ou alterada —, ele poderia rapidamente consultar o arquivo da Alexa e recuperar a página original.

Para tornar isso possível, Kahle e Gilliat criaram uma pequena barra de ferramentas que funciona junto com o navegador. Assim que ela detecta uma requisição de URL, dispara a informação para os servidores Alexa, e busca, no banco de dados, a página que você está visitando. Se a requisição da URL termina na mensagem Arquivo não encontrado, o aplicativo Alexa pesca nos arquivos uma versão mais antiga da página. Kahle intitulou sua ferramenta de "mecanismo de navegação" — uma ferramenta que acompanha o usuário enquanto ele navega na internet — e rapidamente verificou que havia encontrado um programa que poderia fazer muito mais do que recuperar antigas páginas da Web. Pelo acompanhamento dos padrões de navegação dos usuários, o software também poderia fazer conexões entre sites da Web, conexões estas que, de outra forma, poderiam ficar invisíveis, tanto para os criadores daqueles sites quanto para as pessoas que neles navegavam.

Dois meses após ter começado a trabalhar no software Alexa, Kahle acrescentou um novo botão à ferramenta, com um simples mas provocativo "O que vem a seguir?". Clique no botão enquanto estiver visitando um site de tributo a Marilyn Monroe e encontrará um conjunto de links para outros santuários virtuais sobre ela; clique ao visitar um site comunitário de sobreviventes de câncer e encontrará um hospedeiro de outras páginas semelhantes listadas em um menu. Como são formadas essas conexões? Observando os padrões de tráfego e procurando seus vizinhos. O software aprende observando o comportamento dos usuários do Alexa: se uma centena visita FEED e depois pula para Salon, então o software começa a perceber uma conexão entre os dois sites, que pode ser enfraquecida ou fortalecida à medida que mais comportamentos são rastreados. Em outras palavras, as associações não são o trabalho de uma consciência individual, mas sim a soma total de milhares e milhares de decisões individuais, um guia para a Web criado pelo rastreamento de um número inimaginável de pegadas.

A idéia toda é fascinante e estranhamente apropriada. Afinal de contas, um guia para a Web inteira deveria ser mais do que uma coleção de avaliações mecânicas. Como diz Kahle, "aprender com os usuários é a única coisa que tem uma escala compatível com o tamanho da Web". E o aprendizado faz eco com as comunidades de Florença ou Londres. O poder de associação do programa Alexa — o site X é *parecido* com os outros sites Y e Z — emerge das inconstantes viagens de sua base de usuários; nenhum desses usuários está deliberadamente se expondo para criar conjuntos de sites relacionados entre si, com a finalidade de dotar a Web de uma estrutura bastante necessária. Eles simplesmente estão atrás de seus negócios e o próprio sistema aprende por observação. Assim como as formigas cortadeiras de Gordon, quanto maior for o número de histórias individuais de navegantes rastreadas pelo programa, mais esperto ele se torna e mais organizado fica. Se somente mil pessoas apontam para Alexa em seus navegadores, as recomendações não serão precisas simplesmente por falta de informação suficiente. Porém, se mais dez mil usuários são acrescentados à mistura, é impressionante como as associações de sites ganham forma. O sistema começa a aprender.

Sejamos claros sobre o que se vincula a esse aprendizado, pois ele difere significativamente dos tradicionais retratos de ficção científica da inteligência computadorizada, tanto utópicos quanto distópicos. O programa Alexa não faz nenhuma tentativa direta de simular consciência ou inteligência humana. Em outras palavras, você não ensina o computador a ler ou apreciar o design de sites da Web. O software simplesmente procura padrões em números, da mesma forma como as formigas forrageadoras contam o número de companheiras com a mesma função que encontram por hora. De fato, a "inteligência" do Alexa é a sabedoria agregada de milhares — ou milhões — de pessoas que usam o sistema. O computador mistura os milhões de avaliações de seu banco de dados, procura por padrões de apreciação e rejeição, e depois relata para o usuário o que encontrou.

Vale a pena aqui notar que o Alexa não é, na realidade, um "agente de recomendação"; não está lhe dizendo que você *gostará* dos cinco sites que sugere. Ele indica que existe uma *relação* entre o site que você está visitando e os outros listados no menu. Os conjuntos que se formam por meio do Alexa são de associação e os links entre eles não são diferentes dos tradicionais links de hipertexto. Pense sobre a semântica de um link de hipertexto incluído em um artigo online: quando você o vê, não o traduz como "se você gostar desta frase, gostará também desta página". O link não está recomendando uma outra página; está mostrando que há uma relação entre a frase que você está lendo e a página indicada por ele. Cabe a você decidir se está interessado em outros sites, assim como você deve decidir qual mercador de seda é o seu preferido em Por Santa Maria. O Alexa simplesmente lhe mostra onde estão os aglomerados.

Fora do universo dos jogos de vídeo, o Alexa pode ser o maior exemplo de software emergente até hoje: a ferramenta foi integrada ao navegador Netscape imediatamente após ser lançado, e a empresa está agora aplicando sua tecnologia ao mundo dos bens de consumo. Contudo, o gênero está se diversificando. Uma empresa pioneira da Costa Leste chamada Abuzz, recentemente adquirida pela unidade digital do *New York Times*, oferece um serviço de filtragem que permite que as pessoas à procura de uma informação particular ou de um conhecimento técnico selecionem indivíduos que possam ter o conhecimento que elas estão procurando. Um site brilhante chamado Everything2 emprega um programa baseado em redes neurais para criar uma enciclopédia de autoria do usuário, que agrupa entradas relacionadas no estilo do Alexa, ou seja, com base em padrões de tráfego de usuários. Na verdade, a indústria da Web está apinhada de empresas que prometem juntar mentes semelhantes, estejam elas procurando divertimento ou formas mais utilitárias de informação. São os herdeiros digitais de Por Santa Maria.

Os humanistas da velha escola tendem, certamente, a achar alarmante a idéia de recorrer a computadores em busca de conhecimento especializado e refinamento cultural. Na maioria dos casos, as objeções dos críticos soam como uma versão estranhamente invertida dos velhos contos morais que um dia nos alertaram contra as máquinas animadas: o aprendiz de feiticeiro de Goethe (e Disney), o homem de areia de Hoffman, o Frankenstein de Shelley. Na versão contemporânea, não é que a tecnologia escrava fique mais forte do que nós e aprenda a desobedecer a nossas ordens — mas sim que nós nos deterioremos ao nível das máquinas. A tecnologia inteligente nos torna mais estúpidos.

Sem dúvida, a crítica tem seus méritos e, mesmo na comunidade da Net — se ainda é possível falar de uma única comunidade da Net —, o software inteligente ainda é motivo de difamação em alguns lugares. Décadas atrás, em um livro curioso e brilhante, *God and Golem Inc.*, Norbert Wiener argumentava que "em poemas, romances, pintura, o cérebro parecer ser capaz de trabalhar muito bem com material que qualquer computador rejeitaria, por considerar amorfo". Para muitas pessoas, a discriminação persiste até hoje; olhamos para nossos computadores como calculadoras; quando queremos informação cultural, já somos abençoados com uma quantidade de seres humanos para consultar. Outros críticos têm medo de um estreitamento em nossos parâmetros de estética, com agentes recomendando mecanicamente os sites nos quais todos surfam, enquanto envolvem astutamente suas recomendações em pele de cordeiro, dando a impressão de indicar a cultura ideal para cada consumidor.

Parece um tanto ingênuo, porém, resistir ao impulso de experimentar o sistema cultural vigente, em que o gosto musical é comumente determinado pelos departamentos de marketing da Sony e da Dreamworks, e o conhecimento especializado vem das colunas de Ann Landers e da Psychic Hotline. Se, afinal, o computador está meramente fazendo conexões entre sensibilidades culturais diferentes, sensibilidades essas que, originalmente, eram desenvolvidas por seres humanos e não por máquinas, então o modelo de software emergente é preferível ao modo como muitos ocidentais consomem divertimento: obedecendo a ordens ditadas pela propaganda. Afinal de contas, um programa como o Alexa não tenta reproduzir o autoritarismo onisciente do Grande Irmão ou de HAL — ele tenta, sim, reproduzir a sociável e comunitária prática de vizinhos que compartilham informações em uma calçada cheia, mesmo que esses vizinhos sejam totais estranhos, comunicando-se através da rede distribuída da Web.

Os algoritmos buscadores de padrões e que estão nos softwares emergentes já começam a se tornar um dos principais mecanismos da grande parafernália da vida social moderna — tão familiares para nós quanto outros mecanismos tradicionais como oferta e demanda, democracia representativa, votações. Atualmente, o software inteligente já circula pelos cabos para juntar amantes de livros ou parceiros potenciais. No futuro, nossas redes serão acariciadas por um milhão de mãos invisíveis, à procura de padrões na sopa digital, à procura de vizinhos em uma terra onde cada um é, por definição, estrangeiro.

Talvez isso seja somente uma adaptação. Nossos cérebros chegaram onde hoje estão auto-organizando-se a partir de uma forma primitiva de combinação de padrões. O futurista Ray Kurzweil escreveu: "Os seres humanos são muito mais hábeis em reconhecer padrões do que em pensar através de combinações lógicas; portanto, confiamos nessa capacidade para quase todos os nossos processos mentais. Na realidade, o reconhecimento de padrões abrange a maior parte do nosso circuito neural. Essas faculdades compensam a velocidade extremamente baixa dos neurônios dos seres humanos." A mente humana é mal equipada para tratar de problemas que devem ser resolvidos de modo *serial* — um cálculo após o outro —, uma vez que os neurônios precisam de um "tempo de recuperação" de cerca de cinco milésimos de segundo, o que significa que são capazes somente de realizar 200 cálculos por segundo (os PC modernos podem fazer milhões de cálculos por segundo, razão pela qual deixamos que façam as pesadas operações que requeiram habilidade matemática). Mas, diferentemente da maioria dos computadores, o cérebro é um sistema paralelo de grande porte, com 100 bilhões de neurônios trabalhando todos ao mesmo tempo. Esse paralelismo permite que o cérebro protagonize admiráveis proezas de reconhecimento de padrões, proezas que continuam a confundir os computadores digitais — como a lembrança de um rosto ou a criação de metáforas. Porque cada neurônio individualmente é tão lento, explica Kurzweil, "nós não temos tempo... para pensar muitos pensamentos novos quando somos pressionados a tomar uma decisão. O cérebro humano funciona pré-computando suas análises e armazenando-as para referência futura. Então usamos nossa capacidade de reconhecimento de padrões para reconhecer uma situação compatível com outra sobre a qual já havíamos pensado e, a partir daí, recuperar as conclusões a que havíamos chegado previamente".

É concebível que o software de hoje esteja na primeira etapa da evolução de uma consciência distribuída muito maior, como a da rede SKYNET do filme *O exterminador do futuro*, que "se tornou autoconsciente em 15 de agosto de 1997". Certamente, as evidências sugerem que máquinas genuinamente conscientes ainda estão distantes no horizonte tecnológico; e há muitas razões para suspeitar que nunca chegaremos lá. Contudo, o problema com o debate sobre inteligência e aprendizado de uma máquina é que ele logo se dividiu entre o software acéfalo de hoje e o código senciente de um futuro próximo. A Web pode nunca se tornar autoconsciente de maneira a se assemelhar à consciência humana, o que não quer dizer que não seja capaz de aprender. Nossas redes ficarão mais inteligentes nos próximos anos, mas no sentido em que nosso sistema imunológico ou uma cidade possam ser inteligentes — não na maneira como acontece com uma criança. Não há motivo para pedir desculpas por isso — afinal, uma rede de informação adaptável, capaz de reconhecer padrões complexos, poderia vir a ser uma das invenções mais importantes de toda a história da humanidade. Quem se importa se ela nunca aprender a pensar por si mesma?

Um software emergente que rastreia associações entre sites da Web e CDs de áudio não *ouve* música; apenas segue um padrão de compra ou hábitos musicais que fornecemos a ele e nos deixa lidar com guitarras melódicas ou sons dissonantes. Em algum nível humano básico, esta parece uma diferença que vale a pena preservar. Talvez nem sejamos capazes de transcendê-la, mesmo daqui a 100 anos ou mais. Porém, trata-se de uma diferença de tipo ou apenas uma diferença de grau? Tal pergunta assombra a comunidade de inteligência artificial há décadas, e toca em um ponto vulnerável em qualquer debate sério sobre software emergente. Sim, o computador não ouve música nem navega pela Web; ele procura padrões em dados e os converte em informação útil — ou que pelo menos pretende ser útil — para os seres humanos. Certamente tal processo está a quilômetros de distância do deleite com as "Variações Goldberg" ou com a leitura de *Slate*.

Entretanto, o que é ouvir música senão buscar padrões — de ressonância harmônica, repetição estereofônica, oitavas, progressões de acordes — no mundo dos sons dissonantes que nos cerca todos os dias? Uma ferramenta varre os zeros e uns de um disco magnético. A outra varre o espectro da freqüência. O que impulsiona os dois processos é uma ânsia por padrões, equivalências, similitudes; em ambos, a arte emerge a partir da percepção da simetria (Bach, nosso compositor mais matemático, compreendeu isso melhor do que qualquer pessoa). Será que os computadores algum dia vão aprender a *apreciar* os padrões que detectam? É cedo demais para saber. Porém, em um mundo onde a informação acessível on-line está se duplicando a cada seis meses, fica claro que alguma forma de reconhecer padrões equivalentes — todos esses programas esquadrinhando a rede, procurando sinais de comportamentos comuns, idéias relevantes e sensibilidades partilhadas — acabará influenciando grande parte de nossas vidas, talvez até o ponto de que os programas de busca de padrões não mais ficarão na dependência total dos mestres, assim como as comunidades crescem e se desenvolvem além do controle direto de seus habitantes. E para onde isso levará os programas de computador? O que torna a música diferente do barulho é que a música apresenta padrões e nossos ouvidos são treinados para descobri-los. Uma aplicação de software — por mais inteligente que seja — não pode literalmente ouvir o som de todos aqueles padrões ajustando-se nos devidos lugares. Mas será que isso torna a sua música menos agradável?

CAPÍTULO 4

Ouvindo o feedback

No fim da tarde de 23 de janeiro de 1992, em plena campanha presidencial, durante visita do então candidato Bill Clinton à American Brush Company, em Claremont, New Hampshire, Jim Wooten, repórter político da rede ABC, perguntou-lhe sobre as declarações feitas por uma ex-cantora de cabaré chamada Gennifer Flowers. Embora os jornalistas comentassem cada vez mais que Clinton era tido como mulherengo, era a primeira vez que o jovem concorrente do Partido Democrata — que estava nos primeiros lugares das pesquisas — ouvia uma pergunta sobre uma mulher específica. "Ela afirma que teve um longo romance com o senhor", disse Wooten, com as câmeras filmando. "E diz ter gravado conversas telefônicas em que o senhor pedia a ela para negar qualquer envolvimento entre os dois."

Wooten comentou mais tarde que Clinton deu à pergunta uma resposta que parecia estar ensaiando há meses. "Bom, em primeiro lugar, quero dizer que li a história. Não é verdade. Ela obviamente ganhou dinheiro para mudar a história, uma história que a afeta tanto que há pouco tempo contratou um advogado para proteger o seu bom nome. Ela realmente me telefonou. Eu nunca telefonei para ela..." A negativa do candidato continuou por mais cinco minutos e o diálogo terminou. Clinton havia respondido à pergunta, mas aquilo era notícia? Em todo o país, surgiu um furioso debate sobre ética no jornalismo: será que declarações não comprovadas sobre a vida sexual do candidato constituíam uma notícia legítima? E importava que o próprio candidato tivesse preferido negar tudo diante das câmeras? Uma cantora de cabaré falar sobre o passado adúltero do governador era claramente matéria para um tablóide sensacionalista — mas o que acontecia quando o próprio governador mencionava a história?

Depois de duas longas horas de reflexão, as três principais redes de televisão — juntamente com a CNN e o programa de MacNeil/Lehrer da PBS — optaram por não mencionar a pergunta de Wooten em seus noticiários nacionais nem mostrar qualquer imagem do diálogo. A história foi enfaticamente acobertada por algumas das figuras mais influentes dos meios de comunicação. A decisão de ignorar Gennifer Flowers foi unânime — mesmo na rede que iniciara a questão. Se fosse tomada dez ou 20 anos antes, uma decisão dessa magnitude poderia ter acabado com a história pela raiz (supondo que o mesmo aconteceria com o *Washingotn Post* e o *New York Times* na manhã seguinte). Para que a história ressurgisse, seria necessário oxigênio novo — algum tipo de desdobramento que provocasse a sua reavaliação. Sem notícias novas, a história de Flowers morreria.

Contudo, no dia seguinte, todas as três redes abriram com Gennifer Flowers como sua matéria principal. Nada havia acontecido com a história em si: nenhum dos protagonistas havia divulgado qualquer informação adicional; mesmos os opositores de Clinton revelavam um mutismo surpreendente a respeito do caso. Os poderosos em Nova York e Washington haviam decidido no dia anterior que aquilo não era notícia. Assim mesmo, Peter Jennings e Tom Brokaw iniciaram seus programas com a história de uma antiga miss do estado do Arkansas e suas revelações escandalosas.

Como aconteceu essa inversão? É tentador recorrer à velha lengalenga sobre os padrões decadentes da mídia, mas, nesse caso, as figuras mais poderosas da televisão ficaram de início no lado correto. Se realmente servissem a padrões decadentes, os executivos interessados teriam colocado Jim Wooten no ar na primeira noite. Algo os tirou dos trilhos, e não se tratava de algo redutível a um declínio da moral nacional ou a um lascivo executivo de televisão. Gennifer Flowers entrou na consciência popular por meio de um *sistema* de notícias televisivas, um sistema que foi conectado de um modo específico.

O que vimos acontecer no início de 1992 não foi diferente da imagem de Nixon suando no famoso debate televisionado de 1960. Como inúmeros críticos observaram desde então, tivemos no episódio do debate um primeiro lampejo de como a nova mídia transformaria a substância da política: a televisão ampliaria nosso foco nas habilidades interpessoais de nossos políticos e reduziria nosso foco nas questões de conteúdo. Com o caso Flowers, porém, a mídia não tinha mudado: o sistema subjacente é que tinha. No final da década de 1980, mudanças no fluxo de informação — e principalmente as imagens gravadas ao vivo, tão vitais para os noticiários — haviam empurrado um sistema que antes era top-down para um modelo mais distribuído, bottom-up. Só reparamos depois de Jim Wooten fazer aquela pergunta em Hew Hampshire, mas o mundo dos noticiários de televisão dera um primeiro e significativo passo em direção à emergência. No sistema hierárquico antigo, os chefões da televisão podiam suprimir uma história de bom grado, se considerassem que era melhor que o povo americano não tomasse conhecimento dela; porém, tal privilégio morreu com Gennifer Flowers, não por causa de padrões mais baixos ou por uma semana atípica. Foi uma vítima do feedback.

Atualmente, é comum comentar a disposição dos meios de comunicação em alimentar frenesis, em que a cobertura de uma história naturalmente gera mais cobertura, levando a um tipo de ambiente semelhante a uma casa de espelhos, onde pequenos incidentes ou declarações são ampliados para se tornar Eventos Significativos. Em geral, pode-se detectar um desses círculos de feedback quando seu desenlace está próximo, pois quase invariavelmente ele dispara uma onda de auto-aversão que lava tudo o que foi comentado. Essas ondas de autocrítica parecem ter um ciclo anual: pense no debate sobre os fotógrafos paparazzi e a morte da princesa Diana, ou aos milhões de aparelhos de TV ligados, em 1995, durante mais de 100 dias, ao julgamento de O.J. Simpson. Mas os círculos de feedback da década de 1990 não eram inevitáveis; apareceram graças a mudanças específicas no sistema subjacente dos meios de comunicação de massa, mudanças essas que trouxeram os primeiros sinais da emergência — e anteciparam os genuínos sistemas bottom-up que, desde então, floresceram na Web. Que o feedback tenha sido crucial para o processo não é de surpreender: todos os sistemas descentralizados baseiam-se extensamente em feedback, tanto para crescimento quanto para auto-regulação.

Considere as redes neurais do cérebro humano. Em nível celular, o cérebro é uma maciça rede de células nervosas conectadas pelos microscópicos canais de axônios e dendritos. Um lampejo de atividade cerebral — pensar em uma palavra, lutar para entender um conceito, analisar a sintaxe da frase que você está lendo agora — dispara uma sucessão de circuitos neurais semelhantes a rotas de tráfego marcadas no mapa da mente. Cada nova atividade mental dispara um novo arranjo e um inimaginável número de circuitos neurais possíveis deixam de se realizar no curso de uma vida humana (uma das razões pelas quais a persistente perda de células cerebrais durante nossa vida adulta não é preocupante). Mas, atrás de toda essa aparente diversidade, alguns circuitos se repetem continuamente. Hoje, uma das hipóteses mais tantalizantes da neurociência é que a base celular do aprendizado está na repetição desses circuitos. Explica o neurologista Richard Restak: "Todo pensamento e comportamento se encaixa dentro de circuitos de neurônios e ... a atividade neural que acompanha ou inicia uma experiência persiste sob a forma de circuitos neurais de reverberação, que se tornam mais fortemente definidos pela repetição. Portanto, hábitos e outras formas de memória podem consistir no estabelecimento de circuitos neurais permanentes ou semipermanentes." Inicialmente, um dado circuito pode se associar à idéia de um sanduíche, ou à forma de um triângulo isósceles — e com uma repetição razoável esse circuito específico, marca no cérebro um lugar determinado e daí em diante torna-se parte de nosso vocabulário mental.

Por que esses círculos de feedback e de reverberação acontecem? Eles acontecem porque as redes neurais do cérebro são densamente interconectadas: cada neurônio contém links — na forma de axônios e sinapses — relacionados a milhares de outros neurônios. Quando um dado neurônio dispara, envia essa carga para todas as outras células que, diante de determinadas condições, por sua vez a envia para as suas conexões, e assim por diante. Se cada neurônio estendesse um link para um ou dois outros neurônios, a chance de se ter um canal de reverberação seria grandemente reduzida. No entanto, como esses neurônios atingem simultaneamente muitas direções, é bem mais provável que o disparo de um dado neurônio retorne à sua fonte original, recomeçando todo o processo. A probabilidade de ocorrer um círculo de feedback está diretamente relacionada à interconexão geral do sistema.

Sob todos os aspectos, a mídia contemporânea como um todo é um sistema densamente interconectado, mesmo se não levarmos em conta as redes de links do mundo online. Conectado não só por causa do grande número de residências ligadas à TV a cabo e dos telhados coroados com antenas para satélites, mas também no sentido mais sutil de que a informação se liga em si mesma em modos ainda mais barrocos. Desde a primeira análise sobre a era da televisão, feita por Daniel Boorstin em 1961, em um trabalho válido até hoje — *The Image* —, o mundo da mídia jornalística mudou de maneira significativa. Essas mudanças promoveram um aumento de transmissões entre os canais dos meios de comunicação: hoje há muito mais agentes no sistema (Web-sites, semanários, manchetes nos pagers, redes de notícias vinte e quatro horas por dia), e muito mais reformulações de material jornalístico, ao lado de uma alarmante disposição de soltar, sem crítica, notícias de outras fontes de informação. A crítica da mídia, desconhecida nos tempos menos solipsistas de Boorstin, e antes limitada às criações do início da década de 1990, como *Reliable Sources,* da CNN, e o segmento ocasional de Jeff Greenfield em *Nightline,* atualmente é a história principal de *Larry King* e *Hardball.* Em outras palavras, o sistema como um todo deu uma guinada impressionante na direção das redes distribuídas e afastando-se das hierarquias tradicionais top-down. E quanto mais a mídia contempla sua própria imagem, mais provável é que o sistema comece a realimentar a si mesmo, como uma guitarra Stratocaster inclinando-se sobre a amperagem na qual está ligada.

O resultado final de tudo isso é que — pelo menos no ciclo nacional de notícias — não há mais nenhuma história importante na qual a mídia não desempenhe um papel essencial e, em muitos casos, o talento da mídia para auto-refletir-se cria a própria história. Você não precisa de muito impulso inicial para dar partida à reverberação de todo o circuito. A história de Gennifer Flowers é o melhor exemplo desse processo em operação. De acordo com a brilhante reportagem feita por Tom Resenstiel na *New Republic* alguns anos atrás, a controvérsia sobre Flowers surgiu em virtude de uma mudança no relacionamento entre as cadeias nacionais de notícias e suas subsidiárias locais, uma mudança que fez o sistema inteiro tornar-se muito mais interconectado. Até o fim da década de 1980, os noticiários locais (programas no final da tarde e no final da noite) baseavam-se nas grandes cadeias para dar 30 minutos de notícias nacionais, editadas de acordo com os augustos padrões dos veteranos de Nova York. As subsidiárias locais poderiam ignorar as reportagens nacionais ou transmitir o material enviado para elas, mas, se a cadeia decidisse que a história não era importante, as afiliadas não poderiam fazer sua cobertura.

Tudo isso mudou quando a CNN começou a atuar, em meados da década de 1980. Como a nova rede não dispunha de um conjunto de subsidiárias para suprir a cobertura de notícias de impacto quando eventos locais se tornavam reportagens nacionais, Ted Turner adotou a estratégia de cortejar as estações locais dando-lhes total acesso às notícias da CNN. Em vez do conciso pacote editado de 30 minutos, as subsidiárias poderiam escolher praticamente o que quisessem do material gravado pelas câmeras da CNN, inclusive as histórias que os produtores executivos em Atlanta haviam decidido ignorar. O episódio Flowers encaixou-se neste novo sistema, e os resultados foram surpreendentes. Os órgãos de imprensa locais também tiveram acesso aos comentários de Clinton e muitos deles decidiram agarrar a história, apesar de os executivos da rede em Nova York a ignorarem. "Quando o editor de política da NBC News Bill Wheatley chegou em casa e ligou o noticiário local das 11 horas da noite, teve um sobressalto: a estação NBC de Nova York mostrou a história que a rede havia decidido não levar ao ar", escreve Rosenstiel. "Na tarde do dia seguinte, até mesmo Jim Lehrer, do discreto noticiário *MacNeil/Lehrer NewsHour*, na PBS, disse aos membros de sua equipe que a história de Flowers tinha de ser transmitida, contrariando tudo o que haviam pensado antes. 'Está fora de meu alcance', ele disse."

As mudanças foram quase invisíveis para os americanos vendo TV em casa, mas suas conseqüências foram profundas. O mecanismo para determinar o que constituía uma história legítima tinha passado por uma reengenharia, saindo de um sistema top-down com pouca propensão de feedback, para um tipo de rede neural de jornalismo, na qual centenas de subsidiárias participavam diretamente na criação da história. E o que fez o circuito particularmente vulnerável à reverberação foi que as próprias cadeias imitaram o comportamento das estações locais, transformando o que deveria ter sido uma anomalia passageira em um total frenesi. Foi este o momento em que o sistema começou a mostrar comportamento emergente. O sistema começou a escolher as tomadas, no lugar dos jornalistas. Lehrer teve razão quando disse que o caso Flowers estava "fora de seu alcance". A história estava sendo conduzida pelo feedback.

O caso Flowers é um bom exemplo da razão por que os sistemas emergentes não são intrinsecamente bons. Tornados e furacões também são sistemas de feedback, mas isso não quer dizer que alguém queira criar um no quintal. Dependendo de suas partes componentes, e de como elas se juntam, os sistemas emergentes podem trabalhar em direção a muitos tipos diferentes de objetivos: alguns admiráveis, outros destrutivos. Os círculos de feedback da vida urbana criaram a grande maioria das comunidades mais fascinantes e reverenciadas do mundo — mas eles também têm uma parcela de culpa na autoperpetuação dos ciclos de miséria no fundo das cidades. As favelas também podem ser um fenômeno emergente, o que não é uma desculpa para nos resignarmos à sua existência ou descrevê-las como parte da ordem "natural" das coisas. Ao contrário, é motivo para imaginar um sistema melhor. O caso Flowers foi um exemplo de emergência em estado inicial — um sistema de agentes locais adotando um macrocomportamento sem qualquer autoridade central interferindo. Mas não tinha, necessariamente, a qualidade de ser *adaptável.*

Na maioria das vezes, tornar um sistema emergente mais adaptável requer a contribuição de diferentes tipos de feedback. No caso Flowers, vimos um exemplo do que os teóricos de sistemas chamam de feedback positivo — o tipo de ciclos auto-alimentados que fazem uma nota arranhada numa guitarra expandir-se em uma sinfonia ensurdecedora de ruídos. Mas a maioria dos sistemas de controle automático baseia-se amplamente em dispositivos com "feedback negativo". O exemplo clássico é o termostato, que usa feedback negativo para resolver o problema do controle da temperatura ambiente em um quarto. Na realidade, há duas maneiras de controlar a temperatura de um quarto. A primeira seria construir um aparelho capaz de soprar ar em várias temperaturas diferentes; o ocupante do quarto simplesmente selecionaria as condições desejadas e a máquina começaria a jogar ar frio ou quente na temperatura desejada. O problema com esse sistema é duplo: ele requer um aparelho de aquecimento/resfriamento capaz de jogar ar em temperaturas exatas, e é totalmente indiferente à temperatura existente no quarto. Se digitarmos vinte e dois graus no termostato, a máquina começará a jogar ar naquela temperatura — mesmo que a temperatura da cômodo já esteja nos vinte e poucos graus.

A abordagem pelo feedback negativo leva a uma solução mais simples e mais sensível às variações do ambiente (não é surpresa que seja a técnica usada pela maioria dos termostatos domésticos). Em vez de bombear ar precisamente calibrado em um cômodo, o sistema trabalha com três estados: ar quente, ar frio e sem ar. Ele faz a leitura da temperatura ambiente, compara-a com a temperatura solicitada e então se ajusta às necessidades. Se o cômodo está mais frio que o desejado, entra ar quente. Se está mais quente, entra ar frio. O sistema mede continuamente a temperatura ambiente e ajusta seu desempenho, até que a temperatura desejada seja alcançada — neste ponto, ele muda para a opção "sem ar", onde permanece até que a temperatura ambiente se altere por algum motivo. O sistema usa feedback negativo para atender às condições corretas — e, por essa razão, pode lidar com mudanças acidentais no ambiente.

Portanto, o feedback negativo é um modo de alcançar um ponto de equilíbrio apesar das imprevisíveis — e variáveis — condições externas. A "negatividade" mantém o sistema sob controle, assim como o "feedback positivo" impulsiona outros sistemas. Um termostato sem feedback apenas bombeia ar a 22 graus em um quarto, independentemente da temperatura ambiente. Um termostato imaginário operando com feedback positivo pode avaliar a mudança na temperatura do cômodo e seguir a mesma tendência: se notar que o cômodo ficou mais quente, começa a jogar ar mais quente, levando a temperatura a se elevar cada vez mais, e, com isso, lançará ar ainda mais quente. Em pouco tempo, a água no aquário estará fervendo. Por outro lado, o feedback negativo deixa o sistema encontrar seu ponto de equilíbrio, mesmo em um ambiente em mudança. Entra um vento frio, uma janela é aberta, alguém acende a lareira — todas essas coisas podem acontecer e, no entanto, a temperatura permanece constante. Em vez de ampliar seu próprio sinal, o sistema se ajusta sozinho.

Lidamos com a informação como um meio para feedback negativo desde que Norbert Wiener publicou *Cibernética* em 1949. Ele vinha pensando sobre a relação entre controle e feedback desde o início da década de 1940, durante a Segunda Guerra Mundial, quando começou uma pesquisa relacionada à automatização de estratégias de guerra. Após o bombardeio de Pearl Harbor pelos japoneses e a entrada dos Estados Unidos na guerra, as forças armadas pediram a Wiener para imaginar um meio de fazer as armas mecânicas dispararem automaticamente em direção aos alvos. A pergunta que Wiener tinha que responder era a seguinte: dispondo de informação suficiente sobre a localização e o movimento do alvo, você consegue transformar esses dados em algo que uma máquina possa usar para atirar em um V-2 nos céus?

O problema se ajustava às mil maravilhas à capacidade de adaptação do feedback negativo: os alvos eram uma mistura de ruído e informação, de certa forma previsíveis, mas também sujeitos a mudanças súbitas. Porém, para resolver o problema, Wiener precisava de algo que ainda não existia: um computador digital capaz de mastigar o fluxo de dados em tempo real. Com essa necessidade em mente, Wiener ajudou a construir um dos primeiros computadores modernos. Quando a história dos anos de guerra de Wiener é contada, em geral são enfatizadas, com todo o mérito, as raízes do moderno PC. Porém, a nova compreensão do feedback negativo surgida dos esforços do ENIAC igualmente teve conseqüências de longo alcance, muito além dos tubos a vácuo e dos cartões perfurados dos primeiros computadores.

O feedback negativo não é somente um software ou um dispositivo para aquecimento doméstico. É um modo indireto de empurrar um sistema fluido e mutável em direção a um objetivo. Em outras palavras, é um modo de transformar um sistema complexo em um sistema complexo *adaptável*. O feedback negativo ocorre sob muitas formas e tamanhos. Você pode usá-lo em mísseis balísticos ou em circuitos integrados, neurônios ou vasos sangüíneos. Em termos atuais, é "agonístico em termos de plataforma". De modo esquemático, o feedback negativo envolve a comparação entre o estado atual de um sistema e o estado desejado, e a pressão sobre o sistema, numa direção que minimize a diferença entre os dois estados. Diz Wiener no início de *Cibernética*: "Quando desejamos que um movimento siga determinado padrão, a diferença entre este padrão e o movimento efetivamente realizado é usada como um novo input; esse input faz com que a parte regulada se mova de tal modo que consiga aproximar o movimento daquele dado pelo padrão." Wiener deu um nome a essa aptidão para a auto-regulação: homeostase.

Nosso corpo é um maciço e complexo sistema homeostático, que usa uma intricada rede de mecanismos de feedback para se conservar estável em meio a situações de trocas dinâmicas. Muitos desses mecanismos são mantidos pelo cérebro, que coordena os estímulos externos recebidos pelos órgãos dos sentidos e responde disparando ações motoras apropriadas. Os ciclos de sono, por exemplo, dependem bastante de feedback negativo. Os ritmos circadianos do corpo — acumulados após milhões de anos de vida em um planeta cujo dia tem 24 horas — fluem a partir do sistema nervoso central, disparando mudanças regulares na formação de urina, temperatura do corpo, output cardíaco, consumo de oxigênio, divisão celular e secreções das glândulas endócrinas.

Porém, por alguma razão, os relógios do nosso corpo se ajustam com certo atraso: o ciclo humano circadiano é de vinte e cinco horas e, portanto, dependemos do mundo externo para acertar nosso relógio a cada dia, tanto detectando padrões de luz e escuridão, quanto nos adaptando a mudança mais sutil do campo magnético da terra, que muda devido à rotação do planeta. Se o feedback negativo não empurrasse nossos ritmos circadianos de volta ao sincronismo, nós nos encontraríamos dormindo durante o dia, por duas semanas em cada mês. Em outras palavras, sem esse mecanismo de feedback, seria como se toda a raça humana ficasse permanentemente no segundo ano da faculdade.

Compreender o corpo e a mente como um sistema homeostático ajustado por feedback naturalmente encorajou algumas pessoas a fazer experiências com novas formas de feedback artificial. Desde a década de 1970, mecanismos de biofeedback monitoram as alterações nos níveis de adrenalina e tensão muscular em tempo real de indivíduos ligados a máquinas especiais. A idéia é permitir aos pacientes administrar sua ansiedade ou nível de estresse, deixando-os explorar diferentes estados mentais e vendo instantaneamente os efeitos fisiológicos. Com um pouco de prática, pacientes monitorados por biofeedback podem facilmente "mexer" em seus níveis de adrenalina, aumentando-os ou diminuindo-os, apenas por imaginar eventos estressantes ou por entrar em estado de meditação. Certamente, nossos corpos estão sempre ajustando nossos níveis de adrenalina — a diferença com o biofeedback é que a mente consciente entra no processo, dando aos pacientes maior controle direto sobre os níveis de hormônio do sistema. Este pode ser um meio melhor de administrar o estado interno do corpo, mas também pode ser um processo de autodescobrimento. A única vez em que tentei o biofeedback tradicional, meus níveis de adrenalina permaneceram sossegados na metade do espectro durante os primeiros cinco minutos da sessão; na verdade, o médico até me cumprimentou por ter um sistema adrenal tão normal e bem ajustado. Então, no meio da conversa, fiz uma piada — e imediatamente meus níveis de adrenalina pularam para fora do gráfico. No fim da visita, o terapeuta me deu a página impressa da minha sessão de 30 minutos, com as mudanças de meus níveis de adrenalina marcados como um gráfico linear. Era, para todos os efeitos, um gráfico de computador das minhas tentativas de humor na referida meia hora: uma linha reta interrompida por seis ou sete picos acentuados, cada um correspondendo a um dito espirituoso que eu havia lançado ao terapeuta.

Saí da sessão sem me aperfeiçoar em nada perceptível e, certamente, não conseguira maior controle sobre meus níveis de adrenalina. Ainda assim, aprendi algo: que, sem perceber conscientemente, eu já havia estabelecido um circuito de feedback simples para mim em anos passados, quando meu corpo havia aprendido que daria um pico de adrenalina ao soltar uma piada durante uma conversa. Pensei sobre todas as reuniões de negócios ou conversas ostensivamente sérias com amigos nas quais me vi contando piadas de modo compulsivo, apesar do contexto não apropriado; pensei em como esse impulso está tão profundamente enraizado na minha personalidade do dia-a-dia — e, de repente, isto me pareceu mais próximo de um vício do que uma característica da personalidade, com meu cérebro se contorcendo para provocar um riso bobo que iria lhe assegurar mais uma dose de adrenalina. Na verdade, nossas personalidades são, parcialmente, a soma de todos esses mecanismos invisíveis de feedback; mas, para começar a entendê-los, são necessários níveis adicionais de feedback — neste caso, um simples gráfico de computador mostrando os movimentos de uma linha.

Se a análise de dados indiretos, como os níveis de adrenalina, pode revelar tanto sobre os motivos ocultos da mente, imagine as possibilidades de analisar diretamente as atividades do cérebro. Esta é a idéia por trás da tecnologia de neurofeedback: em vez de medir os *resultados* das ações do cérebro, o neurofeedback mede as próprias ondas do cérebro e as traduz em imagens e sons gerados por computador. Alguns padrões de ondas cerebrais aparecem em momentos de intensa concentração; outros em estado de calma meditativa; outros ainda em estado de distração ou medo. O neurofeedback — como muitos dos sistemas que vimos — nada mais é do que um mecanismo de reconhecimento e ampliação de padrões: uma série de sensores de eletroencefalograma (EEG) aplicados ao crânio registra mudanças nos padrões de ondas cerebrais e as transforma em um meio que possa ser diretamente percebido, muitas vezes sob a forma de tons de áudio ou cores em uma tela de computador. Quando o cérebro muda de um estado para outro, o tom ou a imagem muda, dando um feedback em tempo real sobre sua atividade EEG. Com alguma prática, o neurofeedback pode facilmente levar o cérebro a estados específicos — porque a tecnologia de neurofeedback o supre com novos dados sobre seus próprios padrões de comportamento. Os adeptos da técnica sustentam que, quando uma pessoa alcança um estado meditativo usando neurofeedback, os modos tradicionais de meditação parecem ser como estacionar sem usar o espelho retrovisor — com prática suficiente, você consegue fazê-lo, mas estará perdendo uma porção de informações cruciais.

Se estivesse vivo hoje, acho que Wiener ficaria surpreso em saber que a tecnologia de biofeedback e neurofeedback ainda não são práticas terapêuticas dominantes. Mas Wiener reconhecia que a homeostase não se limita à esfera da mente e do corpo humanos. Se os sistemas de neurônios são capazes de formar elaborados mecanismos de feedback, por que comunidades humanas não podem fazer o mesmo? "Em conexão com o efetivo volume de informações comuns", escreveu Wiener, "um dos fatos mais surpreendentes sobre a prática política é sua extrema carência de processos eficientes de homeostase." Ele teria diagnosticado a patologia de Gennifer Flowers em um segundo. O episódio Flowers foi um caso ilustrativo de puro feedback positivo, não confrontado por sua força oposta. O comportamento de cada agente encorajou comportamento semelhante de outros agentes. Não houve nada de homeostático no processo, somente o "giro crescente" de feedback positivo.

Entretanto, se o feedback positivo causa tanto tumulto no mundo da mídia, como pode o cérebro confiar tão firmemente nos circuitos de reverberação dos neurônios? Uma resposta plausível se resume a um termo familiar à mídia de hoje: *fadiga*. Cada neurônio do cérebro sofre de uma espécie de impotência regulada: após um período de atividade, a célula precisa de alguns milésimos de segundo de inação, o "período refratário absoluto", durante os quais é imune a estímulos exteriores. Juntamente com muitos outros engenhosos esquemas inibitórios nos quais se apóia, a fadiga é uma maneira de diminuir a reverberação do circuito, mantendo controle sobre a auto-alimentação frenética do cérebro.

É esse curto-circuito que está faltando na vasta interconexão da mídia moderna. Matérias jornalísticas geram mais matérias, que geram outras sobre como aquelas foram feitas, que geram outras sobre a cobertura da metacobertura (aqui a ciência do cérebro parece maravilhosamente poética: qual o melhor diagnóstico sobre a vertigem 24/7 de feedback da mídia do que "falta de fadiga?"). Um cérebro que não consegue parar de reverberar é uma descrição possível para o que acontece durante uma crise epiléptica; a versão da mídia é algo como a crítica épica de Steven Brill sobre a cobertura do caso Lewinsky no primeiro número de *Content*: um crítico de mídia respeitável lançando uma nova revista com uma importante acusação sobre a obsessão da mídia por sua própria cobertura. Se o problema se originasse de erros de julgamento feitos por repórteres individualmente, então a crítica poderia fazer sentido. Mas desde que o problema está na própria tendência da mídia de auto-amplificação, fazer a cobertura da cobertura só piora o problema. É como atirar com uma pistola em direção ao ar para deter uma fuzilaria. De novo, o caso Flowers ilustra o princípio subjacente: a história não era "notícia legítima" — de acordo com os sábios das redes — até que outras cadeias começaram a cobri-la. A importância de uma determinada história não pode ser julgada pelo desempenho dela em outros canais. Do contrário, a força gravitacional do feedback positivo se torna forte demais, e o feedback começa a dirigir o processo, mais ainda do que os repórteres *ou* o próprio evento.

Não é exagero dizer que a história surgida desse anel de retroação foi um marco na história dos Estados Unidos. É totalmente possível que a controvérsia sobre Flowers tivesse sido amainada se a resposta de Clinton a Jim Wooten fosse ignorada; os Clintons não teriam ido aos *60 Minutes*, e toda essa série de tropos que apareceram em torno do casal (os namoros de Clinton, Hillary contra o feminismo de Tammy Wynette) possivelmente não teriam chegado ao público. Sem Gennifer Flowers no passado de Clinton, teria o caso Monica Lewinsky chegado onde chegou? Provavelmente, não. Se é assim, devemos então perguntar: o que realmente fomentou essa cadeia de eventos? Por um lado, a resposta é simples: escolhas de vida feitas por indivíduos — a decisão de Clinton de ter um caso e desmanchá-lo, a decisão de Flowers de vir a público, a decisão de Clinton de responder — resultaram em uma cadeia de eventos que acabaram por provocar uma matéria jornalística de nível internacional. Mas há outra condição sine qua non, que é a decisão tomada alguns anos antes, em alguma parte de um grupo de escritórios em Atlanta, de compartilhar todas as notícias da CNN com as subsidiárias locais. Essa decisão não foi um "pseudoevento," segundo a famosa expressão de Boorstin. Foi um "evento de sistema": uma mudança no modo como a informação fluiu em todo o sistema da imprensa. Não obstante, foi uma mudança material.

Se você acha que os comentários de Clinton sobre Gennifer Flowers não deveriam ter tomado o vulto que tomaram, então quem são os responsáveis? A quem culpar nesse caso? As críticas tradicionais não se aplicam aqui: não há nenhum salão revestido de carvalho maciço e cheirando a charuto onde titereiros puxam as cordas invisíveis dos fantoches; não é o fato de a mídia de televisão ser particularmente "quente" ou "fria"; havia uma motivação de lucro por trás da decisão da CNN de compartilhar suas matérias, mas não podemos descrever o episódio Flowers como mais um tributo à ganância dos executivos da rede. Novamente retornamos às leis fundamentais da emergência: o comportamento dos agentes individuais é menos importante do que o sistema como um todo. No passado, os canais que ligavam políticos, jornalistas e os cidadãos comuns eram de mão única e obedeciam a padrões hierárquicos; não tinham conexões que gerassem um verdadeiro feedback. E muito poucos agentes interagiam para criar uma ordem de nível mais alto. Mas a explosão da televisão a cabo na década de 1980 mudou tudo isso. Pela primeira vez, o sistema começou a reverberar por si próprio. O som foi baixo durante os primeiros anos e talvez só tenha se tornado audível quando Jim Wooten fez aquela pergunta. No entanto, qualquer pessoa que tenha assistido aos noticiários noturnos de 24 de janeiro de 1992, captou aquele som com sinal alto e claro.

Ainda assim, a estrutura pesada dos meios de comunicação de massa pode conservar esses círculos relativamente mudos por um futuro previsível, ao menos no que se refere à televisão. Afinal de contas, o feedback em geral não é uma coisa da televisão. Precisamos da Web para ouvir seu gemido.

Em junho de 1962, um ano depois do aparecimento de *Morte e vida de grandes cidades*, Lewis Mumford publicou, na sua legendária coluna do *New Yorker*, "The Sky Line", uma crítica mordaz sobre o manifesto de Jane Jacobs. Em suas prescrições para uma renovação urbana centrada nas calçadas, "Mamãe Jacobs" — como Mumford a ridicularizou — ofereceu "um cataplasma feito em casa para a cura do câncer". O crítico do *New Yorker* tinha sido um dos primeiros a defender o trabalho de Jacobs, encorajando-a a traduzir seus pensamentos em livro quando ela era uma editora iniciante da *Forum Architecture* em meados da década de 1950. Porém, o livro que ela finalmente escreveu atacava Ebenezer Howard — tão amado por Mumford — e suas "cidades jardins"; portanto, ele não poupou fortes críticas contra sua antiga protegida.

Com mais de dez mil palavras, a crítica de Mumford foi extensa e abrangente, mas sua mensagem central recaiu sobre o potencial dos centros metropolitanos para se auto-regularem. Jacobs argumentara que as grandes cidades podiam chegar a um tipo de homeostase através de interações geradas por calçadas vivas; o planejamento urbano que tentava tirar as pessoas das ruas estaria efetivamente destruindo o sangue que dá vida ao sistema urbano. Sem as conexões abertas da cultura da rua, cheias de feedbacks, as cidades rapidamente se tornariam lugares perigosos e anárquicos. Criar uma cidade sem calçadas, argumentava Jacobs, era o mesmo que construir um cérebro sem axônios ou dendritos. Uma cidade sem conexões não era de maneira nenhuma uma cidade, pelo menos no sentido tradicional de uma vida de cidade orgânica. Era melhor construir cidades que encorajassem os círculos de feedback do tráfego das calçadas, encurtando os quarteirões e sustentando um zoneamento de uso misto.

Mumford não era fã dos projetos de construção do pós-guerra, mas havia perdido a fé nas forças auto-reguladoras dos sistemas urbanos maciços. Cidades com populações de milhões de pessoas simplesmente punham muita tensão nas tendências homeostáticas das coletividades humanas. Em *A cidade na história*, publicado no mesmo período, Mumford voltara-se para as antigas cidades-estados gregas e sua propensão a fundar novas unidades quando as comunidades originais alcançassem um certo tamanho — o equivalente urbano da reprodução por esporos. O vínculo de Munford com Ebenezer Howard também se originava da falta de confiança de ambos na auto-regulação da metrópole: o movimento da Cidade Jardim — não muito diferente do Novo Urbanismo de hoje — foi uma tentativa de prover a energia e o dinamismo da vida da cidade em doses menores. As cidades montanhosas da Itália renascentista haviam atingido uma mistura ideal de densidade e diversidade enquanto conservavam sua população total em limites razoáveis (garantidos em grande parte pelas muralhas que as circundavam). Eram espaços centrados nas ruas, com uma cultura pública vibrante, mas permaneciam comunidades reconhecíveis também: pequenas o suficiente para favorecer um sentido real de cidadania. Esse tipo de equilíbrio orgânico, argumentava Mumford, era impossível em uma cidade com cinco milhões de habitantes, onde o barulho e o congestionamento — a sobrecarga sensorial causada por tudo isto — expulsava a "vitalidade" das ruas. "Jacobs se esquece de que, nos organismos, os tecidos que crescem da forma mais vital e dinâmica são os cânceres... A autora se esquece da característica mais essencial de todo crescimento orgânico — para manter a diversidade e o equilíbrio, o organismo não deve exceder a norma de sua espécie. Qualquer associação ecológica acaba por alcançar o 'estágio de clímax', além do qual não é possível crescimento sem deterioração."

Como muitos debates constantes dos anais dos estudos urbanos, a polêmica Mumford/Jacobs sobre o "estágio de clímax" da vida urbana espelha os desenvolvimentos recentes do reino digital, à medida que as comunidades baseadas na Web lutam contra os problemas do crescimento descontrolado. A primeira geração dos pontos de encontro on-line — publicações eletrônicas dial-up, como ECHO ou Well — era o equivalente daquelas cidades montanhosas italianas: lugares ativos, inovadores e litigiosos, porém lugares que permaneciam dentro de um tamanho prático. No seu auge, antes da decolagem da Web, ambos os serviços oscilavam em cerca de cinco mil membros e, dentro dessa população, naturalmente emergiam líderes comunitários e outros personagens públicos: os piadistas e os habilidosos, os verificadores de fato e os polêmicos. Esses personagens — muitos deles ocultos por pseudônimos brincalhões — funcionavam como o equivalente aos lojistas e garçons, os usuais "olhos da rua" que dão à comunidade seus fundamentos e sua familiaridade.

Essas comunidades on-line também se dividiam em unidades menores organizadas ao redor de tópicos específicos. Como os conjuntos comerciais típicos de Saville Row e Por Santa Maria, as divisões tornavam o espaço total mais compreensível, e suas peculiaridades dotavam cada comunidade de um sabor distinto (nos primeiros anos de sua existência, a área de discussão do Grateful Dead no Well era maior do que todas as outras áreas juntas). Como cada tópico atraía um subconjunto menor da população total, visitar cada um deles correspondia a retornar a um velho quarteirão familiar de uma parte da cidade e encontrar os mesmos tipos de personagens que você encontrou na última visita.

O ECHO e o Well tinham um certo equilíbrio homeostático nos primeiros anos — poderosamente capturados pelo livro de Howard Rheingold, *A comunidade virtual* — e parte do equilíbrio vinha das próprias forças de auto-organização da comunidade. Nenhuma delas, porém, era um exemplo puro de comportamento bottom-up: as áreas principais, por exemplo, eram negócios de planejamento central, criados por mandato e não por caminhadas; as duas comunidades beneficiavam-se da forte liderança top-down de seus fundadores. O fato de que suas populações totais nunca se aproximavam do "estágio de clímax" refletia a lenta curva de adoção de modems por parte do público em geral e também dos limitados orçamentos de marketing em ambas as operações. Mais importante ainda, os elementos de cada comunidade que se auto-regulavam tinham pouco a ver com o software subjacente. Qualquer pessoa que tenha utilizado esses serviços no início da década de 1990 dirá que surgiram líderes comunitários e outras figuras reconhecíveis, mas que o status só existia na percepção dos próprios usuários. O software em si era agnóstico no que se referia a status mas, por aproximar mentes de hominídeos — mentes que são naturalmente inclinadas a estabelecer hierarquias nas relações sociais —, começaram a aparecer líderes e párias. O software realmente reconhecia moderadores oficiais em cada área de discussão, mas eram atribuições vindas de cima para baixo; você pedia ao chefe da aldeia o papel que desejava e, se você fosse um membro produtivo da sociedade, seu desejo podia ser satisfeito. Certamente, havia muitos líderes não oficiais — mas, no que concerne ao código, os únicos moderadores oficiais vinham de cima.

Essa mistura de hierarquia e heterarquia se adaptava bem aos estágios de crescimento do ECHO e do Well. Com cinco mil membros, a comunidade ainda era pequena o bastante para ser parcialmente manipulada de cima e propiciar o aparecimento natural de grupos e personagens reconhecíveis. Naquela escala, não se precisava resolver o problema de auto-regulação com ferramentas de software: tudo o que se precisava era de um programa de software que conectasse os pensamentos das pessoas — através das mensagens assíncronas e seqüenciadas dos grupos de discussão — e a comunidade se encarregava de encontrar seu próprio equilíbrio. Se algo desse errado, os líderes oficiais sempre poderiam ser consultados, para orientação. Mas mesmo nesses emocionantes primeiros dias da comunidade virtual, os sistemas coletivos do ECHO e do Well deixaram de atingir uma verdadeira homeostase, em virtude de razões que se tornariam endêmicas para a geração seguinte de comunidades já então em formação na Web.

Os grupos de discussão revelaram-se um ecossistema ideal para os tipos peculiares conhecidos como donos da verdade — o ideólogo obcecado com alguma questão ou modelo de interpretação, que não tem nenhum escrúpulo em injetar sua visão de mundo em qualquer discussão e, aparentemente, nenhum trabalho diário ou vida familiar que o impeça de colocar volumosos comentários à menor provocação. Todos conhecemos gente desse tipo, os esforçados brandindo suas machadinhas no fundo de uma sala do seminário ou no café: o teórico da conspiração, o libertário raivoso, o evangelista — aquele que insiste em trazer toda a conversa de volta a seu assunto particular, fazendo objeção a qualquer conversa que não concorde com suas regras. Na vida real, desenvolvemos uma série de convenções sociais para impedir que o dono da verdade domine nossas conversas. Nos casos mais patológicos, eles simplesmente não são convidados com muita freqüência para nossos jantares. Contudo, em um caso limítrofe, um mecanismo sutil, mas poderoso, está disponível em qualquer grupo de conversa face a face: se um indivíduo está monopolizando uma conversa com uma obsessão irrelevante, naturalmente os grupos podem estabelecer um consenso — com palavras, linguagem do corpo, expressões faciais ou mesmo movimentos das mãos —, tornando claro que a maioria sente que seu tempo está sendo desperdiçado. O mundo face a face está repleto de inumeráveis votações espontâneas que assumem o controle coletivo do grupo. A maioria dessas votações acontece tão rapidamente que nem percebemos que estamos participando; a transparência é uma das razões pelas quais elas são tão poderosas. No mundo face a face, todos somos termostatos sociais: fazemos uma leitura da temperatura do grupo e ajustamos nosso comportamento de acordo com ela.

Algumas dessas habilidades sociais auto-regulatórias se traduzem no ciberspaço — particularmente em um foro de discussão ou em uma troca de mensagens de correio eletrônico, onde os participantes têm tempo e espaço para expressar longamente suas idéias, mais do que nas erupções espontâneas do chat em tempo real. Entretanto, há uma diferença crucial em um ambiente como o ECHO ou o Well — ou nas áreas de discussão que construímos em *FEED*. Em uma discussão pública, nem todos os participantes são visíveis. Uma dada conversa pode ter cinco ou seis contribuintes ativos e várias dezenas de "escondidos" que lêem as mensagens mas não participam com suas próprias palavras. Isso cria um desequilíbrio fundamental nesse sistema de discussão e dá ao dono da verdade a oportunidade de dominar o espaço de uma maneira que seria muito mais difícil off-line. Em uma discussão, você está falando tanto para os participantes ativos quanto para os escondidos, e mesmo que ofenda ou aborreça os interlocutores diretos, sempre pode apelar para a maioria silenciosa que está lá — uma audiência ao mesmo tempo presente e ausente. O dono da verdade pode apegar-se à possibilidade de que cada um dos que estão ligados se encante com sua prosa, enquanto os participantes não podem ir à sala e dizer: "Levante a mão quem acha que este cara é um chato."

O dono da verdade explora uma disparidade crucial no fluxo de informação: enquanto, convencionalmente, achamos que discussões eletrônicas são sistemas de mão dupla, para os escondidos o fluxo é de mão única. Ouvem nossa conversa, mas não ouvimos nada deles; nem risos, nem assobios, nem estímulos, roncos ou olhos revirando. Quando você inclui os escondidos, uma discussão desse tipo torna-se menos interativa do que uma palestra face a face tradicional e consideravelmente menos interativa do que uma conversa ao redor de uma mesa de jantar, onde mesmo os participantes mais reticentes contribuem com gestos e expressões faciais. As conversas de grupo no mundo real têm uma fantástica capacidade de alcançar um certo tipo de homeostase: a conversa se move para uma zona que agrada à maioria do grupo e elimina as vozes que ofendem. Uma conversa de grupo é um tipo de circuito integrado, com os inputs primários vindo dos falantes oficiais, e os secundários das respostas do público ou dos outros falantes. Os inputs primários ajustam seu sinal baseados no feedback dos inputs secundários vindos do grupo. Os seres humanos — por motivos que exploraremos na seção final — têm um talento excepcional para perceber os estados mentais de outras pessoas, tanto através das trocas diretas da linguagem falada, quanto através dos mecanismos mais oblíquos de feedback fornecidos por gestos e entonação. Justamente essa troca em mão dupla dá às conversas de grupo face a face a flexibilidade e o nível de diálogo cuja falta Wiener sentia na comunicação de massa.

Suspeito que Wiener entenderia imediatamente o problema da comunidade virtual com os donos da verdade e os escondidos. Se o episódio Gennifer Flowers foi um caso de feedback positivo que escapou do controle, a tirania do dono da verdade resulta de uma escassez de feedback: um sistema em que os fluxos de informação são unidirecionais e o público é ao mesmo tempo presente e invisível. Esses riscos correm paralelos aos problemas de um link de uma só via, como vimos no capítulo anterior. Supostamente, os links de hipertexto e as comunidades virtuais seriam a vanguarda da revolução interativa mas, de fato, só percorreram metade do caminho da terra prometida (desnecessário dizer que as formigas já estavam lá há milhares de anos). Se os donos da verdade e os obsessivo-compulsivos florescem em uma pequena comunidade on-line de alguns milhares de membros, imagine a anarquia e o ruído gerados em uma comunidade de um milhão de membros. Certamente, há um "estágio de clímax" nessa escala, na qual o crescimento on-line se torna canceroso, as comunidades reconhecidas se tornam um pesadelo de superdesenvolvimento. Se o feedback não pôde regular as aldeias digitais das primeiras comunicações on-line, que esperança se pode ter da vasta rede da World Wide Web?

A sonolenta cidade de Holland, em Michigan, pode parecer o último lugar em que você esperaria gerar uma solução para o problema da dispersão digital, mas a Web nunca se comportou de acordo com as regras da geografia tradicional. Até poucos anos atrás, Holland era mais conhecida pelo seu festival anual de tulipas. Porém, agora está sendo cada vez mais reconhecida como o lugar de nascimento do Slashdot.org — aquilo que mais se aproximou até hoje de uma genuína comunidade auto-organizável criada pela Web.

Iniciado como uma publicação modesta por Rod Malda, que sempre morou em Holland, o Slashdot veio ao mundo como a última palavra nas comunidades reconhecíveis: somente Malda e seus amigos discutindo a programação de notícias, boatos sobre *Guerra nas estrelas*, jogos de vídeo e marginália da moda. "No começo, Slashdot era pequeno", escreve Malda. "Nós pegávamos dúzias de mensagens todo dia, e era bom. O sinal era forte; o ruído, baixo." No entanto, de repente, o Slashdot estava flutuando sobre a crescente tsunami do Linux e do movimento Open Source e se viu inundado por milhares de visitantes diários. Nos seus primeiros dias, o Slashdot tinha se sentido como as cidades montanhosas do ECHO e do Well, com segura liderança do próprio Malda, que adotou o nome de Comandante Taco. Mas o volume de mensagens tornou-se excessivo, difícil para uma pessoa só filtrar e descartar a informação inútil. "Mensagens deliberadamente com erros e spams ficaram mais comuns", diz hoje Malda, "e eu não tinha tempo suficiente para checar as informações pessoalmente e ainda tratar de minhas outras responsabilidades."

A primeira tentativa de Malda foi criar uma elite: 25 habilidosos guerreiros contra spams que iriam peneirar o material gerado pela comunidade, eliminando mensagens irrelevantes ou ofensivas. Embora a idéia de uma elite pertencesse a uma hierarquia mais tradicional, Malda dotou seus oficiais de um recurso crucial: eles podiam avaliar outras contribuições em uma escala de —1 a 5. Você podia navegar através de Slashdot.org com um "filtro de qualidade" ligado, que ordenava ao programa: "Mostre-me somente os itens que tenham um valor maior que 3." Isso dava aos oficiais uma função tanto positiva quanto negativa. Eles podiam valorizar o material bom e recompensar os usuários que eram membros produtivos da comunidade.

Logo o Slashdot cresceu a tal ponto que ficou difícil manuseá-lo, mesmo para as elites, e Malda voltou para a prancha de projetos. Esse tipo de coisa só poderia acontecer na Web. Um universitário de 22 anos de idade, morando de aluguel com dois colegas em uma casa simples — carinhosamente chamada de

Casa dos CDFs 1* — em uma indefinida cidade de Michigan, cria um espaço íntimo on-line para seus amigos discutirem obsessões comuns e, em um ano, 50 mil pessoas estão procurando um pouco de ação. Sem nada parecido com uma genuína infra-estrutura comercial, muito menos um escritório, Malda precisava de muito mais do que seus 25 oficiais para impedir que a comunidade Slashdot caísse na total anarquia. Porém, sem recursos para contratar uma centena de moderadores em tempo integral, o Slashdot parecia ter chegado ao mesmo impasse que Mumford descrevera 30 anos antes: fique pequeno e preserve a qualidade original da comunidade; continue crescendo e sacrifique tudo aquilo que fez com que a comunidade parecesse interessante no começo. O Slashdot tinha alcançado seu "estágio de clímax".

O que o comandante fez? Em vez de expandir seu grupo especial de oficiais autorizados, ele tornou *todo mundo* um oficial em potencial. Entregou o trabalho do controle da qualidade para toda a comunidade. Seus objetivos eram relativamente simples, tal como descritos no documento do site "Perguntas freqüentemente feitas":

1. Fomente a qualidade, desencoraje a bobagem.
2. Torne Slashdot o mais legível possível para o maior número de pessoas possível.
3. Não gaste um tempo enorme de qualquer moderador.
4. Não permita que um único moderador tenha um "reinado de terror".

Juntos, esses objetivos definem os parâmetros do estado ideal do Slashdot. O problema para Malda era como construir um sistema homeostático que levasse o site naturalmente àquele estado, sem que nenhum indivíduo estivesse no controle. A solução a que ele chegou seria imediatamente reconhecida hoje: uma mistura de feedbacks positivo e negativo, uma dose de acaso estruturado, interações entre vizinhos e controle descentralizado. De um certo ângulo, o Slashdot hoje se parece com uma colônia de formigas. De

* *Geek House One*, no original. O termo *geek* na Internet é usado para designar aqueles que gostam de ficar mexendo em códigos de programas, conhecem bastante o sistema operacional Unix e visitam sites que discutem questões de tecnologia, como o Slashdot. É um termo que veio da gíria e servia originalmente para designar pessoas que faziam coisas estranhas, como um homem de circo que mata um frango comendo sua cabeça. Pode ter um uso depreciativo, especialmente em colégios e universidades, querendo dizer algo parecido com os termos "caxias" e "cdf" no Brasil. Ou seja, o termo *geek* designa alguém que não participa da sociabilidade normal de adolescentes e que encontra no domínio da tecnologia digital um modo de se expressar. (N.R.T.)

outro, parece uma democracia virtual. O próprio Malda compara-o às tarefas de um júri.

A coisa funciona da seguinte maneira: se você passou mais do que algumas sessões como usuário registrado do Slashdot, o sistema pode avisar que você recebeu o status de moderador (não muito diferente de um jurado convocado por correio). Assim como na analogia legal, os moderadores somente servem por um determinado período de tempo e, durante esse período, têm o poder de avaliar as contribuições feitas por outros usuários, em uma escala de –1 a 5. Esse poder diminui com o uso: a cada moderador confere-se um número finito de pontos que ele pode distribuir em sua avaliação. Quando todas as notas são distribuídas, seu título de moderador acaba.

Essas avaliações se fundem em algo que Malda chama de carma: se suas contribuições como usuário têm notas altas dadas pelos moderadores, você ganha carma no sistema, recebendo privilégios especiais. Suas mensagens subseqüentes vão aparecer num nível mais alto do que o usual e provavelmente você tem mais possibilidades de ser escolhido como moderador de futuras sessões. Esse último privilégio exemplifica o metafeedback em funcionamento, com as notas, como serpentes, devorando sua própria cauda: moderadores avaliam os postos e essas avaliações são usadas para selecionar os futuros moderadores. O sistema de Malda não encorajou apenas a qualidade de quem participa no site; também estabeleceu um ambiente em que líderes comunitários podem naturalmente ascender à superfície. Essa elevação foi especificamente codificada no software. Acumular carma no Slashdot não era somente uma metáfora para ganhar a confiança implícita da comunidade; era um número quantificável. O carma havia encontrado um lar no banco de dados.

O sistema de pontos de Malda lembra os pontos de acerto de Dungeons & Dragons e outros clássicos do gênero RPG. O fato de que o pessoal do Slashdot já fosse altamente versado no idioma do role-playing sem dúvida contribuiu bastante para que se adotasse rapidamente o sistema de notas. Malda, porém, fez algo mais ambicioso do que simplesmente trazer as convenções de jogos para o espaço da comunidade. Ele criou um tipo de moeda, um sistema de preços para a cidadania on-line. Garantindo que os pontos se traduziriam em privilégios especiais, ele os valorizou. Fazendo com que os poderes da moderação pudessem ser gastos, ele criou a propriedade crucial da escassez. Só com a valorização ou só com a escassez, a moeda não teria valor; mas, combinando as duas, tem-se um padrão que realmente funciona para dar um preço à participação comunitária.

A conexão entre o preço e o feedback é mais do que uma metáfora. Um personagem do recente diálogo socrático de Jane Jacobs, *A natureza das economias*, fez a seguinte observação: "Adam Smith, em 1775, identificou preços de mercadorias e valores de salários como informação de feedback, embora ele não usasse a palavra feedback, que não pertencia ao vocabulário da época. Mas ele entendeu a idéia ... De seu modo sóbrio, Smith ficou bastante entusiasmado — como era de se esperar — com a maravilhosa forma de ordem que havia descoberto. Ele estava muito à frente dos naturalistas na compreensão dos princípios dos controles de feedback negativo."

O próprio Malda alega que não pensou nem em *A riqueza das nações* nem em *The Dungeon Master's Guide* para a Casa dos CDFs 1. "Não houve realmente nada específico que tenha me inspirado", diz Malda. "Foi principalmente tentativa e erro. A influência real era meu desejo de agradar aos usuários com expectativas diferentes para o Slashdot. Alguns queriam que fosse Usenet: qualquer coisa pode entrar, sem regras de controle. Outros eram pessoas ocupadas, que queriam ler somente três ou quatro comentários por dia." Você pode ver a inteligência e a flexibilidade do sistema em primeira mão: visite o site Slashdot e escolha ver todas as mensagens de uma determinada conversa. Se a conversa dura mais que quatro horas, você provavelmente encontrará centenas de entradas, pelo menos a metade delas de donos da verdade ou spams. Este é o destino de qualquer site da Web que tem a sorte de atrair milhares de consultas por hora.

No entanto, estabeleça seu limiar de qualidade em quatro ou cinco, e algo milagroso acontece. O volume total cai como em um despenhadeiro — algumas vezes em uma ordem inteira de magnitude —, mas as dez ou 20 propostas que ficam são tão estimulantes quanto tudo o que você já leu em um site de conteúdo tradicional, no qual os autores e os editores são pagos para juntar palavras e argumentos. É um milagre não exatamente porque a qualidade está escondida ali, em algum lugar no fluxo ininterrupto das mensagens. Em vez disso, trata-se de um milagre, porque a comunidade funcionou tão bem na tarefa de expor aquela qualidade à luz. No mundo digital pelo menos há vida depois de um estágio de clímax.

O Slashdot é apenas o começo. Nos dois últimos anos, avaliações de usuários tornaram-se moda na Web e aparecem em páginas de qualquer lugar para onde se olhe. A Amazon há muito incluiu avaliações de usuários para todos os itens da sua lista mas, em 1999, permitiu que elas fossem reavaliadas por outros usuários. Um engenhoso site chamado Epinions cultiva revisões de produtos feitas pelo público e confere pontos "de confiança" para os contribuintes que ganham o respeito da comunidade. O sistema de leilões on-line do eBay utiliza dois mecanismos distintos de feedback, sobrepostos: o feedback do preço dos lances do leilão acoplado às apreciações dos usuários que avaliam compradores e vendedores. Um sistema segue o valor da mercadoria; o outro, o valor das pessoas.

De fato, a taxa de adoção desses mecanismos de feedback está se acelerando tão rapidamente que suspeito que, em questão de anos, uma página da Web sem um sistema dinâmico de cotações anexado terá a mesma resposta que uma página atual sem hiperlinks: sim, é tecnicamente possível criar uma página sem essas características, mas para quê? O sistema Slashdot pode parecer um pouco complexo, um tanto esotérico para consumidores que não cresceram jogando D&D, mas pense nos milhões de pessoas que aprenderam a usar um computador pela primeira vez nos últimos anos, somente para receber e-mail e navegar na Web. Comparada com essa curva de aprendizado, a decifração das regras do Slashdot é um passeio no parque.

E regras elas são, efetivamente. Você não pode pensar em um sistema como o que Malda construiu como uma entidade puramente *representacional*, da maneira como se pensa sobre um livro ou filme. Sem dúvida, é parcialmente representacional: você lê mensagens via plataforma Slashdot e, assim, os componentes do meio textual que Marshall McLuhan documentou brilhantemente em *A galáxia de Gutenberg* estão disponíveis nele também. Como você está lendo palavras, sua recepção quanto à informação por trás dessas palavras difere do que seria se a mesma informação fosse veiculada pela televisão. O meio ainda é a mensagem no Slashdot — só que há outro nível de experiência, um nível que nosso vocabulário crítico somente agora está encontrando palavras para descrever.

Em um sistema do estilo Slashdot há um meio, uma mensagem e um público. Portanto, não difere muito da televisão. A diferença é que esses elementos existem lado a lado com uma série de regras que governam o modo como as mensagens fluem no sistema. A "interatividade" não faz justiça à importância dessa mudança. Um botão que lhe permite mandar um e-mail como réplica a um autor publicado; uma ferramenta que deixa você construir sua própria homepage; e até uma coleção de páginas interligadas que permite que você siga seu próprio caminho através delas — esses são exemplos de interatividade, mas são de uma categoria diferente da dos sistemas auto-organizáveis do eBay ou do Slashdot. Links e ferramentas para construção de homepages são ótimos, sem dúvida, mas estão mais perto da página de carta dos leitores de um jornal do que da inteligência coletiva do Slashdot.

A primeira geração de interatividade pode ter dado ao consumidor uma voz, mas sistemas como o Slashdot nos forçam a aceitar uma proposta mais radical: para entender como essas novas experiências de mídia funcionam, você tem que analisar a mensagem, o meio *e as regras*. Pense nessa parafernália de milhares de mensagens frenéticas transformada em um resumo conciso e informativo, através dos filtros de qualidade do Slashdot. O que é interessante aqui não é apenas o meio, mas principalmente as regras que governam o que foi selecionado e o que não foi. É um problema de algoritmo, e não de representação. É a diferença entre jogar Banco Imobiliário e colocar um quadro do jogo na parede. Há forças de representação desencadeadas por um jogo de Banco Imobiliário (você deve ser capaz de reconhecer o código de cores das várias propriedades e contar o dinheiro), mas o que torna o jogo interessante — afinal de contas, o que o torna um jogo — está no conjunto de instruções que você segue quando está jogando. As regras do Slashdot são o que torna o meio interessante — tão interessantes, na verdade, que não se pode deixar de pensar que elas precisam ter sua própria categoria, além da mensagem *e* do meio.

Genericamente essas regras podem ser descritas como uma mistura de feedbadks positivo e negativo empurrando o sistema a um estado particular, com base nas atividades dos participantes. Todavia, a cada vez a mistura é diferente. As cidades periféricas do modelo de Paul Krugman usavam feedback para criar conjuntos policêntricos, enquanto outros sistemas metropolitanos arruinaram-se em um único e denso núcleo urbano. As redes, na era CNN da televisão, produziram ágeis círculos de feedback positivo fora de controle, como o da história de Gennifer Flowers, enquanto um sistema como o Slashdot atinge um equilíbrio homeostático, ao menos quando visto no nível 5. Diferentes sistemas de feedback produzem resultados distintos — mesmo quando esses sistemas dividem o mesmo meio subjacente. No futuro, cada site da Web poderá estar conectado a um mecanismo de avaliação, mas isso não quer dizer que todos os sites da Web se comportarão da mesma forma. Pode haver homeostase no nível 5 do Slashdot, mas você sempre pode escolher ler a versão sem filtro, anárquica, do nível 1.

Há algum perigo em ir para um mundo onde toda a mídia responde diretamente ao feedback do usuário? Alguns críticos, como Andrew Shapiro, que escreveu *The Control Revolution*, preocupam-se com a tirania da excessiva personalização do usuário, como acontecia na antiga visão de Nicholas Negroponte em *Daily Me*, o jornal editado perfeitamente de acordo com os interesses do usuário — de fato, tão personalizado que o leitor perde o valor e a surpresa que espera da leitura de um jornal. Não há como tropeçar em um ponto de vista diferente, ou descobrir um assunto interessante, novo, sobre o qual você nada sabia — o *Daily Me* simplesmente dá de volta o que você instruiu o software a encontrar e nada mais. É uma experiência limitada, que não expande o horizonte das pessoas. Esse nível de personalização pode estar bem próximo, e vamos examinar mais de perto as suas implicações na conclusão. Por enquanto, é importante ressaltar que, para o sistema Slashdot, aquilo que interessa a você é indiferente — fora o seu interesse em um nível geral de qualidade. O "estado ideal" em que está o sistema Slashdot não é definido por uma perspectiva individual, mas sim pela perspectiva do grupo como um todo. A coletividade decide o que é qualidade e o que é porcaria, para usar a linguagem de Rob Malda. Você pode mover o ponteiro da escala qualidade-para-porcaria, de acordo com suas preferências individuais, mas os valores emergem através das ações da comunidade em geral. É mais um pensamento de grupo do que o *Daily Me.*

Talvez, então, o perigo esteja no excesso de pensamento de grupo. Malda projetou seu sistema para avaliar contribuições com base no leitor médio do Slashdot — embora os pontos de carma tenham a tendência de selecionar os moderadores que apresentem uma reputação superior à média dentro da comunidade. É totalmente possível que as regras de Malda tenham criado uma tirania da maioria em Slashdot, pelo menos no nível 5. Mensagens que coincidem com o usuário "médio" do Slashdot têm mais possibilidade de chegar ao topo, enquanto as que expressam um ponto de vista da minoria podem ser rebaixadas no sistema (tecnicamente, as diretrizes para os moderadores sugerem que os usuários avaliem as mensagens baseados puramente em qualidade, e não em sua concordância com elas, mas a fronteira é sem dúvida escorregadia). Desse ponto de vista, o Slashdot mostra uma surpreendente semelhança com o velho universo top-down da televisão pré-cabo. Ambos os sistemas têm um centro forte que puxa o conteúdo para os interesses do "usuário médio" — como um planeta atraindo satélites para sua órbita. Nos dias anteriores à fragmentação causada pela TV a cabo, as três grandes cadeias de televisão competiam para ganhar toda a audiência televisiva, o que as encorajava a fazer uma programação destinada mais ao espectador médio do que a determinado nicho (McLuhan observou como esse fenômeno estava igualmente empurrando os partidos políticos para o centro). Sem dúvida, a decisão da rede de procurar o centro em vez das periferias era invariavelmente feita a nível executivo — diferentemente do Slashdot, onde o centrismo vem de baixo. Mas, se você está preocupado com a eliminação da diversidade, não importa se ela vem de cima ou de baixo. De qualquer maneira, os resultados são os mesmos. Os pontos de vista da maioria são amplificados, enquanto os da minoria são silenciados.

Essa crítica mostra por que precisamos de um terceiro termo além de *meio* e *mensagem*. Conquanto seja verdade que o programa de filtragem do Slashdot cria um centro forte, essa tendência não é inerente ao meio da Web, ou mesmo aos subgrupos das comunidades on-line.

Você pode muito facilmente criar um sistema que promova *tanto* a qualidade *quanto* a diversidade, simplesmente mexendo no algoritmo que seleciona os moderadores. Troque uma única variável da mistura e um sistema completamente diferente surgirá. Em vez de pegar moderadores baseados na avaliação média de seus postos, o novo sistema apanha aqueles cujas contribuições provocaram a maior disparidade de aprovação na audiência. Nesse tipo de sistema, um membro que sistematicamente alcance uma nota alta pela comunidade, dificilmente será escolhido como moderador, enquanto um outro que inspire muitas respostas nos dois sentidos — positivo e negativo — será o primeiro da fila de moderadores. Esse sistema recompensaria mais as vozes controvertidas do que as populares. Você ainda teria moderadores apagando spams inúteis e mensagens provocativas, e os filtros de qualidade ainda permaneceriam no lugar. Mas as vozes marginais na comunidade teriam uma presença maior no nível 5, porque o sistema de feedback estaria recompensando perspectivas que se desviam da linha mestra, que não têm por objetivo agradar a todo mundo o tempo todo. Os donos da verdade ainda seriam marginalizados, assumindo-se que suas polêmicas aborrecessem a quase todos que as encontrassem. Mas as minorias pensantes — aquelas pessoas que atraem *tanto* admiradores *quanto* detratores — teriam um lugar à mesa.

Não há um motivo que impeça o Slashdot centralizador e o Slashdot diversificado de coexistirem. Se podemos ajustar os filtros de qualidade na hora, também podemos alterar os filtros de diversidade. Pode-se projetar o sistema para seguir ambos os moderadores, tantos os populares como os controvertidos; os usuários então seriam capazes de ver o Slashdot através das lentes do "usuário" médio um dia e do público mais diversificado no outro dia. O meio e a mensagem permaneceriam os mesmos; somente as regras mudariam de um sistema para o outro. Ajustando os círculos de feedback, um novo tipo de comunidade aparece na tela. Um ajuste nos dará Gennifer Flowers e o frenesi de retroalimentação de estilo ciclone; outro nos dará o excesso de dados sem forma da Usenet. Um dará uma comunidade ordenada, centralizada, forte em valores compartilhados; o outro, uma fantasia multiculturalista. Como reconheceu Wiener meio século atrás, os sistemas de feedback vêm em diversas formas e tamanhos. Quando encontramos um sistema que não trabalha bem, não faz sentido dizer que é devido ao uso de feedback. É melhor ter à mão as regras específicas do sistema e começar a pensar sobre as maneiras de ligá-las de modo que as rotinas de feedback promovam os valores que esperamos. É o velho slogan da década de 1960 transposto para a era digital: se você não gosta de como as coisas funcionam hoje em dia, mude o sistema.

CAPÍTULO 5

Artistas do controle

Na tela, os pixels dançam: pontos vermelhos e brilhantes com suaves rajados de verde, correndo contra o fundo negro, como vaga-lumes contra o céu em uma noite de verão. Durante alguns segundos, o movimento na tela parece acontecer totalmente ao acaso: os pixels disparando de um lado para o outro, colidindo e prosseguindo. E então, de súbito, alguns pontos vermelhos se juntam e formam um estranho círculo pulsante, rodeado por uma faixa verde. O círculo cresce, à medida que mais pixels vermelhos colidem nele; o cinturão verde se expande. Segundos depois, outro círculo assimétrico aparece no canto da tela, seguido por mais três. Os círculos não se parecem com nenhuma outra forma geométrica conhecida. Parecem-se mais com uma forma de vida — uma bolha digital — pulsando ao acaso, dilatando-se e contraindo-se. Duas bolhas vagarosamente rastejam uma em direção à outra, e depois se fundem, formando uma unidade só. Após alguns minutos, sete grandes bolhas dominam o espaço, com apenas alguns poucos pixels vermelhos movimentando-se na tela.

Bem-vindo ao mundo do StarLogo, a ferramenta criada por Mitch Resnick para visualizar sistemas auto-organizáveis. Descendente do Logo, a famosa linguagem de programação de Seymour Papert que usava gráficos de tartaruga, o StarLogo permite a modelagem do comportamento emergente, com o uso de comandos simples, com palavras em inglês — e mostra o comportamento em vívidas animações em tempo real. Se os sistemas descentralizados às vezes parecem contra-intuitivos ou abstratos e difíceis de descrever verbalmente, o StarLogo faz com que eles ganhem vida com desenhos dinâmicos particularmente adaptados para a geração Nintendo. Se um calendário é uma ferramenta para nos ajudar a pensar sobre o fluxo do tempo, e um gráfico em forma de torta é uma ferramenta para mostrar distribuições estatísticas, o StarLogo é uma ferramenta para fazer pensar sobre sistemas bottom-up. E, na realidade, essas bolhas que parecem vivas na tela nos levam de volta exatamente ao princípio de nossa história: são como *fungos* digitais, células que se agregam em aglomerados maiores sem nenhuma célula "líder" para indicar o caminho.

"Aqueles pixels vermelhos são como as células individuais de *Dictyostelium discoideum*", diz Resnick, em seu escritório em Cambridge, apontando a tela. "Estão programados para vaguear sem destino certo pelo espaço da tela e, à medida que se movimentam, 'liberam' a cor verde, que rapidamente desaparece. Essa cor é equivalente ao AMP cíclico que os organismos verdadeiros (os quais inspiraram o simulador) usam para coordenar seu comportamento. Programei as células vermelhas para 'farejar' a cor verde e seguir o gradiente na cor. 'Cheirar' os pixels verdes atrai células umas em direção às outras."

Assim como as colônias de formigas estudadas por Deborah Gordon, a simulação de Resnick é sensível à densidade populacional. "Vamos começar com apenas 100 organismos", diz ele, ajustando um dispositivo na tela que altera o número de células na simulação. Pressiona o botão de partida e 100 pixels vermelhos começam sua dança frenética — só que, desta vez, não surge nenhum aglomerado. Há flashes momentâneos de verde, quando algumas poucas células colidem, mas não aparece nenhuma forma maior.

"Com 100 células não há contato suficiente para que os aglomerados se formem. Mas triplique a população desse jeito", diz, fazendo a agulha do dispositivo deslizar para a direita, "e você aumenta o contato entre as células. Com 300 células, depois de alguns minutos em geral aparece um aglomerado, talvez até dois." Esperamos por aproximadamente 30 segundos e, após alguns alarmes falsos, um aglomerado toma forma perto do centro da tela. "Quando se juntam, é muito difícil separar as células, mesmo que no início não estejam muito dispostas a se agregar."

Resnick então triplica a população e recomeça a simulação. Dessa vez, trata-se de um sistema completamente diferente: há um clarão de atividade entre as células vermelhas; em seguida, quase que de imediato, dez aglomerados se formam, praticamente preenchendo a tela com figuras pulsantes semelhantes a melancias. Permanece apenas um punhado de células vermelhas solitárias, vagueando sem destino entre os aglomerados. Mas é *muito* diferente. "O interessante", diz Resnick rindo, "é que você não pode prever esse comportamento *a priori*, apenas olhando as instruções. Você poderia dizer que as células iriam se juntar todas imediatamente para formar um aglomerado gigantesco, ou que elas formariam aglomerados que ficariam se fragmentando. Na verdade, não acontece nem uma coisa nem outra; o sistema todo parece muito mais sensível às condições iniciais. Com 100 células, não há aglomerados; com 300, talvez se forme apenas um, que tende a ficar intacto; e, com 900, imediatamente surgem dez aglomerados, mas eles ainda vão quicar um pouco mais". Todavia, ninguém seria capaz de dizer o que aconteceria apenas olhando o conjunto original de regras. Você tem que fazê-lo *viver* antes de compreender como funciona.

O StarLogo pode parecer um jogo de vídeo à primeira vista, mas o trabalho de Resnick atua mais na linha de Friedrich Froebel, o educador alemão que inventou o jardim-de-infância e que passou grande parte de sua carreira, no início do século XIX, projetando brinquedos engenhosos que ao mesmo tempo divertissem e ocupassem as crianças pequenas. "Quando Froebel idealizou o primeiro jardim-de-infância", conta Resnick, "desenvolveu uma série de brinquedos que foram chamados de presentes de Froebel. Ele os desenhou com cuidado, supondo que aquilo que as crianças aprendiam e a maneira como aprendiam dependiam em grande parte dos objetos colocados em suas mãos. Vemos a mesma coisa acontecer aqui hoje. Vemos parte da nossa nova tecnologia como a versão mais atualizada dos presentes de Froebel, tentando colocar nas mãos das crianças novos tipos de materiais e novos tipos de brinquedos que mudarão aquilo em que elas pensam — e a *maneira* como pensam."

O StarLogo, obviamente, foi desenhado para ajudar as crianças — e os adultos, também — a pensar sobre um tipo específico de fenômeno, mas não se limita absolutamente aos *Dictyostelium discoideum*. Há programas de StarLogo que simulam formigas forrageando, incêndios em florestas, epidemias, engarrafamentos — até programas que geram formatos euclidianos mais tradicionais usando técnicas bottom-up. Resnick chama esses últimos de "geometria da tartaruga", por causa do apelido usado para descrever os agentes individuais de um programa de StarLogo, um termo que, por sua vez, veio emprestado da linguagem Logo original, criada por Papert para ensinar as crianças a respeito de linguagens tradicionais de programação. Essa aptidão para mudar de formato é uma das maiores virtudes do programa. "O StarLogo é um tipo de ambiente de modelagem onde as crianças podem construir modelos para certos fenômenos que elas podem observar no mundo real", explica Resnick. "Ele permite, principalmente, que as crianças construam modelos de fenômenos nos quais uma porção de coisas interage. Assim, podem modelar carros em uma autopista, ou então um bando de pássaros; nesse último caso, as crianças criam o comportamento de uma porção de pássaros separados e depois vêem os padrões que se formam por meio das interações."

"Uma razão para que ficássemos especialmente interessados em construir uma ferramenta desse tipo é que tais fenômenos são comuns no mundo cotidiano", continua ele. "Vemos bandos de pássaros e engarrafamentos o tempo todo. Por outro lado, as pessoas têm muita dificuldade em entender fenômenos como esses. Quando as pessoas vêem um bando de pássaros, supõem que o pássaro na frente é o líder e os outros estão apenas o seguindo. Mas não é assim que os pássaros formam seus bandos. Na verdade, cada pássaro segue regras simples, e eles acabam juntos como um grupo."

Na sua essência, o StarLogo é otimizado para modelar sistemas emergentes como os que vimos nos capítulos anteriores. Assim, os componentes para qualquer programa em StarLogo são familiares: interações locais entre um grande número de agentes, governados por regras simples de feedback mútuo. O StarLogo é um tipo de prótese do pensamento, uma ferramenta que leva a mente a se enrolar em volta de um conceito que ela não está naturalmente equipada para compreender. Precisamos do StarLogo para nos ajudar a entender o comportamento emergente da mesma maneira como precisamos de calculadoras ou máquinas de raios X: nossas faculdades perceptuais e cognitivas não conseguem, sozinhas, ver através do corpo, calcular rapidamente com grandes números ou pensar comportamentos coletivos sem a existência de um centro.

Trata-se de uma limitação que pode ser surpreendentemente difícil de superar. Vejam a história que Resnick contou sobre a primeira vez que Marvin Minsky, o guru da inteligência artificial, viu o simulador de *Dictyostelium discoideum*. "Um dia, pouco depois de eu desenvolver o primeiro protótipo do StarLogo, Minsky entrou em meu escritório. Na tela do computador, ele viu uma versão inicial do meu programa simulador de *Dictyostelium discoideum*. Havia diversas bolhas verdes na tela (representando um feromônio químico), com um aglomerado de tartarugas movendo-se em círculos dentro de cada bolha. Algumas tartarugas vagavam sem destino no espaço entre as bolhas. Sempre que uma delas se aproximava de uma bolha, se juntava ao grupo de tartarugas de dentro."

Minsky examinou a tela por alguns segundos e depois perguntou a Resnick em que ele estava trabalhando. "Expliquei que estava fazendo experiências com sistemas auto-organizáveis. Minsky olhou a tela por um instante e disse: 'Mas essas criaturas não estão se auto-organizando. Elas só estão se movendo em direção à comida verde.'"

"Minsky pensou que as bolhas verdes eram porções de comida, salpicadas no mundo das tartarugas. Na realidade, as bolhas verdes foram criadas pelas próprias tartarugas. Mas Minsky não viu assim. Em vez de imaginar as criaturas se auto-organizando, ele achou que as criaturas estavam se organizando em torno de porções de alimento preexistentes. Ele supôs que o padrão de agregação era determinado pela localização do alimento. E ficou com essa interpretação — pelo menos por algum tempo — mesmo depois que eu disse que o programa envolvia auto-organização."

Minsky tinha sucumbido ao mito da formiga-rainha: a suposição de que o comportamento coletivo implicava algum tipo de autoridade centralizada — no caso, que a comida estaria ditando o comportamento dos organismos. Minsky supôs que seria possível prever em que lugar os aglomerados se formariam olhando para onde estava colocado o alimento quando a simulação começava. No entanto não havia alimento algum. Nem algo ordenando para que se formassem aglomerações em locais específicos. Na verdade, a auto-organização estava se processando, embora de acordo com parâmetros definidos inicialmente por Resnick.

"Minsky havia pensado mais — e mais profundamente — sobre auto-organização e sistemas descentralizados do que qualquer outra pessoa", escreveu Resnick. "Quando lhe expliquei as regras subjacentes ao programa, ele imediatamente se deu conta do que estava acontecendo. Porém sua reação inicial foi reveladora. O fato de que mesmo *Marvin Minsky* tivesse aquela reação indica o irresistível apelo das explicações centralizadas."

É óbvio que, no nível mais básico, o StarLogo é em si mesmo um sistema centralizado: obedece a regras postuladas por uma única autoridade — o programador. Mas a rota do código de Resnick para aqueles aglomerados de organismos é indireta. Ninguém programa as células para formarem ajuntamentos; elas são programadas para seguir padrões nas trilhas deixadas por suas vizinhas. Se existir um número considerável de células e se as trilhas forem relativamente duradouras, os aglomerados vão se formar, mas ninguém pode controlá-los diretamente. E prever o número de aglomerados — ou sua longevidade — é quase impossível sem uma extensa experimentação com o sistema, na base do ensaio e erro. Kevin Kelly chamou seu livro pioneiro sobre comportamento descentralizado de *Out of Control*, mas a expressão não faz justiça aos sistemas emergentes — ou, pelo menos, àqueles deliberadamente projetados para criar algo na tela de um computador. Sistemas como o StarLogo não são anarquias totais: eles obedecem a regras definidas de antemão, mas essas regras só governam os micromotivos. O comportamento macro é uma outra história. Ninguém o controla diretamente. Tudo o que se pode fazer é estabelecer as condições que supostamente vão tornar aquele comportamento possível. Depois, é só pressionar o botão de "iniciar" e ver o que acontece.

É engraçado encontrar esse tipo de controle oblíquo no mundo do software, mas ele está se tornando cada vez mais comum. Antigamente, pensava-se em programação como um domínio de puro controle: você dizia ao computador o que fazer, e o computador não tinha outra escolha senão obedecer às ordens. Caso o computador deixasse de seguir alguma instrução era porque havia um bug no código; não se cogitava em autonomia da máquina. Os melhores programadores eram aqueles que tinham o maior controle do sistema, que conseguiam forçar a máquina a fazer o trabalho com uma quantidade mínima de códigos. Não é por acaso que Norbert Wiener cunhou o termo *cibernética* a partir da palavra grega para "timoneiro": desde o início, a arte de programar tratou de sistemas de controle e da melhor maneira de conduzi-los.

No entanto, esse paradigma do controle está pouco a pouco dando lugar a uma forma mais oblíqua de programação: um programa que você faz "amadurecer" em vez de projetar, um programa que aprende a resolver problemas de maneira autônoma, assim como Oliver Selfridge imaginou seu modelo de Pandemônio. O novo paradigma aproveita muita coisa do manual da seleção natural, reproduzindo novos programas a partir de uma variedade de combinações de genes. Nas primeiras décadas, a filosofia de criação de software era essencialmente criacionista — uma força todo-poderosa faz com que o programa exista. Porém a geração seguinte é profundamente darwinista.

Vamos considerar o programa de classificação de números projetado por Danny Hillis — um astro da supercomputação —, que derruba todas as nossas suposições convencionais sobre como deve ser produzido um software. Durante anos, a classificação numérica funcionou como um teste de referência para programadores inteligentes, assim como os programas de jogo de xadrez. Insira uma centena de números ao acaso num programa e veja quantos passos ele dá para classificar os dígitos na ordem correta. Com as técnicas de programação tradicionais, o recorde para classificação de números estava em 70 passos. Então, Hillis decidiu tentar a sorte. Mas não partiu para escrever um programa de classificação de números. O que ele criou foi uma receita de aprendizado, um programa para criar outro programa. Em outras palavras, ele não ensinou ao computador como classificar números. Ensinou ao computador como descobrir *por si mesmo* uma maneira de classificar números.

Hillis levou a cabo essa prestidigitação conectando os formidáveis poderes da seleção natural a um supercomputador paralelo — a Máquina de Conexão que ele próprio ajudara a projetar. Em vez de criar, ele mesmo, um programa de classificação numérica — escrevendo linhas de códigos e tirando os bugs —, Hillis instruiu o computador a gerar milhares de miniprogramas, cada um composto de combinações aleatórias de instruções, criando uma espécie de pool de genes digitais. Cada programa era confrontado com uma seqüência desordenada de números e tentava colocá-los na ordem correta. O primeiro lote, como se pode imaginar, foi totalmente incapaz de cumprir a tarefa — na verdade, a grande maioria dos programas não servia para absolutamente nada. Porém alguns eram melhores do que os outros e, como Hillis havia estabelecido um objetivo quantificável para o experimento — números arrumados na ordem correta —, o computador podia selecionar os poucos programas aceitáveis. Estes tornaram-se a base para a iteração seguinte, só que Hillis também modificou ligeiramente o código *deles* e os cruzou com outros programas promissores. E então todo o processo se repetiria: os programas mais bem-sucedidos da geração seguinte seriam escolhidos, e depois submetidos às mesmas transformações. Misturar, modificar, avaliar, repetir.

Após alguns minutos — e milhares de ciclos —, esse processo evolucionário resultou em um poderoso programa de classificação de números, capaz de ordenar em 75 passos uma cadeia de números jogados ao acaso. Não representava uma quebra de recorde, de jeito nenhum, mas era impressionante assim mesmo. O problema, porém, era que o pool de genes digitais estava se fixando na marca máxima de 75 passos. Toda vez que Hillis rodava a seqüência, o computador rapidamente desenvolvia um classificador numérico poderoso e eficiente, mas ele ficava sem forças ao chegar perto dos 75 passos. Depois de muita experimentação, Hillis reconheceu que seu sistema tinha encontrado um obstáculo que é sempre discutido pelos teóricos da evolução: o software havia topado com um máximo local na paisagem de adaptação (fitness landscape).

Imagine o espaço de todos os possíveis programas de classificação numérica espalhados como uma paisagem física, com os programas mais bem-sucedidos alocados nas elevações mais altas, e os menos bem-sucedidos movendo-se furtivamente pelos vales. O software evolutivo é um modo de examinar cegamente esse espaço, procurando gradientes que levem a elevações mais altas. Pense em um estágio mais inicial do ciclo de Hillis: uma rotina evoluída conclui a classificação de alguns passos mais depressa do que seu "pai" e, assim, sobrevive até o turno seguinte. Sobreviver é equivalente a escalar uma pequena elevação na paisagem. Se seu "descendente" faz a classificação com eficiência ainda maior, seus "genes" são passados para a geração seguinte, e ela sobe mais um nível.

O problema com essa abordagem é que há falsos picos na paisagem. Existem inúmeras maneiras de programar um computador para que ele classifique os números com uma eficiência tolerável, mas apenas alguns modos de fazê-lo, se sua intenção é estabelecer um recorde mundial. E esses programas divergem drasticamente na forma como equacionam o problema. Pense nas diferentes abordagens como se fossem os picos na paisagem de adaptação: há milhares de pequenas cristas, mas apenas alguns Everest isolados. Se um programa evolui usando uma abordagem, seus descendentes talvez jamais consigam descobrir outra estratégia — porque o sistema de Hillis só recompensa as gerações que *aperfeiçoavam* o trabalho feito pelos ancestrais. Depois que o programa atingia o topo de uma elevação, não teria recompensa se descesse e procurasse outro pico ainda mais alto, porque um programa menos bem-sucedido — aquele que desce um nível na paisagem — seria instantaneamente eliminado da combinação de genes. O software de Hillis estava se acomodando nos patamares de 75 porque a penalidade para buscar picos mais altos era severa demais.

O golpe de mestre de Hillis foi obrigar seus miniprogramas a saírem das cristas, introduzindo predadores na mistura. Como em ecossistemas do mundo real, os predadores efetivamente aumentaram o obstáculo para os programas evoluídos que haviam se tornado preguiçosos por causa do sucesso. Antes da introdução dos predadores, um miniprograma que tivesse atingido a marca de 75 sabia que seus descendentes tinham uma chance de sobreviver se ele permanecesse nesse máximo local, mas certamente encontrariam a morte se ele descesse para procurar uma outra elevação. Os predadores, porém, mudaram todo o cenário. Eles caçavam os moradores do topo e forçavam-nos a improvisar: se um miniprograma permanecesse no nível de 75, poderia ser destruído pelos programas predadores. Quando os predadores entraram em cena, tornou-se mais produtivo descer para alturas menores e buscar um novo pico do que ficar estacionado em um máximo local.

Hillis estruturou a relação predador-presa como uma corrida armamentista: quanto mais alto os programas de classificação subissem, mais desafiadores se tornavam os predadores. Se o sistema encontrasse um pico de 70 passos, então entravam em cena predadores que caçavam programas de 70 passos. Quando um programa que subia muito decidia descansar sobre os louros, um predador aparecia para espantá-lo e obrigá-lo a encontrar elevações mais altas.

Em apenas 30 minutos desse novo sistema, o computador já tinha desenvolvido uma porção de programas que conseguiam ordenar números em 72 passos, a apenas dois passos do recorde de todos os tempos. O sistema de Hillis funcionou, em termos biológicos, mais como um ambiente do que como um organismo: ele criou um espaço onde programas inteligentes podiam crescer e se adaptar, excedendo as capacidades de todos os programadores de carne e osso, com exceção daqueles mais brilhantes. "Uma das coisas interessantes sobre os programas de classificação que se desenvolveram com meu experimento é que eu não entendo como funcionam", escreveu Hillis em seu livro *O padrão gravado na pedra*. "Examinei cuidadosamente as seqüências de instruções, mas não as entendo: não tenho nenhuma outra explicação mais simples de como os programas funcionam a não ser as próprias seqüências de instruções. É possível até que os programas não sejam compreensíveis."

Os proponentes do software emergente fizeram algumas afirmações ambiciosas acerca de sua área, incluindo cenários onde um tipo de darwinismo digital leva a uma inteligência simulada, capaz de aprendizado sem limites e de interação complexa com o mundo exterior. (A maioria de seus defensores não pensa que tal inteligência necessariamente lembra a *humana*, mas esse é outro problema que examinaremos na conclusão.) A curto prazo, porém, o software emergente promete transformar o modo como pensamos sobre a criação de códigos: na próxima década, talvez vejamos uma mudança de programas planejados, top-down, para versões geradas pela evolução, bottom-up, como o programa de classificação numérica de Hillis — "menos como construir uma máquina", diz Hillis, "e mais como fazer um bolo ou cultivar um jardim".

A transformação pode ser revolucionária para os programadores, mas, se ela realmente cumprir o que se espera, não significará necessariamente nada de tão diferente para os usuários finais. Podemos imaginar as nossas planilhas recalculando um pouco mais depressa e os nossos verificadores de gramática finalmente funcionando, mas estaremos lidando com os resultados finais de software emergente, e não com o processo em si (nos termos de Darwin, os organismos, e não o ambiente, os nutriu). Contudo, será que os usuários normais de computador terão uma oportunidade de fazer experiências com software emergente de primeira mão, uma oportunidade de fazer experiências com sistemas de controle mais oblíquo? Será que cultivar jardins de código algum dia se tornará uma atividade importante?

Na realidade, já podemos colocar a mão na massa. E isso é possível com um simples jogo.

Provavelmente é justo dizer que a mídia digital vem lutando com "questões de controle" desde suas origens. A questão do controle, afinal de contas, reside no coração da revolução interativa, já que tornar algo interativo acarreta uma mudança no controle, da tecnologia — ou titereiros por trás da tecnologia — para o usuário. A maior parte das questões mais recorrentes no design interativo circundam a mesma pergunta subjacente: quem está no controle, o homem ou a máquina? O programador ou o usuário? Estas podem parecer perguntas esotéricas, mas têm implicações que se estendem muito além dos seminários sobre teoria de design e das discussões filosóficas nos cibercafés. Suspeito que mal estamos começando a entender como essas questões são complicadas, à medida que nos aclimatamos com a estranha falta de direção do software emergente.

De certo modo, já estamos nos preparando para esse novo ambiente há anos. Alguns dos jogos interativos e da arte interativa mais interessantes do final da década de 1990 explicitamente desafiavam nosso sentido de controle ou nos induziam a trabalhar para estabelecê-lo. Alguns desse projetos pertenciam ao mundo da vanguarda ou da experimentação acadêmica, enquanto outros tinham um apelo mais popular. Porém, em todos eles, o sentimento de lutar com o software ou de explorar suas possibilidades — o processo de dominar o sistema — deixou de ser um tipo de prelúdio para se transformar na experiência central do projeto. Passou de bug a característica.

Há diferentes maneiras de desafiar nosso senso de controle. Alguns programas, como o engenhoso Tap, Type, Write — criado por John Maeda, do MIT — imediatamente deixa claro que o usuário tem as rédeas. A tela inicia com uma série de letras; bater em uma tecla específica desencadeia uma súbita mudança nas formas das letras apresentadas na tela. O efeito global é de espetáculos de fogos de artifícios patrocinados por fabricantes de sopa de letrinhas. Pressione uma tecla e a tela explode, se encrespa, se reordena. É hipnótico, mas também mistificador. Que algoritmos governam essa interação? Algo acontece na tela quando você digita, mas leva algum tempo para você perceber que há regras de transformação vigorando. Você sabe que está fazendo algo, mas simplesmente não sabe o quê.

O código OSS, criado pelo grupo europeu avant-punk Jodi.org, mexe com nosso senso de controle em um nível mais profundo — e, alguns diriam, mais irritante. Uma mistura de padrões de teste de tela anárquicos e programação viral eclética, o software Jodi é mais bem descrito como o equivalente digital de um aneurisma. Baixar o software deixa a área de trabalho abarrotada de dígitos sem sentido; dar partida em uma das aplicações faz a tela imediatamente entrar em colapso, em um misto instável de estática e estrutura. Mover o mouse para uma direção ou clicar duas vezes faz aparecer uma fugaz sensação de algo se alterando. Será que a imagem na tela está piscando? Será que os padrões interligados voltaram para a posição inicial? Em momentos difíceis de prever, o espetáculo inteiro some — invariavelmente após você bater freneticamente em algumas teclas e clicar em alguns comandos — e você fica pensando: será que eu fiz isso?

Não resta dúvida de que muitos usuários ficam desconcertados com os deslocamentos de Tap, Type, Write e de OSS; e muitos se afastam dos programas, achando que nunca conseguiram fazê-los funcionar apropriadamente, tudo porque seu senso de controle permaneceu tão ilusório. No meu caso, acho que esses programas conferem um estranho poder; eles desafiam a mente da mesma forma como a distorção desafiou nossos ouvidos há 35 anos, quando os Beatles e o Velvet Underground começaram a sobrecarregar seus amplificadores. Nós nos vemos rodeando o ruído — a falta de estrutura — em busca de um pouco de claridade, para afinal perceber que é essa busca que torna o ruído redentor. Jogos de vídeo nos lembram que mexer com nossas expectativas de controle pode ser divertido, até viciante, contanto que o público reconheça que a confusão faz parte do espetáculo. Para uma geração criada nas imagens degradadas da MTV, reconhecer isso é fácil. A geração Nintendo, em outras palavras, está bem preparada para o controle mediado do software emergente.

Tomemos como exemplo um dos títulos de maior sucesso da plataforma Nintendo64, o Zelda: Ocarina of Time, de Shigeru Miyamoto. O Zelda personifica o desenvolvimento ímpar do entretenimento interativo do final da década de 1990. A trama bem que poderia pertencer ao mundo arcaico dos contos de fadas: um garoto armado com feitiços mágicos se aventura para salvar a princesa. Como sistema de controle, porém, o Zelda é uma estrutura incrivelmente complexa, com centenas de objetivos inter-relacionados e quebra-cabeças espalhados em todo o enorme mundo virtual do jogo. Movimentar o personagem é bastante fácil, mas perceber o que é preciso fazer com ele leva horas de exploração, de tentativa e erro. Pelos padrões tradicionais de usabilidade, o Zelda é uma confusão completa: o usuário precisa de um manual de 100 páginas só para estabelecer as regras do jogo. Porém, se pensarmos que a opacidade é parte integrante da arte — como a viola distorcida de John Cale —, então toda a experiência muda de figura: estamos explorando o mundo do jogo e as regras do jogo ao mesmo tempo.

Imagine um garoto de dez anos de idade que de bom grado imerge no mundo de Zelda. Para ele, a luta pelo poder sobre o sistema não parece uma luta. Ele decodifica o cenário na tela — adivinhando as relações causais entre ações e resultados, construindo hipóteses de trabalho sobre as regras internas do sistema — desde antes de começar a aprender a ler. A opinião convencional a respeito de crianças desse tipo é que elas são mais ágeis para resolver quebra-cabeças e têm mais destreza com as mãos do que a geração da televisão. Embora certamente haja alguma verdade nisso, acho que deixamos de lado algo importante quando salientamos o talento dessa geração com seus joysticks. Acho que essas crianças desenvolveram outra habilidade, que quase se parece com a paciência: ficam mais tolerantes quando não conseguem manter o controle, mais tolerantes com aquela fase exploratória em que nem todas as regras fazem sentido e poucos objetivos são definidos com clareza. Em outras palavras, estão mais bem equipadas do que ninguém para adotar o sistema de controle mais oblíquo do software emergente. O trabalho difícil do design interativo de amanhã será explorar a tolerância — a suspensão do controle — de maneiras que nos iluminem, que ultrapassem os resíduos insultuosos das princesas e dos feitiços mágicos.

Com esses novos jogos, um novo tipo de designer de jogos também surgiu. A primeira geração de videogames pode ter influenciado indiretamente uma geração de artistas. Alguns desses jogos foram aceitos como genuínas obras de arte, ainda que em um estilo claramente trivial (jogos Ms. Pac-Man de bancada começaram a aparecer nos clubes de Manhattan no início da década de 1990, na mesma época em que o Museu da Imagem em Movimento criava sua coleção permanente de jogos). Porém os artistas raramente se aventuravam diretamente na indústria de projetos de jogos. Afinal, os jogos eram para crianças. Nenhum artista de respeito entraria naquele mundo espontaneamente.

No entanto, tudo isso mudou nos últimos anos, e um novo tipo de híbrido surgiu — uma fusão de artista, programador e teórico da complexidade —, criando projetos interativos que desafiam a mente e o corpo ao mesmo tempo. E, embora Tap, Type, Write e Zelda não fossem, em termos estritos, sistemas emergentes, a nova geração de artistas e projetistas de jogos começou explicitamente a descrever seu trabalho usando a linguagem da auto-organização. Isso também nos traz à mente a trajetória do rock. Nos primeiros 15 ou 20 anos, as paradas de sucesso eram dominadas por títulos com um mínimo denominador comum, raramente ousando muito além das convenções estabelecidas, ou mostrando temas que estariam ao alcance de alguém com mais de 13 anos de idade. E, então, alguns atos importantes começaram a forçar as fronteiras — os Beatles e os Stones no mundo da música, Miyamoto e Peter Molyneux na comunidade de jogos — e as expectativas sobre o que constitui música pop ou jogo de vídeo começaram a mudar. Essa transformação atraiu a atenção da vanguarda — o Velvet Underground, por exemplo, ou os projetistas de jogos emergentes —, que de repente começou a considerar a música pop e os videogames um legítimo canal de auto-expressão. Em vez de escrever poesia beat ou de encenar happenings artísticos, eles pegam uma guitarra — ou um joystick.

Por esse padrão, Eric Zimmerman é o Lou Reed da nova cultura de jogos. Aos 30 anos, com os cabelos curtos como os de um clubber e imensos óculos como os de Buddy Holly, o atarracado Zimmerman inventou uma carreira que seria impensável mesmo uma década atrás: pulando entre o mundo acadêmico (leciona no influente Programa de Telecomunicações Interativas, da Universidade de Nova York — NYU), o cenário artístico internacional (fez instalações para museus em Genebra, Amsterdã e Nova York) e o mundo dos videogames. Diferentemente de John Maeda ou de Jodi.org, Zimmerman não faz "referência" à iconografia dos jogos em sua obra — ele abertamente abraça essa tradição, até o ponto em que temos de pensar nos projetos de Zimmerman como jogos, em primeiro lugar, e arte, em segundo. Eles podem ser diabolicamente divertidos de jogar e em geral envolvem uma animada competição entre jogadores. Mas também são projetados conscientemente como sistemas emergentes.

"Um dos prazeres daquilo que eu faço", me diz Zimmerman, enquanto tomamos um café perto do campus da NYU, "é ver um jogador pegar o que você projetou e usá-lo de maneiras completamente inesperadas". O projetista, em outras palavras, controla os micromotivos das ações do jogador. Mas o modo como esses micromotivos são explorados — e o macrocomportamento que geram — estão fora do controle do projetista. Adquirem vida própria.

Tomemos como exemplo o jogo Gearheads, projetado por Zimmerman durante uma breve estada no Phillips Interative em 1996. Gearheads é um sistema emergente de estirpe: um emaranhado de agentes autônomos seguindo regras simples e influenciando mutuamente os comportamentos uns dos outros. É um parente próximo do StarLogo ou das formigas cortadeiras de Deborah Gordon, mas ganhou uma roupagem engenhosa, que o faz se parecer com um moderno jogo de vídeo. Em vez de pixels coloridos esparsos, Zimmerman povoou o mundo de Gearhead com um eclético sortimento de brinquedos que marcham pela tela como um bando multicor de soldados animados.

"Existem doze brinquedos de corda", explica Zimmerman. "Você desenha uma caixa de brinquedos ao escolher quatro deles. Você dá corda no seu brinquedo e o libera das extremidades do tabuleiro. O objetivo do jogo é obter o maior número possível de brinquedos do campo do adversário, que fica do outro lado da tela. Cada brinquedo tem um conjunto único de comportamentos que afeta o comportamento de outros brinquedos." Um crânio, por exemplo, "amedronta" os brinquedos que ele encontra, fazendo-os mudar de direção, enquanto uma mão animada aciona outros brinquedos, permitindo que eles marchem pela tela por mais tempo. Assim como ocorre com as formigas cortadeiras ou as células de *Dictyostelium discoideum*, quando um agente encontra outro, ambos podem deslanchar um novo padrão de comportamento. Tropece em sua centésima forrageadora da tarde e você vai mudar de ocupação; tropece no crânio de brinquedo de Zimmerman e você vai girar e mudar de direção.

"O importante é que, quando você libera seus brinquedos, eles passam a ser autônomos. Você só está afetando o sistema pelas margens", diz Zimmerman. "Trata-se de um pequena máquina de caos: coisas inesperadas acontecem e você só as controla pelas bordas." Enquanto testava o Gearheads no início de 1996, Zimmerman descobriu que esse sistema de controle oblíquo resultava em um comportamento que ele não tinha programado deliberadamente, que emergiu das interações locais dos brinquedos, apesar da total simplicidade do jogo.

"Dois brinquedos invertem a direção dos outros — o crânio e o Papai Noel, que é chamado de Krush Kringle", conta Zimmerman. "Ele dá alguns passos e depois soca o chão, e todos os outros brinquedos próximos mudam de direção. Durante a testagem, descobrimos uma combinação em que você libera um Krush Kringle, depois a mão que dá corda nos brinquedos, depois outro Krush Kringle. A mão dá corda no primeiro Krush e ele soca o chão, invertendo a direção da mão e mandando-a de volta para o segundo Krush, no qual ela dá corda. Então o segundo Krush bate no chão e a mão dá uma volta e dá corda no primeiro Krush. E assim o pequeno sistema desses três brinquedos marcha em conjunto pela tela, como um pequeno bando de pássaros. Na primeira vez que vimos isso acontecer, ficamos boquiabertos."

Tais comportamentos inesperados podem não parecer muita coisa à primeira vista, principalmente em um ambiente que coloca tanta ênfase em mundos tridimensionais, com imagens realistas e combates regados a sangue. Os brinquedos de Zimmerman são deliberadamente simples; eles não simulam inteligência e não disparam sinfonias de som pelos alto-falantes do computador. Um instantâneo das células de Resnick parece algo que você poderia ter visto em um console Atari de primeira geração. Porém, eu apostaria nessas células e nos Krush Kringles. Os aglomerados com cores de melancia e os bandos de brinquedos que se auto-acionam me parecem o início daquilo que algum dia se constituirá em uma linhagem cultural tremendamente poderosa. Observar esses padrões emergindo espontaneamente na tela é um pouco como observar dois organismos unicelulares decidindo compartilhar recursos pela primeira vez. Não parece muito, mas a mesma lógica transmitida a milhares, ou centenas de milhares, de gerações — como Hillis cultivando seus jardins de códigos — pode acabar modificando o mundo. Você tem que pensar sobre esses fatos na escala correta.

Quase todos os jogadores, infelizmente, vivem quase que só o momento presente, pelo menos quando estão no meio de um jogo — pensando mais na jogada seguinte do que na refeição seguinte e, em geral, felizes e esquecidos da trajetória de dez ou 20 anos do desenvolvimento do software. Ninguém quer brincar com um brinquedo que só vai ser divertido depois de passar uma década sofrendo atualizações — os brinquedos têm de ser atraentes *agora*, ou as crianças vão procurar outra coisa para fazer. E uma das coisas que tornam todos os jogos tão atraentes para nós é que eles têm regras. Nos jogos tradicionais, como Banco Imobiliário ou xadrez, o divertido — a brincadeira — é o que acontece quando você explora o espaço de possibilidades definido pelas regras. Sem elas, você tem alguma coisa parecida com um mero teatro de improviso, em que qualquer coisa pode acontecer em qualquer momento. As regras dão aos jogos sua estrutura; e sem estrutura não há jogo: toda jogada é um xeque-mate, e todo lançamento de dado o leva a Park Place.

Essa ênfase nas regras pode parecer a antítese dos sistemas orgânicos, abertos, que examinamos nos capítulos precedentes, mas nada está mais longe da verdade. Os sistemas emergentes também são sistemas regidos por regras: sua capacidade de aprendizado, crescimento e experimentação deriva de sua adesão às regras de nível baixo: as formigas decidindo se carregam ou não o alimento, baseadas nos padrões formados ao se encontrarem com outras formigas; o software Alexa fazendo conexões com base em padrões na seqüência de cliques do mouse. Se algum desses sistemas — ou, em termos mais precisos, os agentes que constroem tais sistemas — repentinamente começasse a seguir regras próprias ou deixasse de seguir qualquer regra, o sistema pararia de funcionar: não haveria inteligência global, apenas uma abundante anarquia de agentes isolados, um enxame sem lógica. Os comportamentos emergentes, assim como os jogos, vivem dentro dos limites definidos pelas regras, mas também usam esse espaço para criar algo maior do que a soma das partes.

Compreender o comportamento emergente deve ser uma grande dádiva para a indústria de videogame. Porém alguns desafios sérios são enfrentados pelos projetistas de jogos que tentam controlar o poder e a capacidade de adaptação da auto-organização e canalizá-la para um jogo destinado a um público em massa. E todos esses desafios giram em torno do mesmo fenômeno: a capacidade dos sistemas emergentes de subitamente começarem a se comportar de formas imprevisíveis, no estilo do aprendiz de feiticeiro — como o bando de Krush Kringles de Zimmerman.

Vamos considerar o caso do Evolva, um jogo bastante complexo, lançado em meados do ano 2000 por uma firma britânica de software chamada Computer Artworks (CA). O produto representou uma mudança para a CA: antes disso, ela comercializava um protetor de tela alucinante chamado Organic Art, que permitia que as pessoas substituíssem suas áreas de trabalho por uma coleção de seres parecidos com alienígenas. O programa vinha equipado com um conjunto de imagens pré-fabricadas, mas os usuários mais ousados também podiam criar suas próprias criaturas, reproduzindo-as com a tecnologia A-Life da empresa. Enquanto a série Organic Art se tornava um sucesso, logo a equipe da CA percebeu que *interagir* com próprias criaturas seria muito mais interessante do que simplesmente olhar suas imagens. Quem quer ficar olhando fotos polaróide de pepinos-do-mar quando você pode brincar com as adoráveis criaturinhas?

E assim a Computer Artworks transformou-se em uma empresa de jogos de vídeo. O Evolva foi seu primeiro produto totalmente interativo que se baseou no software original de vida artificial, integrando suas rotinas de mutação e reproduções com um mundo de jogos que, de outra forma, seria tomado como um híbrido de Myth and Quake. A trama era a mesma de outros videogames tradicionais: a Terra é invadida por um parasita alienígena que ameaça destruir o mundo; como último recurso, os seres humanos enviam bandos de "caçadores de genes" destemidos, os Genohunters, para salvar o planeta. Os usuários controlam o grupo de caçadores, ocupando o ponto de vista de um deles, enquanto emitem comandos para os outros. Produto de bioengenheiros, os caçadores são capazes da analisar o DNA de qualquer criatura que matam e absorver elementos úteis para seus próprios códigos genéticos. Quando o caçador absorve DNA em quantidade razoável, você pode passar para a tela de "mutação" e mexer na sua composição genética — acrescentando novos genes e modificando os que já existem, expandindo as habilidades do personagem no processo. É como aprender a programar em C++, só que você tem que ingerir o rapaz do suporte técnico para ver os benefícios.

Esse apetite por DNA dá ao software A-Life sua entrada no mundo dos jogos. "Conforme o jogador avança no jogo, novos genes são coletados e acrescentados à combinação de genes", me explica o programador Rick Heywood em uma conversa por e-mail. "Quando o jogador quer modificar uma de suas criações, pode ir para a tela de mudança. A partir do conjunto atual de DNA, podem ser criadas duas novas gerações que combinam o DNA do Genohunter com o DNA coletado da combinação de genes e algumas pequenas mudanças acidentais. Os novos conjuntos de DNA são usados para formar a pele, adicionar apêndices em todo o corpo e desenvolver novas habilidades, como lançar fogo pelo nariz ou correr mais depressa."

O material promocional para o Evolva faz uma grande estardalhaço sobre sua capacidade ilimitada. Podem ser gerados cerca de 14 bilhões de personagens distintos usando a tela de mutação, o que significa que, a menos que a Computer Artists consiga uma licença em outras galáxias, os jogadores que se aventurarem em níveis mais avançados estarão jogando com Genohunters geneticamente singulares. Em sua maioria, essas mutações resultam em mudanças externas relativamente superficiais, parecendo mais uma nova demão de pintura do que uma revisão da máquina. As alterações mais sofisticadas para o comportamento dos caçadores — lançar fogo pelo nariz, disparar laser, saltar grandes distâncias, entre outros — são habilidades programadas diretamente pela equipe da CA. Você não verá nenhum caçador espontaneamente aprender como tocar violoncelo ou usar um sonar. Os corpos dos caçadores podem no final parecer completamente diferentes do que eram no começo, mas não permitirão que seus hospedeiros adotem habilidades radicalmente novas.

Essas limitações podem tornar o jogo mais agradável. Para um jogador de Quake de 16 anos que está somente tentando matar quantos parasitas puder no seu caminho para um nível superior, aprender de repente como se lê em braille será somente uma distração. Quem já passou algum tempo com um jogo de solução de enigmas, como o Myst, sabe que nada é mais frustrante que levar duas horas tentando resolver um problema para o qual você ainda não tem as ferramentas apropriadas porque ainda não tropeçou nelas durante a exploração do espaço do jogo. Imagine como é frustrante deixar-se confundir por um quebra-cabeça porque você ainda não possui guelras ou habilidade para arrebentar cadeados. Em um sistema genuinamente aberto — em que as ferramentas podem ou não evoluir dependendo dos caprichos da seleção natural —, essa frustração rapidamente superaria qualquer apelo fantástico para criar personagens próprios. E, assim, Heywood e sua equipe colocaram DNA para habilidades complexas perto de desafios ou obstáculos que precisem dessas aptidões. "Por exemplo, se quiséssemos nos assegurar de que o jogador desenvolveu a habilidade de lançar fogo pelo nariz em um determinado ponto do jogo", explica ele, "bloquearíamos o caminho com algumas plantas inflamáveis e colocaríamos algumas criaturas com a mesma habilidade por perto."

O supervisor cego do mecanismo de mutação do Evolva tem uma certa visão, no final das contas. A solução de Heywood pode ser o movimento mais inteligente a curto prazo para os jogadores, mas deve-se salientar que ela se choca contra os princípios de Darwin. Você não só está atuando como Deus, por estar deliberadamente selecionando certas características dos outros, mas o DNA para essas características é colocado perto dos obstáculos apropriados. É como uma estranha virada para a evolução lamarckiana: o pescoço da girafa se alonga a cada nova geração, mas somente porque os genes de pescoço alongado se manifestaram perto de bananeiras. A gama de possibilidades deslanchada por um mecanismo aberto, de acordo com o darwinismo, seria simplesmente grande demais para o espaço das regras. Um jogo em que qualquer coisa pode acontecer por definição não é um jogo.

Há algum modo de reconciliar a criatividade imprevisível da emergência com a fluidez direta do jogo? Acho que a resposta será um sonoro sim, mas terá que envolver tentativa e erro. Um dos modos implica a focalização nos sistemas emergentes tradicionais — como bandos e agrupamentos —, e não das paisagens mais abertas da seleção natural. Na realidade, o Evolva é um grande exemplo das virtudes desse tipo de abordagem. Por trás das cenas, cada criatura no mundo do Evolva é dotada com inputs sensoriais e estados emocionais: medo, dor, agressão etc. As criaturas também possuem memória, que liga esses sentimentos com outros personagens, lugares ou ações — e são capazes de compartilhar essas associações com seus camaradas. Quando a rede de associações se torna mais complexa e mais interligada, novos padrões de comportamento coletivo podem evoluir, criando uma gama ativa de interações entre as criaturas do mundo.

"Digamos que você encontre uma criatura solitária", explica Heywood. "Quando você a encontra pela primeira vez, ela pode se sentir muito agressiva e partir para atacar o seu time. Entretanto, você tem mais meios do que ela e começa causando-lhe sérios sofrimentos. No final, o medo se tornará a emoção dominante, levando a criatura a fugir. Ela dá uma volta e encontra um grande grupo de amigos, se comunica com essas criaturas e informa-as sobre o último lugar em que viu você. Estando em um grande grupo de amigos, o medo se esvanece, e todo o grupo desfere um novo ataque ao jogador." O comportamento de *grupo* pode evoluir de maneiras imprevisíveis, baseado nos eventos externos e no estado emocional de cada criatura, mesmo que o DNA virtual dessas criaturas permaneça inalterado. Há algo extremamente reconfortante nessa imagem, particularmente para alguém que pensa que padrões sociais influenciam nosso comportamento tão prontamente quanto nossos genes. Heywood teve que restringir o mecanismo de vida artificial porque os poderes da seleção natural são imprevisíveis demais para o universo de um videogame governado por regras. Mas construir um sistema emergente para simular o comportamento coletivo entre personagens, na verdade, melhorou o jogo, tornou-o mais parecido com a vida real, sem torná-lo impossível. A emergência se vale de "descendentes com modificação": você pode não ser capaz de usar o mecanismo de mutação de Evolva para criar asas, mas suas criaturas podem ainda aprender novas maneiras de se agrupar.

No entanto, há uma solução mais radical para esse problema, e ela é mais evidente nos Simuladores de Deus. Os jogos clássicos, como o SimCity — ou a semi-seqüência de 1999, The Sims, um campeão de vendas, que deixa os jogadores interagirem com personalidades simuladas morando em uma pequena comunidade —, lidaram com a imprevisibilidade do software emergente pela total eliminação de objetivos predefinidos. Você define seus próprios objetivos nesses jogos; não precisa empacar em um determinado nível porque não imaginou como fazer "crescer" um certo recurso, pela simples razão que não há níveis preestabelecidos. Você define suas próprias limitações enquanto joga. Em SimCity, você decide se constrói uma megalópole ou uma comunidade rural; se constrói uma nova aldeia ecologicamente correta ou uma Cocacolândia digital. Sem dúvida, você pode achar difícil atingir os objetivos ao construir a cidade, mas, como esses objetivos não fazem parte das regras oficiais do jogo, não se sentirá empacado do modo como se sentiria no Evolva, contemplando o desfiladeiro sem os genes para saltá-lo.

Mas existe um ardil aqui: "O desafio é o seguinte: quanto mais autônomo é o sistema, mais autônomas são as criaturas e mais irrelevante é o jogador", explica Zimmerman. "O problema com muitos dos Simuladores de Deus é que é difícil você sentir que está tendo um impacto significativo sobre o sistema. É como se estivesse usando luvas grandes e felpudas para manipular objetos bem pequenos." Embora ver uma simulação de Will Wright tomar vida por si própria possa parecer um golpe de mágica, pode também ser altamente frustrante — quando aquela comunidade parece não se mexer com o problema do crime, ou seu Sims se recusa a apaixonar-se. Para melhor ou pior, controlamos esses jogos pela periferia. A tarefa do projetista do jogo é só determinar a distância em que o jogador pode estar na periferia.

Em parte alguma esse princípio está mais aparente que no painel de controle que Will Wright construiu para The Sims. Role seu cursor para baixo da tela enquanto observa sua comunidade virtual, e uma janela de status aparece com as últimas informações sobre as necessidades emocionais e físicas de seus personagens: você verá em um instante se tomaram banho hoje, ou se estão loucos por companhia. A um clique dessa janela de status está uma tela do painel de controle, onde você pode ajustar diversos atributos do jogo. Uma tela de "ajustes" é hoje em dia uma facilidade oferecida por qualquer jogo: você visita a tela para ajustar a qualidade do som ou a resolução gráfica, ou para trocar os níveis de dificuldade. À primeira vista, o painel de controle do Sims se parece com qualquer outro de ajustes na tela: há um botão que muda se a janela rola automaticamente quando você move o mouse e outro para desligar a música de fundo. Mas, junto com essas prosaicas opções, há um pino que diz, em imperturbáveis termos cartesianos, "Livre-arbítrio".

Se você desligar o "Livre-arbítrio", o jogo The Sims rapidamente se desintegra em um pesadelo de manutenção exaustiva, solicitando um tipo de atenção constante que se esperaria em um berçário ou uma casa para pacientes com Alzheimer. Sem livre arbítrio, seus Sims simplesmente param, esperando que você diga o que fazer. Podem estar famintos mas, a menos que você os dirija para a geladeira, ficarão sentados implorando por comida como um bando de artistas suburbanos esfomeados. Mesmo o mais limpo dos Sims irá tolerar pilhas de sujeira até que você dê ordens específicas para se ver livre dela. Sem um empurrão de ajuda para ir ao banheiro, eles se aliviarão no meio da sala.

Jogar The Sims sem livre-arbítrio é um grande lembrete de que muito controle pode ser uma coisa desastrosa. Mas o oposto pode ser pior. Logo no início do projeto de The Sims, Wright reconheceu que sua gente virtual precisaria de uma certa quantidade de autonomia para que o jogo se tornasse divertido, e, portanto, ele e sua equipe começaram a desenvolver um conjunto de rotinas de inteligência artificial que permitiriam aos Sims pensar por si próprios. Essa IA tornou-se a base do "livre-arbítrio" dos personagens, mas após um ano de trabalho os projetistas acharam que tinham sido bem- sucedidos até demais em trazer vida aos Sims.

"Um dos nossos maiores problemas era que nossa IA era esperta demais", diz Wright hoje. "Os personagens escolhiam qualquer ação que maximizasse sua felicidade em qualquer momento. O problema é que eles são muito melhores nisso do que os jogadores." O divertido de The Sims vem da informação incompleta que se tem do sistema como um todo: você não sabe exatamente que combinação de ações levará a uma soma máxima de felicidade a seus personagens — mas o software por detrás da IA pode fazer facilmente esses cálculos, porque a cota de felicidade é estipulada pelas regras do jogo. Nas primeiras encarnações do jogo de Wright, uma vez que você ligasse o livre-arbítrio, os personagens maximizavam sua felicidade de maneira perfeitamente racional. O efeito não era diferente de alugar Deep Blue para jogar xadrez por você — os resultados eram inegavelmente formidáveis, mas qual a graça?

Assim, Wright teve que tirar a esperteza de suas criações digitais. "Nós fizemos isso de duas maneiras", ele conta. "Primeiro, fizemos com que se focassem em recompensas imediatas em vez de objetivos a longo prazo — eles prefeririam sentar-se em frente à TV, tornando-se autênticas preguiças, a estudar para ter uma promoção no trabalho. Segundo, demos às suas personalidades um peso muito grande nas decisões, quase a nível patológico. Um Sim arrumado passa um longo tempo organizando as coisas — muito mais do que os outros Sims —, enquanto um personagem desleixado jamais fará isso. Essas duas coisas foram suficientes para garantir que a presença do jogador fosse um componente urgentemente necessário — ambição? equilíbrio? — de seu mundo." Em outras palavras, Wright tornou suas decisões mais localizadas e as regras que governam seus comportamentos mais intransigentes. Para o sistema emergente do jogo funcionar, Wright teve que fazer os Sims mais parecidos com formigas do que com pessoas.

Acho que há algo profundo, embrionário, nesse botão de "Livre-Arbítrio", e na luta de Wright com a autonomia de suas criações — algo semelhante e ao mesmo tempo distinto dos talentos tradicionais que esperamos encontrar nos nossos grandes contadores de história. A narrativa sempre foi uma mistura de invenção e repetição; as histórias se parecem com histórias porque seguem regras que aprendemos a reconhecer, mas as que mais amamos são aquelas que nos surpreendem de algum modo, que quebram as regras quando são narradas. São uma mistura do familiar e do estranho: se houver muitos ingredientes conhecidos, a história vira uma sucessão de clichês; se houver muitos ingredientes desconhecidos, não há história. Amamos os gêneros narrativos — romances, ação-aventura, histórias de detetives —, mas a palavra *genérico* é quase sempre usada como pejorativa.

Mas é enganoso pensar no que Will Wright faz como "contar histórias" — não se faz justiça à novidade da forma e ao encanto peculiar que ela tem. Mas, junto com a batalha sobre controle que está por trás de qualquer programa de software emergente, sobretudo em um programa que pretende nos divertir, existe igualmente o choque entre repetição e invenção, próprio da arte de contar histórias. Uma boa trama nos surpreende, mas não muito. Um jogo como The Sims dá a suas criaturas da tela alguma autonomia, mas não muita. Os sistemas emergentes não são histórias e, de muitas maneiras, vivem por meio de regras bastante diferentes, tanto para o criador quanto para o consumidor (claro, os sistemas emergentes apagam um pouco essa distinção). Mas a arte de contar histórias pode ser muito esclarecedora nesse contexto, porque aceitamos a premissa de que contar histórias *é* uma arte e temos um vocabulário maduro para descrever os talentos de seus praticantes. Somente agora estamos desenvolvendo uma linguagem para descrever a arte da emergência. Mas aqui está um começo: grandes projetistas como Wright, Resnick ou Zimmerman são artistas do *controle* — têm sensibilidade para o espaço intermediário entre o livre-arbítrio e a creche, para a estreita linha entre ordem de mais e de menos. Eles têm sensibilidade para as zonas limítrofes.

PARTE
três

Vista geral de SimCity 3000 (*Cortesia de Maxis*)

Um sistema de seleção pode ser simulado? A resposta precisa ser dividida em duas partes. Se eu pegar um animal específico, resultado de um processo de seleção e desenvolvimento, já conhecendo sua estrutura e os princípios que regem seus processos seletivos, posso simular a estrutura desse animal no computador. Porém um sistema que passa por um processo de seleção é constituído de duas partes: o animal ou órgão, e o mundo ou meio ambiente. Nenhuma instrução a respeito dos acontecimentos do mundo. Nenhuma instrução sobre os acontecimentos do mundo para o sistema que está em processo de seleção. Além disso, os acontecimentos do mundo ou meio ambiente são imprevisíveis. Então, como simular os fatos e seus efeitos sobre a seleção? Uma das maneiras é a seguinte:

1. Simule o órgão ou o animal tal como descrito acima, tomando cuidado para que, como um sistema seletivo, ele contenha um gerador de diversidade — mutações, alterações nas ligações neurais ou mudanças imprevisíveis nas sinapses.
2. Simule em separado um mundo ou meio ambiente limitado por princípios físicos conhecidos, mas permita a ocorrência de eventos imprevistos.
3. Deixe o órgão ou o animal simulado interagir com o mundo simulado ou com o mundo real sem transferência prévia de informação, de modo que a seleção possa ocorrer.
4. Veja o que acontece.

— GERALD EDELMAN

CAPÍTULO 6

Os leitores da mente

Sobre que você está pensando agora? Como minhas palavras estão sendo comunicadas a você pela página impressa, que é um meio de mão única, esta é uma pergunta difícil para eu responder. Se, porém, eu estivesse apresentando essa pergunta sentado em uma mesa à sua frente, eu já teria uma resposta, ou pelo menos uma suposição — mesmo que você ficasse calado o tempo todo. Suas expressões faciais, os movimentos dos olhos, a linguagem corporal estariam enviando um constante fluxo de informação sobre seu estado interno — sinais que intuitivamente eu perceberia e interpretaria. Veria suas pálpebras se abaixarem durante uma argumentação mais complicada, notaria a risada durante uma das minhas tentativas de fazer humor, registraria o modo como se senta empertigado na cadeira quando minhas palavras prendem sua atenção. Eu não poderia proibir minha mente de fazer essas inferências, nem você poderia proibir sua mente de interpretar minhas palavras como linguagem. Estamos ambos ligados em uma dança de comunicação de extraordinária profundidade — e, por incrível que pareça, temos pouca consciência do processo como um todo.

Os seres humanos são leitores de mente inatos. Nossa habilidade de imaginar os estados mentais das pessoas situa-se em um patamar tão elevado quanto a nossa aptidão para a linguagem e o nosso polegar opositor. É uma característica tão natural para nós e engendrou tantos efeitos colaterais, que é difícil pensarmos sobre ela como uma habilidade especial. Ainda assim, a maioria dos animais não é capaz de ler mentes como uma criança de quatro anos. Entramos no mundo com uma aptidão genética para construir "teorias de outras mentes" e ajustar essas teorias em tempo real, como resposta a várias formas de feedback social.

Em meados da década de 1980, os psicólogos britânicos Simon Baron-Cohen, Alan Leslie e Uta Frith realizaram um experimento decisivo para testar as habilidades de leitura de mente de crianças pequenas. Eles esconderam alguns lápis dentro de uma caixa de balas. Pediram a várias crianças de quatro anos de idade que abrissem a caixa e descobrissem, desapontadas, que havia lápis lá dentro. Os pesquisadores então fecharam a caixa e chamaram um adulto para a sala. Perguntaram às crianças o que o adulto esperava encontrar dentro da caixa — não o que *encontraria*, preste atenção, mas o que *esperava* encontrar. Todas as crianças deram a resposta correta: o adulto, como não sabia de nada, esperava encontrar balas, e não lápis. As crianças foram capazes de separar seu próprio conhecimento acerca do conteúdo da caixa do conhecimento de outra pessoa. Elas perceberam a distinção entre o mundo externo que *elas* percebiam e o mundo percebido por outras pessoas. Depois, os psicólogos realizaram o mesmo experimento com crianças de três anos, e o resultado foi exatamente o oposto. As crianças insistentemente disseram que o adulto esperava encontrar lápis, em vez de balas. Elas ainda não haviam desenvolvido a faculdade de construir modelos dos estados mentais de outras pessoas — estavam presas em uma espécie de onisciência infantil, no qual o conhecimento que você possui é compartilhado por todo mundo. A idéia de dois estados mentais radicalmente distintos, cada um contendo informações diferentes sobre o mundo, excedia as faculdades mentais das crianças com três anos de idade, mas eram naturais nas de quatro.

Nossos primos mais próximos em termos de evolução, os chimpanzés, compartilham nossa aptidão para ler mentes. O primatólogo holandês Frans de Waal conta uma história de intriga sexual calculada no seu cativante estudo, que mais parece um romance, *Chimpanzee Politics*. Um macho jovem (chamado apropriadamente de Dandy) que ocupava uma posição baixa na escala do grupo decide chamar a atenção de uma das fêmeas. Sendo um chimpanzé, ele opta pelo método usual de sua raça de expressar atração sexual, que é sentar-se de pernas abertas dentro do campo de visão de seu *objet de désir* e revelar sua ereção (tente esse tipo de aproximação na sociedade humana e certamente receberá uma recusa enfática). Durante esse ato divertido de exibicionismo, Luit, um dos machos de posição superior no grupo, aparece na cena do "galanteio". Dandy habilmente usa as mãos para esconder a ereção, de modo que Luit não a veja, mas a fêmea chimpanzé, sim, possa ver. É o equivalente ao adúltero dizendo: "Este é o nosso segredinho, está bem?"

A história de De Waal — um dos muitos exemplos comparáveis de ardil dos primatas — ilustra a habilidade de nosso primo próximo para modelar os estados mentais de outros chimpanzés. Assim como no estudo com as balas, Dandy está executando um complicado cálculo social na sua estratégia de disfarce: ele quer que a fêmea saiba que ele está enamorado dela, mas quer ocultar essa informação de Luit. Essa maneira de pensar parece natural para nós (porque é!), mas, para pensar assim, você tem que ser capaz de modelar os conteúdos de outras mentes primatas. Se Dandy pudesse falar, seu resumo da situação seria algo como: ela sabe o que estou pensando; ele não sabe o que estou pensando; ela sabe que eu não quero que ele saiba o que estou pensando. No tosco ato de esconder, Dandy demonstra que possui um dom para a imaginação social que falta a 99,99% das criaturas vivas do mundo. Para fazer aquele gesto, de algum modo ele deve ter consciência de que o mundo é cheio de informações imperfeitamente partilhadas e que outros indivíduos podem ter uma perspectiva do mundo que difere da sua. Mais importante (e mais conveniente): ele é capaz de explorar essa diferença em seu próprio benefício. Essa exploração — um movimento furtivo para esconder algo do macho alfa — somente é possível porque ele é capaz de construir teorias sobre outras mentes.

É concebível que essa habilidade derive simplesmente de um incremento geral da inteligência? Será que os seres humanos e seus primos próximos são mais espertos do que todas as outras espécies reprovadas no teste de ler mentes? Em outras palavras, há algo específico em nossa inteligência social, algo semelhante a um módulo acoplado na CPU do cérebro — ou a teoria da mente é apenas uma idéia que inevitavelmente ocorre aos animais que alcançam um certo patamar de inteligência geral? Somente agora estamos começando a construir mapas úteis da topografia funcional do cérebro, mas já podemos ver sinais de que "ler mentes" é mais do que um subproduto de inteligência geral. Vários anos atrás, o neurocientista italiano Giaccamo Rizzollati descobriu uma região do cérebro que poderá se comprovar como a constituinte da teoria de outras mentes. Rizzollati estudava uma seção da área pré-motora ventral do cérebro do macaco, uma região do lobo frontal usualmente associada com o controle muscular. Alguns neurônios nesse campo se ativavam quando o macaco executava atividades específicas, como alcançar um objeto ou colocar alimento na boca. Diferentes neurônios eram ativados em resposta a atividades diferentes. No início, esse nível de coordenação sugeria que os neurônios estavam comandando os músculos apropriados para executar certas tarefas. Então, Rizzollati notou um fenômeno bizarro. Os mesmos neurônios eram ativados quando o macaco observava outro executando a tarefa. Os neurônios da pancada-no-chão-com-o-punho eram ativados sempre que o macaco via seu companheiro de jaula dar uma pancada no chão com o punho.

Rizzollati chamou essas células incomuns de "neurônios-espelho" e, desde o anúncio da descoberta, a comunidade neurocientífica ficou agitada, especulando sobre a relevância do fenômeno "macaco vê, macaco faz". É concebível que os neurônios-espelho existam para estados mentais mais sutis, introspectivos — como desejo, raiva ou tédio — e que sejam ativados quando detectamos sinais desses estados nos outros. Essa sincronização pode muito bem ser a raiz neurológica da leitura de mentes, que significaria que nossas habilidades seriam mais do que somente um efeito da inteligência geral; em vez disso, elas se baseariam no fato de nossos cérebros serem conectados de uma maneira específica. Já sabemos que regiões específicas são dedicadas ao processamento visual, à fala e a outras habilidades cognitivas. A descoberta de Rizzollati sugere que talvez também tenhamos um módulo para ler mentes.

A teoria modular também é sustentada pela evidência do que acontece quando a ligação é danificada. Atualmente muitos neurocientistas acreditam que os autistas sofrem de uma desordem neurológica específica que inibe sua capacidade de construir teorias sobre outras mentes — qualquer pessoa que lidar com um autista, imediatamente perceberá sua estranha distância emocional, sua introversão radical. O autismo, nessa abordagem, parece originar-se de uma incapacidade de projetar para fora o que está na própria cabeça e imaginar a vida mental dos outros. No entanto, os autistas regularmente passam bem em muitos testes de inteligência geral e, com freqüência, mostram talento excepcional para matemática e reconhecimento de padrões. Sua deficiência não é uma deficiência do intelecto. Ao contrário, aos autistas falta uma habilidade particular, assim como a outros faltam a faculdade da visão ou da audição. Os autistas sofrem de uma cegueira particular, a cegueira para outras mentes.

Assim mesmo, pode ser difícil apreciar como é verdadeiramente especial o nosso dom de ler mentes. Para quase todos nós, à primeira vista, parece uma façanha relativamente simples o fato de termos consciência do que se passa em outras mentes — certamente não parece algo que demande uma ferramenta cognitiva específica. Afinal, eu sei o que se passa dentro da minha cabeça — é lógico que imagine o que está dentro da cabeça de outra pessoa. Se já somos conscientes de nós mesmos, qual é a dificuldade de pensar sobre o pensamento de outros eus?

Essa é uma pergunta legítima e, como quase toda pergunta importante que tem a ver com a consciência humana, o júri ainda está pensando nela (para falar com franqueza, o júri ainda nem foi convocado). Algumas pesquisas recentes, porém, sugerem que a resposta está no passado — pelo menos, no que concerne à evolução de cérebro. Segundo as pesquisas, provavelmente somos conscientes de nossos próprios pensamentos apenas porque primeiro desenvolvemos a capacidade de imaginar os pensamentos dos outros. Uma mente que não consegue imaginar os estados mentais externos é como a mente de uma criança de três anos que projeta seu próprio conhecimento para todos em volta: só há lápis, nenhuma bala. Porém, como os filósofos há tempos notaram, ser autoconsciente significa reconhecer os limites da individualidade. Não podemos voltar atrás e refletir sobre nossos próprios pensamentos sem reconhecer que nossos pensamentos são finitos e que outras combinações de pensamentos são possíveis. Sabemos que os lápis estão na caixa *e também* que os recém-chegados esperam encontrar balas. Sem esses limites, certamente teríamos consciência do mundo em algum sentido básico — só que não teríamos consciência de *nós mesmos*, pois não teríamos nada com que nos comparar. O eu e o mundo não seriam distinguíveis.

A noção de ser consciente do mundo e, de certa forma, não-autoconsciente parece uma impossibilidade lógica. É como se nossa própria autoconsciência, em pouco tempo, gritasse para nós mesmos: "Ei, olhe para mim! Esqueça essas balas. Eu estou pensando aqui! Preste atenção em mim!". Porém, sem o reconhecimento de outros pensamentos para comparar com os nossos, nosso próprio estado mental nem seria cogitado como algo sobre o que pensar. Pode ser que a autoconsciência só salte aos nossos olhos porque somos naturalmente inclinados a nos projetar na mente dos outros. Entretanto, uma mente incapaz de imaginar o conteúdo de outras mentes não sentiria falta dessa auto-reflexão. Seria como ser criado em um planeta sem satélites e sentir falta da lua.

Todos temos uma região da retina onde o nervo óptico conecta o córtex visual ao fundo da retina. Não há bastonetes ou cones dentro dessa área; portanto, a área correspondente a ela no nosso campo visual é incapaz de registrar luz. Embora esse ponto cego tenha um diâmetro surpreendentemente grande (cerca de seis graus de lado a outro), seus efeitos são mínimos devido à nossa visão tridimensional: os pontos cegos em cada olho não se superpõem e, portanto, as informações de um olho preenchem as informações que faltam no outro. Você pode detectar a existência do ponto cego fechando um olho e focalizando o outro em uma palavra específica nesta frase. Coloque seu dedo indicador sobre a palavra e mova-o lentamente para a direita, enquanto conserva seu olhar fixo na palavra. Após alguns centímetros, notará que a ponta de seu dedo desaparece do campo de visão. É um sentimento estranho, mas mais estranho ainda é que seu campo visual passa por esse misterioso ato de desaparecimento toda vez que você fecha um olho. Mesmo assim, você não percebe a ausência — não há o sentimento de informação sendo perdida, nem uma mancha escura, nem embaçamento. Você tem que fazer um truque elaborado com o dedo para reparar que algo está faltando. Não é a falta de informação visual que deveria nos surpreender, mas a dificuldade que temos em percebê-la.

O ponto cego não salta aos nossos olhos porque o cérebro não está esperando informação daquela zona e não há qualquer outro sinal brigando para encher a lacuna ou apontando que há um espaço em branco. Como descreve o filósofo Daniel Dennett, não há centros do córtex visual "responsáveis por receber relatórios dessa área; logo, quando não chegam relatórios, não há queixas. Uma falta de informação não é a mesma coisa que informação sobre uma falta." Somos cegos para a nossa cegueira.

Talvez o mesmo aconteça com a teoria de outras mentes. Sem essa consciência de outros estados mentais a nos lembrar de nossas próprias limitações, poderíamos ter consciência do mundo, mas não de nossa vida mental. A falta de autoconsciência não saltaria aos nossos olhos pela mesma razão por que o ponto cego permanece invisível: não há mecanismo de feedback para fazer soar o alarme de que algo está faltando. Só quando começamos a especular sobre a vida mental dos outros é que descobrimos que temos uma vida mental.

Se a autoconsciência é um subproduto de nossas habilidades de ler mentes, o que nos impeliu inicialmente a começar a construir essas teorias de outras mentes? Essa resposta é mais fácil. A batalha entre natureza e cultura pode ter muitas escaramuças, mas hoje em dia somente o mais obtuso antiessencialista discordará da premissa de que somos animais sociais por natureza. A grande maioria das populações humanas — tanto modernas quanto "primitivas" — vive em extensos grupos e forma sistemas sociais complexos. Entre os primatas, somos uma anomalia sob esse aspecto: somente os chimpanzés compartilham nossa compulsiva socialização entre os sexos (os orangotangos levam quase sempre vidas solitárias, os gibões vivem como casais isolados, os gorilas viajam em haréns dominados por um único macho). Essa complexidade social exige habilidades mentais formidáveis: em vez de procurar enganar um único predador ou tomar conta de um único bebê, os seres humanos rastreiam mentalmente o comportamento de dezenas de indivíduos, alterando seus próprios comportamentos com base nessa informação. Alguns psicólogos evolucionistas acreditam que a extraordinária expansão do tamanho do cérebro entre o *Homo habilis* e o *Homo sapiens* (a massa cerebral triplicou no período de dois milhões de anos que separa as duas espécies) foi, pelo menos em parte, desencadeada por uma "corrida armamentista" entre os extrovertidos da era plistocênica. Se a transferência bem-sucedida dos genes de uma pessoa para outra geração dependesse de uma inteligência social cheia de nuances, que competisse com outros intelectos sociais por privilégios reprodutivos, então não é difícil imaginar a seleção natural gerando uma maquiavélica caixa de ferramentas mentais em um período supreendentemente curto.

O elemento de grupo pode até explicar a explosão do tamanho do crânio: a complexidade social é facilmente mensurável — construa um módulo que possa analisar a mente de uma pessoa e tudo o que você precisa fazer é lançar mais recursos no problema, e então poderá analisar uma dúzia de mentes com as mesmas ferramentas. O cérebro não precisou inventar nenhuma rotina nova e complicada quando percebeu como ler uma única mente — somente precisou aplicar mais poder de processamento. Esse poder veio sob a forma de massa cerebral: mais neurônios para modelar o comportamento de outros cérebros, os quais também continham mais neurônios pela mesma razão. É um caso típico de feedback positivo, só que parece ter um teto máximo de 150 pessoas, de acordo com os últimos estudos antropológicos. Nós temos uma aptidão natural para construir teorias de outras mentes, contanto que não haja pessoas demais.

Talvez, se a evolução humana tivesse continuado por mais um milhão de anos, todos nós estaríamos mentalmente modelando a comportamento de cidades inteiras. Por qualquer razão, porém, paramos somente com 150, e é onde permanecíamos — até que as novas tecnologias de vida urbana empurraram nossas coletividades para além desse número mágico. Essas comunidades desmesuradas apareceram rápido demais para que nossas mentes se adaptassem a elas usando as ferramentas da seleção natural; então, achamos uma outra solução, engendrada pela própria comunidade, e não por seus genes. Começamos a construir vizinhanças, grupos dentro de grupos. Quando as comunidades em que vivíamos se estenderam além do topo da compreensão humana, começamos a construir novos andares.

Neurônios-espelhos e leitura de mente têm muito a nos ensinar sobre nossos talentos e limitações como espécie e não há dúvidas de que estaremos desenvolvendo a "teoria de outras mentes" nos anos vindouros. Qualquer que seja o mecanismo subjacente, a faculdade de ler mentes — e sua parenta próxima, a autoconsciência — é claramente uma propriedade emergente das redes neurais do cérebro. Não sabemos com precisão como esse comportamento de nível mais alto aparece, mas sabemos que é invocado pelas interações de feedbacks locais de agentes inconscientes, pelo complexo sistema de adaptação que chamamos de mente humana. Nenhum neurônio individual é senciente e, no entanto, de alguma forma, a união de bilhões de neurônios cria a autoconsciência. Pode ser que o cérebro atinja essa autoconsciência primeiramente prevendo o comportamento de neurônios residentes em outros cérebros — o modo, por exemplo, como nossos cérebros são conectados para prognosticar o comportamento de partículas de luz e ondas sonoras. Mas, não importa quem veio primeiro — a extrovertida galinha ou o ovo autoconsciente; de qualquer forma, essas faculdades são os exemplos primordiais da emergência em atividade. Você não seria capaz de ler essas palavras ou especular sobre os trabalhos internos de sua mente, não fosse pela proteiforme força da emergência.

Porém, há limites para essa força e para seu resultado prático. A seleção natural nos dotou com ferramentas cognitivas equipadas unicamente para lidar com a complexidade social dos grupos da Idade da Pedra nas savanas da África, mas, quando a revolução na agricultura introduziu as primeiras cidades ao longo das margens dos rios Tigre e Eufrates, a mente do *Homo sapiens* naturalmente se ressentiu, diante do tamanho dessas populações. Uma mente equipada para lidar com os feitos de menos de duzentos indivíduos encontrou-se de repente imersa em uma comunidade de dez ou 20 mil indivíduos. Para resolver esse problema, de novo nos apoiamos nos poderes da emergência, embora a solução tenha acontecido um nível acima do cérebro humano individual: em vez de olhar para enxames de neurônios para lidar com a complexidade social, olhamos para enxames de seres humanos. Em vez de circuitos neurais reverberando, emergiram comunidades a partir dos padrões de tráfego. Seguindo as pegadas e aprendendo com os comportamentos que elas nos indicavam, construímos outro patamar acima daquele que nos foi imposto por nossos lobos frontais. Administrar complexidade tornou-se um problema a ser resolvido no nível da própria cidade.

Durante a última década, passamos a experimentar um outro patamar. Atualmente, estamos conectados a centenas de milhões de pessoas através do vasto labirinto da World Wide Web. Uma comunidade dessa escala requer uma nova solução, além de nossos cérebros e de nossas calçadas, mas novamente procuramos na auto-organização as ferramentas, desta vez construídas a partir de conjuntos de instruções de programas de software: Alexa, Slashdot, Epinions, Everything2, Freenet. Primeiro, nossos cérebros nos ajudaram a navegar em grandes grupos de camaradas, permitindo-nos esquadrinhar o interior das mentes de outros indivíduos e reconhecer padrões em seus comportamentos. A cidade nos permitiu ver padrões de comportamento de grupo, registrando e expondo esses padrões sob a forma de comunidades. Atualmente, o mais moderno programa percorre a Web procurando padrões de atividade online, usando feedback e ferramentas que comparam padrões equivalentes para encontrar vizinhos em uma população inacreditavelmente vasta. À primeira vista, essas três soluções — cérebros, cidades e software — pareceriam pertencer a ordens de experiência completamente diferentes. Porém, como vimos nas páginas precedentes, são somente instâncias da auto-organização funcionando, interações locais levando à ordem global. Elas existem em um *continuum* de tipos. O material muda quando você salta de uma escala de uma centena para um milhão ou 100 milhões de seres humanos.

Surpreendentemente, esse processo concluiu seu ciclo. Centenas de milhares — se não milhões — de anos atrás, nossos cérebros desenvolveram um mecanismo de feedback que lhes permitiu construir teorias de outras mentes. Hoje, estamos começando a criar aplicações de software que são capazes de desenvolver uma teoria de *nossas* mentes. Todos esses programas auto-organizáveis, fluidos, que fazem um levantamento de nossos gostos e interesses e os medem com relação ao comportamento de grandes populações —, esses programas são o começo de um progressão que, em questão de anos, levará a um mundo em que poderemos interagir regularmente com uma mídia que parece nos conhecer de um modo fundamental. O software reconhecerá nossos hábitos, antecipará nossas necessidades, se adaptará a nossas mudanças de humor. A primeira geração de software emergente — programas como SimCity e StarLogo — mostrava uma cativante qualidade orgânica; esses programas pareciam-se mais como formas de vida do que as linhas de comando e os conjuntos de instruções estéreis dos primeiros códigos. A próxima geração levará essa sensação orgânica um passo adiante: o novo software usará ferramentas de auto-organização para construir modelos de nossos próprios estados mentais. Esses programas não serão autoconscientes e não passarão em nenhum teste de Turing, mas farão as experiências de mídia com os quais estamos acostumados parecerem autistas. Eles serão leitores de mente.

De um certo ângulo, essa é uma história antiga. A grande revolução do software das décadas de 1970 e 1980 — a invenção da interface gráfica — foi inspirada em uma teoria de outras mentes. Os princípios do design por trás da interface gráfica basearam-se em previsões acerca das faculdades gerais dos sistemas humanos cognitivos e perceptuais. Por exemplo, nossa memória espacial é mais poderosa do que a textual; portanto, as interfaces gráficas enfatizam ícones em detrimento de comandos. Temos um talento natural para pensamento associativo, graças às formidáveis habilidades da rede distribuída do cérebro em comparar padrões; portanto, a interface gráfica tomou emprestadas as metáforas visuais do mundo real: áreas de trabalho, pastas e arquivos, lixeiras. Assim como algumas drogas são projetadas especificamente para desbloquear a neuroquímica de nossa massa cinzenta, a interface gráfica foi desenhada para explorar os talentos inatos da mente humana e confiar o mínimo possível em nossas deficiências. Se as formigas tivessem sido a primeira espécie a inventar computadores, elas teriam, sem dúvida, criado interfaces de feromônio, mas, como nós herdamos as excepcionais habilidades visuais da família dos primatas, adaptamos metáforas espaciais para os nossos monitores.

Na verdade, os talentos de leitura de mentes da interface gráfica são impiedosamente genéricos. Janelas rolantes e metáforas de áreas de trabalho são baseadas em previsões sobre *a* mente humana, não a mente de um *usuário específico*. São teorias de tamanho-único-para-todos e lhes falta qualquer mecanismo real de feedback que as torne mais familiarizadas com as aptidões específicas de um usuário específico. Além disso, suas previsões são decididamente o produto de engenharia top-down. O software não aprendeu sozinho que somos uma espécie visual; pesquisadores na Xerox-PARC e no MIT já tinham conhecimento de nossa memória visual e usaram esse conhecimento para criar a primeira geração de metáforas espaciais. Essas limitações, porém, logo terão o destino dos tubos a vácuo e dos cartões perfurados. Nosso software desenvolverá modelos evoluídos e com nuances dos nossos estados mentais, e esse conhecimento emergirá de um sistema bottom-up. E, embora esse software forneça informação sob medida para nossos interesses e desejos, suas habilidades de leitura de mentes serão menos insulares do que os críticos de hoje nos fizeram acreditar. Poderemos ler algo como o *Daily Me* no futuro próximo, mas esse jornal digital será feito pela compilação dos interesses e dos hábitos de leitura de milhões de outros seres humanos. Interagir com um software emergente já se parece mais com cultivar um jardim do que dirigir um carro ou ler um livro. Num futuro próximo, porém, você estará trabalhando ao lado de um milhão de outros jardineiros. Teremos ferramentas de personalização muito mais potentes do que jamais pensamos ser possível — mas essas ferramentas serão criadas por colossais grupos espalhados pelo mundo inteiro. Quando Patti Maes começou a desenvolver o primeiro software de recomendação no MIT no começo da década de 1990, ela o chamou de filtragem colaborativa. O termo encontra cada vez mais eco. Dentro de poucos anos, teremos filtros personalizados que ultrapassarão os nossos sonhos mais fantásticos. Também estaremos *colaborando* em uma escala que só terá rivais nas cidades que começamos a construir há seis mil anos.

Essas colaborações construirão mais do que jornais personalizados ou ferramentas para recomendar música. Nossa nova habilidade de capturar o poder da emergência em código estará mais próxima da revolução desencadeada há um século, quando imaginamos como distribuir eletricidade. Quase todas as regiões de nossa vida cultural foram transformadas pela rede de energia elétrica; o poder de auto-organização — acoplado com a tecnologia conectiva da Internet — introduzirá uma revolução tão significativa quanto aquela. A emergência aplicada irá além da simples construção de aplicações mais amigáveis. Ela transformará nossa própria definição de experiência com a mídia e desafiará muitas de nossas habituais suposições sobre a separação entre vida pública e privada. Daqui a poucos anos, as forças desencadeadas pela revolução bottom-up poderão impor a redefinição da própria inteligência, quando os computadores começarem convincentemente a simular a capacidade humana de aprendizagem ilimitada. Mas, já dentro dos próximos cinco anos, teremos muitas mudanças que nos deixarão ocupados. Nossos computadores, aparelhos de televisão e refrigeradores não estarão pensando por si mesmos, mas terão uma boa idéia sobre o que estamos pensando.

Os analistas de tecnologia nunca se cansam de nos lembrar que a pornografia é precisamente a primeira área a adotar alguma novidade. Em outras palavras, novas tecnologias são assimiladas pela indústria do sexo mais rapidamente do que pelo resto da sociedade — isso foi verdade para a imprensa escrita, para o vídeo, para a Web, mas os jogos de vídeo estão desafiando esse velho adágio. Uma vez que parte do seu apelo se deve à promessa de novas experiências, e uma vez que seu público deseja escalar formidáveis curvas de aprendizagem na busca por essas novas experiências, muitas vezes os jogos mostram a tecnologia de ponta antes que ela encontre seu caminho para o bairro da luz vermelha. Certamente esse também tem sido o caso com o software emergente. Os jogadores vêm lidando com sistemas auto-organizáveis pelo menos desde o lançamento de SimCity em 1990, mas o mundo digital pornográfico continua, por assim dizer, um caso top-down — apesar de exagerar sobre a suposta "interatividade" dos DVDs.

De fato, a cultura do videogame é hoje a única arena onde você pode ver a "teoria de outras mentes" integrada a uma experiência de mídia genuinamente sedutora. Jogue qualquer jogo avançado de atirar, como Quake ou Unreal, tendo o computador como adversário, e você testemunhará um comportamento surpreendentemente "vivo" dos atiradores simulados guerreando contra você. Eles aprenderão a prever suas idiossincrasias como jogador; formarão complicados padrões agregados com outros robôs do computador; tornar-se-ão familiarizados com novos ambientes à medida que os exploram. Não há muita arte nesses talentos, pois estão a serviço de explodir coisas, mas há uma indiscutível inteligência nos adversários — uma inteligência que só indiretamente é controlada pelos programadores originais dos jogos.

Os jogos de Will Wright foram, historicamente, os primeiros a abraçar as rotinas do bottom-up, mas mesmo um jogo avançado como The Sims não atingiu as ambições de seu idealizador nesse campo. Os habitantes de Simsville podem mostrar traços de comportamento e de personalidade impressionantemente "vivos", mas é improvável que desenvolvam, de modo espontâneo, uma habilidade nova que Wright não tenha programado originalmente no jogo. Você os verá se apaixonar ou zonear na frente da televisão, mas não cantarão em falsete ou virarão assassinos em série, a menos que um programador humano tenha especificamente acrescentado esse comportamento ao sistema. Contudo, o sonho de Wright é ter Sims realmente desenvolvendo comportamento único por si próprios, Sims que excedam a imaginação de seus criadores. "Estou fascinado com a computação adaptativa há certo tempo", diz. "No entanto, há problemas bem difíceis a serem superados. Algumas das tecnologias mais promissoras parecem também ser as mais paralelas, como os algoritmos genéticos, as redes neurais. Esses sistemas tendem a aprender acumulando experiência de um grande número de casos individuais." Pense aqui sobre o programa de ordenação numérica de Danny Hillis. Hillis realmente conseguiu uma solução engenhosa e não planejada do software, mas precisou de milhares de repetições (sem mencionar o supercomputador Máquina de Conexão). Nenhum jogador quer esperar sentado que seus personagens na tela terminem as evoluções simuladas antes de começarem a atuar naturalmente. "Em um jogo como The Sims", diz Wright, "pode-se conseguir melhor aprender no 'tempo do usuário' dando-se aos personagens uma forma de modelagem hipotética. Em outras palavras, eles podem estar constantemente rodando 'microssimulações' em suas pequenas cabeças — simulando um subconjunto da simulação principal — para encontrar maneiras de melhorar sua tomada de decisões."

Porém essa aprendizagem não precisa se limitar ao universo fictício do próprio jogo. "Uma outra possibilidade seria dar ao jogo alguma percepção sobre quanto o usuário está interessado e se ele está se divertindo", especula Wright. "Se pudéssemos medir isso de alguma maneira — talvez pela análise do fluxo de inputs, comparando-o com um perfil de usuários histórico —, então poderíamos projetar o jogo para aprender aquilo de que você gosta e o que o diverte. Cada cópia do jogo aprenderia e evoluiria para se adaptar a cada jogador individual. Talvez você já esteja se aborrecendo com o jogo original; ele detectaria isso e tentaria adicionar novos elementos ao jogo, tornando-se cada vez mais radical, até alcançar alguma coisa que você goste. Então, ele partiria desse ponto e continuaria a evoluir e se refinar em todas as direções que você considere divertidas." Introduzir feedback real na equação — além do simples input de joysticks e trackballs — faz o gênero repentinamente ficar mais flexível, mais próximo da teoria de outras mentes. O jogo se torna muito mais parecido com um artista performático que se adapta à sua audiência, salientando certas rotinas e descartando outras. A visão de Wright é um passo significativo além da postura "escolha seu próprio caminho" da ficção de hipertexto, tão alardeada no início da década de 1990. O "autor" não está apresentando ao "leitor" uma seleção de linhas pré-fabricadas a serem seguidas; os interesses e tendências do leitor geram linhas inteiramente novas, chegando até o ponto em que as regras do jogo variam conforme o jogador. A primeira geração de narrativas interativas afinal se reduzia a *escolher* um entre vários links autorizados, seguindo um caminho em detrimento de outros. O futuro que Wright visualiza tratará da criação de um novo caminho — ou, então, da eliminação da própria idéia de caminhos.

Será que tal modelo poderia ser aplicado à televisão? Não no sentido de cada um inventar seu próprio sitcom ou escolher o final de *ER* — mas antes no sentido de expandir sua própria rede de programação. No verão de 2000, foi lançada nas principais redes norte-americanas uma campanha nacional de comerciais estrelada, provavelmente pela primeira vez na história da TV, por um escritório cheio de programadores de televisão. "Olhe para esses rapazes," a voz dizia com insolência enquanto a câmera mergulhava sobre um local de trabalho alvoroçado com homens engravatados, cancelando displicentemente sitcoms e flertando com suas assistentes. "Programadores de redes de TV. Eles decidem o que vemos e quando vemos." A câmera entra pela porta de um escritório e focaliza um executivo recostado na sua mesa de trabalho, contemplando a vista no canto da sala. De repente, dois rapazes corpulentos, usando camisetas pretas, aparecem no canto da tela. Empurram o programador chefe para fora de sua cadeira e, sem cerimônia, jogam-no pela janela, enquanto a voz diz: "Quem precisa deles?"

Essa tomada extremamente hostil é parte de uma extensa campanha para "um gravador pessoal digital de TV" chamado TiVo. Enquanto o comercial pertence à tradição de "marketing gonzo" usualmente associada com vendas diárias, sua mensagem pode ser mais profunda — e profética — do que sugere a conduta homicida apresentada. À primeira vista, TiVo (e seu maior concorrente, Replay) parece o máximo da personalização tipo *Daily Me*: o equipamento é basicamente um grande disco rígido que grava a programação da televisão com base no pedido do usuário. A esse respeito, podemos pensar no TiVo como um aparelho de vídeo que tem uma interface para o usuário realmente boa e não se perturba com a confusão e inconveniência das fitas. Como TiVo e Replay podem analisar as listagens de programas que você encontra no guia de canais do seu provedor a cabo, o equipamento pode criar filtros automáticos que tornam as características de programação de seu velho vídeo parecerem tão sofisticadas como uma cafeteira elétrica da Mr. Coffee. Você pode dizer ao TiVo para gravar qualquer episódio de *NewsRadio* que aparece em qualquer canal em qualquer momento, ou para gravar todos os filmes de Steve McQueen que passarem durante a semana. Como ele está permanentemente gravando os últimos 30 minutos de televisão que você viu, você pode, na realidade, fazer uma pausa nos eventos ao vivo ou rebobiná-los. Os Einsteins do TiVo ainda não descobriram como dar um salto de dois minutos para o futuro, mas, se você estiver vendo um programa que foi previamente gravado, pode pular os anúncios com um clique do controle remoto.

O resultado de toda essa engenhoca é que, quando você se senta em frente a seu aparelho de televisão, a pergunta é menos "O que está passando agora?", e mais "O que está gravado neste momento no meu disco rígido?". É por isso que TiVo propõe jogar os programadores das redes pela janela. Por que se importar se os engravatados do Rockefeller Center decidem que *Frasier* deve ir para as noites das terças-feiras e *Will and Grace* para as quintas? Tudo que seu TiVo precisa saber é que você é um fã de *Frasier* e que pode ver o programa quando quiser. Você cria seu próprio horário nobre, decide o que ver e quando ver.

Essa é uma inovação genuinamente útil e, embora tenha alguma semelhança com as características originais do vídeo, as melhorias no acesso instantâneo e na navegação a tornam totalmente diferente. No entanto, ainda é uma transferência de controle que mais parece a visão original de interatividade: em vez de os programadores das cadeias decidirem a grade de programação, *você* é que faz isso. Há uma transferência de poder nessa troca, mas não há nada emergente nela. O equipamento TiVo "sabe" o que você quer ver e, portanto, de uma maneira relativamente limitada, possui uma teoria da sua mente. Mas somente sabe o que você quer ver porque você mesmo programou.

Contudo, o TiVo e o Replay — e seus descendentes — também se enquadrarão no domínio da auto-organização. Em cinco anos, não somente cada aparelho de televisão virá com um disco digital, mas também todos esses equipamentos estarão conectados através da Web a comunidades elaboradas, do tipo de Slashdot. Todo programa em qualquer canal será avaliado por centenas de milhares de usuários, e o equipamento TiVo irá procurar superposições interessantes entre suas avaliações e aquelas da comunidade maior de telespectadores no mundo inteiro. Você será capaz de construir uma rede personalizada sem nem mesmo consultar o guia de canais. E essa rede não seguirá necessariamente o modelo de ultrapersonalização do *Daily Me*. Usando filtros de auto-organização como os já disponíveis na Amazon ou em Epinions, grupos de espectadores de TV com interesses semelhantes aparecerão online. Você pode se descobrir pertencendo a diferentes grupos de várias categorias: cidadãos aposentados de casas de repouso, moradores do West Willage, GenXers,* fanáticos por esporte. Visite o guia de canais para cada grupo e achará uma relação completa de programação, costurada a partir de todas as ofertas disponíveis no espectro.

Apesar da preponderante sabedoria convencional, a extinção do programador de redes não preconiza a extinção das experiências da mídia comunitá-

---

* Denominação dada à geração de jovens entre 20 e 40 anos de idade que entram no mercado de trabalho valorizando a velocidade e a adaptabilidade. (N.T.)

ria. Na pior das hipóteses, nossas comunidades mediáticas ficarão mais fortes por terem sido criadas a partir de baixo. Em vez de uma decisão a portas fechadas na rua 57 West, renomeando a CBS como uma "Rede Tiffany", um aglomerado de cidadãos mais velhos se formará organicamente e seus membros participarão bem mais diretamente na decisão do que é destaque na homepage da rede. Para falar a verdade, essas comunidades serão menores do que eram nos tempos de *Tudo em família* e *Mary Tyler Moore* — mas serão comunidades *reais*, e não artificiais, formadas pelos programadores das redes. Ainda haverá uma demanda pelo conteúdo de entretenimento da televisão — talvez maior do que a de hoje em dia. Mas estará distribuída por um conjunto maior de espetáculos, e as redes não serão mais capazes de forçar uma demanda sobre nós, alocando determinados programas no horário nobre. Os próprios espetáculos permanecerão como uma questão top-down — os grupos não estarão escolhendo o fim de *Frasier* nesta semana por voto popular —, mas as redes que contarão com esses programas virão de baixo. Serão criadas pelas pegadas, e não por uma ordem superior.

Em um mundo no qual o entretenimento de massa nos é entregue nos horários que queremos e de acordo com nossos desejos pessoais, como pode a propaganda ter esperança de encontrar um lugar à nossa mesa? Se meu equipamento de TiVo é suficientemente esperto para detectar minha obsessão por Audrey Hepburn e minha queda por velhos episódios do *Ben Stiller show*, certamente é esperto o bastante para saber que tenho interesse zero nos anúncios de Colgate. Já há aplicações de software que retiram faixas de anúncios de sites da Web. O que impede nossos filtros digitais de eliminarem totalmente a propaganda de nossas telas?

Em uma palavra, a resposta é nada. Se você achava que a indústria fonográfica estava assustada com o Napster, imagine o terror na Avenida Madison. Ao menos com o Napster os consumidores ainda estão ouvindo música, mesmo que não pagassem por ela. Com equipamentos tipo TiVo e bloqueadores de anúncios aparecendo no mercado, há uma chance real de que o público pare de tolerar totalmente a propaganda.

O que devem fazer os vendedores de Avenida Madison? Há três vias primárias a perseguir. A primeira é continuar no ilustre caminho que começou com o doce Reese's Pieces em *E.T.*: merchandising de produtos. Se os consumidores começam a pular seus comerciais de 30 segundos para ver o conteúdo real, então ponha seus comerciais dentro do conteúdo. Essa abordagem tem o risco de disparar um tipo de corrida armamentista de marketing entre anunciantes e consumidores: as futuras estrelas de sitcoms acabariam se parecendo com os carros de corrida da Fórmula-1, adornados com uma dúzia de logotipos corporativos, enquanto os mágicos de software sonhariam com novos filtros dinâmicos para tirar de vista esses logos. Ou então a indústria da propaganda pode tomar emprestada uma página do catálogo da MTV e esforçar-se para tornar os comerciais o mais atraentes possível, sem distinção do conteúdo tradicional. Imagine um futuro em que todo dia é como o Super-Domingo: os telespectadores programam seus TiVo para pular o tedioso jogo e gravar somente os comerciais.

No entanto, há uma terceira via — que não rompe a separação entre comercial e conteúdo e que traz um serviço genuíno ao consumidor. É fazer com que a propaganda fique mais inteligente pela utilização das mesmas rotinas de feedback e de grupos auto-organizáveis que os provedores de conteúdo usam. Se a propaganda também começa a ser avaliada e ligada de modo dinâmico, como qualquer outra unidade no sistema emergente dessa mídia, então comerciais específicos encontrarão naturalmente seu caminho para os consumidores que, decerto, reagirão bem a suas mensagens. Já recebo mensagens automáticas da Amazon, avisando-me sobre novos lançamentos que combinam com meu perfil de usuário. À primeira vista, esses e-mails não parecem diferentes do pior tipo de spam, enchendo minha caixa de correio com mais "ofertas especiais". Mas como tenho uma história de compras longa e informativa com a Amazon, e como os padrões dessa história estão gerando os avisos, acho as mensagens que me envia muito úteis, e freqüentemente me vejo comprando os itens recomendados. Tendo tomado gosto por esse tipo de propaganda personalizada, acho até frustrante que outros vendedores dos quais comprei mercadorias não usem o mesmo sistema.

Os críticos progressistas invariavelmente encontram algo sinistro na noção de anúncio inteligente: todas essas empresas que acompanham nossos interesses e fabricam anúncios feitos sob medida para nossas necessidades, baseados em algum demoníaco algoritmo de leitura de mentes. Deixando de lado as questões relativas à privacidade, sem dúvida relevantes, a resistência a comerciais inteligentes bottom-up me choca como absurdamente reacionária e míope. Apenas para questioná-la, imagine que o desenvolvimento da tecnologia da propaganda tivesse prosseguido na direção contrária e que tivéssemos vivido a maior parte do século XX com anúncios personalizados, como os e-mails de alerta da Amazon, e somente agora, no começo de uma nova era, surgisse a tecnologia que possibilitasse a propaganda em massa. Todos os críticos sociais atualmente em guerra contra os comerciais inteligentes estariam ainda mais estarrecidos pelo ataque impessoal e generalizante da propaganda de massa a eles dirigida. "Esses anunciantes não têm nenhuma idéia sobre o que nos interessa como indivíduos! Tudo o que sabem sobre nós é que fazemos parte de alguma população etária ou que estamos em determinado nicho de nível de renda. Os comerciais de antigamente pelo menos sabiam algo específico sobre mim. Essas novas propagandas de massa são uma afronta à nossa individualidade." Naturalmente gostaria que houvesse menos espaço para anúncios no mundo e menos spam na minha caixa de correio eletrônico. Mas, se vamos viver em um mundo com propaganda — e, em particular, se esse mundo espera que seu entretenimento seja parcialmente subsidiado pela propaganda —, então prefiro anúncios inteligentes a estúpidos.

O que impede leitores charlatães de encher minha caixa de correio com spam de anúncios personalizados falsificados, ou dar um empurrão no algoritmo oculto, de maneira a alinhar meus interesses com uma mercadoria que necessitam passar adiante? Esse é um problema legítimo, mas pode ser resolvido, presumindo-se a operacionalidade de duas coisas. Primeiro, precisamos de um forte regulamento contra spam que assegure que uma pessoa possa sair de qualquer mala direta a qualquer momento com uma simples requisição por correio eletrônico. Segundo — e mais importante —, sistemas de propaganda inteligente deveriam *eles próprios* ser avaliados pela comunidade de usuários, em sites de consumidores como Epinions. Você tem recomendações sobre livros baseadas na sua avaliação sobre outros livros; você assina um serviço de recomendação de livros baseado nas avaliações *do serviço.* Um vendedor que alterasse o filtro do software de modo que fossem promovidos os produtos mais caros veria sua avaliação declinar, quando os consumidores descobrissem que os anúncios inteligentes não eram, afinal, tão inteligentes. Assim como você pode ajustar os patamares de qualidade dos pontos do Slashdot, poderia fazer o mesmo com a propaganda personalizada: assinar os serviços melhor avaliados e ignorar o resto. Quem sabe? Em poucas décadas, talvez não tenhamos mais necessidade do Serviço de Proteção ao Consumidor — não porque as empresas finalmente tenham vencido o Estado, mas porque os consumidores aprenderam a se regulamentar por si mesmos.

A maioria das tentativas de especular sobre o estado da Web daqui a cinco anos focaliza o sonho minuciosamente avaliado da "convergência": a divina trindade de vídeo, áudio e texto afinal introduzida em sua sala por um único mecanismo de transmissão, com a velocidade suficiente para veicular o último épico de Lucas ou o mais recente lançamento do Eminem, e a qualidade que se espera de CDs e DVDs. Os críticos gostam de nos dizer que, uma vez alcançado esse limite, o universo tradicional da mídia não mais obedecerá à sua anterior lei da gravidade e uma nova ordem emergirá. Como será essa nova ordem é matéria para intensos debates. Alguns vêem um cenário do tipo "uma nação sob AOL Time Warner"; outros prognosticam um embate hobbesiano, em que todo mundo que vende zeros e uns de repente estará no negócio do entretenimento. Embora os analistas não concordem quanto às especificidades da vida depois da revolução, há um consenso geral de que o crescimento da convergência finalmente desencadeará a última tormenta das barricadas da mídia de rede.

Ninguém que tenha despendido algum tempo contemplando a onda tsunami provocada pelo Napster pode dizer seriamente que a chegada da convergência genuína não transformará a paisagem da mídia. Quatro anos atrás, o download de música pela Web era basicamente inaudível para qualquer pessoa que tivesse experimentado a qualidade de áudio pós-vitrola; enquanto escrevo, os downloads de MP3 de qualidade pior do que de CD, via Napster, estão levando pavor à indústria fonográfica. Mas a convergência não é a única história. Da perspectiva do consumidor, ela significará que o universo de ofertas dos vários meios — sitcoms de sucesso, as 40 músicas mais pedidas do rádio, lançamentos arrasadores de verão — será dispersado em milhões de opções transmitidas por milhares de provedores. Ligar a televisão será como entrar hoje na Web: uma infinidade de links à disposição — se não pela porta da frente, pelo menos por algumas outras portas, após poucos cliques de mouse. Esse processo descentralizado já está funcionando: os sucessos atuais no índice Nielsen têm a metade da audiência de *The Cosby show* ou *M*A*S*H* — e somente dois terços dos americanos estão ligados por TV a cabo. É fácil imaginar o que acontecerá quando houver um milhão de canais; imaginar o que acontece quando *canal* não for mais a palavra correta e quando simplesmente surfarmos em um gigantesco disco rígido contendo qualquer música, filme ou programa de televisão que alguma vez tenha sido gravado. Esse é o futuro inevitável que nos espera do outro lado da convergência.

É um futuro que se parece muito com o presente. Vivemos um período semelhante de expansão de informação desde meados da década de 1990. A informação on-line disponível duplica a cada seis meses, e todos sabemos a vertiginosa escalada que esse crescimento exponencial produz. A sobrecarga de informação apresentada por bilhões ou mais de páginas HTML nos forçou a desenvolver novas ferramentas para administrar essa saturação, instrumentos que eliminam a necessidade de editores ou arquivistas centralizados, ferramentas que se apóiam em toda a comunidade de usuários para resolver seu problema. A mesma crise será enfrentada pelos provedores de mídia de 2005: a crise da sobrecarga. Durante 50 anos, a indústria da televisão — e todos os seu tributários — tem tido como norma a idéia de que levar um programa em rede às 20 horas nas noites das quintas-feiras garante audiência maciça. No futuro, porém, quando todo mundo estiver rodando o equivalente a um milhão de TiVos nos seus equipamentos de entretenimento em casa, que utilidade terá o horário das 20 horas das quintas à noite? Você verá o que quiser *quando* quiser, lembra-se? E qual a utilidade de uma rede em uma época de conectividade infinita — quando qualquer programa já realizado estará disponível com alguns cliques? Por que se importar em se comprometer com os "imperdíveis" da NBC quando é tão fácil encontrar o programa *Buffalo Bill* a qualquer hora que seu coração desejar um pouco de Dabney Coleman?

Como encontrar o caminho através dessa espécie de anarquia mediada? Talvez simplesmente cresçamos acostumados ao barulho e aprendamos a viver com um controle remoto que se parece mais com uma máquina caça-níqueis do que com um guia tradicional. Talvez uma empresa "oportunista" rompa a cena e se torne nosso condutor para a fronteira das mídias, como a AOL fez parcialmente com a Web. Mas suspeito que todo o sistema no final alcançará um ponto de equilíbrio diferente, algo entre a ultracentralização romana e o caos disperso da Idade das Trevas. Da tempestade da convergência das mídias, as cidades das colinas surgirão. Elas serão construídas a partir dos padrões de comportamento local e terão fluxo contínuo. Mas darão forma ao que, de outra maneira, seria uma expansão épica da deformidade. O mundo do entretenimento se auto-organizará em grupos de interesses comuns, criados por um software que rastreia padrões de uso e os coteja com relações de consumidores. Esses grupos serão as redes de televisão e as gravadoras do século XXI. As HBOs e Interscopes continuarão a criar produtos de entretenimento e a lucrar com eles, mas quando os consumidores ligarem seus aparelhos em 2005 para ver o equivalente a *A família Soprano* não estarão ligando a HBO para vê-lo. Estarão sintonizando o grupo "Histórias da Máfia" ou "drama suburbano" ou mesmo "Fã-clube de James Gandolfini". Todos esses grupos — e inúmeros outros — mostrarão o episódio de *A família Soprano*, e a HBO lucrará com a criação de um público o maior possível. A proeminência da própria HBO, porém, diminuirá: a rede, que na verdade oferece o conteúdo, irá tornar-se cada vez mais uma companhia produtora que cria os programas — uma entidade por trás da cena, bastante familiar para os que trabalham na mídia, mas não uma marca conhecida dos consumidores. Você apreciará os programas da HBO, mas se sentirá como pertencendo a seu próprio grupo. E estará certo em se sentir assim, porque desempenhou um papel importante para tornar os grupos reais.

Pense no mundo da mídia como uma simulação StarLogo. Ela começa com uma grade perfeitamente ordenada, como a visão aérea de uma região rural do estado do Kansas: cada rede tem sua programação definida; cada estação de rádio, sua lista de gravações. E então a onda de convergência se abate sobre esse mundo e elimina todas as suas fronteiras. De repente, cada minissérie, cada remix de dança, cada filme de suspense, cada vídeo de música já realizado está disponível em qualquer lugar, a qualquer tempo. A grade se espalha em um milhão de agentes voando ao léu, vagando sem rumo na paisagem, como aquelas células originais de *Dictyostelium discoideum*. Somente caos, nenhuma ordem. E então, vagarosamente, começam a se juntar grupos, formas emergem da ausência de formas. Alguns grupos se transformam em entidades maiores — talvez do tamanho das pequenas redes a cabo — e duram muitos anos. Outros grupos são mais idiossincráticos e efêmeros. Alguns mapeiam o mundo físico ("moradores do centro da cidade"); outros são formados a partir de categorias demográficas ("cidadãos idosos"); muitos aparecem baseados em padrões de nossos gostos culturais que nem sabíamos existir, pois nos faltavam as ferramentas para percebê-los ("Fãs americano-asiáticos de Carroll O'Connor"). Essas novas formas serão como as agregações de células de *Dictyostelium discoideum* que encontramos no início deste livro; ou como as pequenas cidades desabrochando em toda a Europa 800 anos atrás; ou como as comunidades de Paris ou Nova York. Parecerão com essas outras formas porque serão geradas pelos mesmos processos subjacentes: padrões equivalentes, feedback negativo, acaso ordenado, inteligência distribuída. A única diferença é o material de que são feitas: células de enxames, calçadas, zeros e uns.

No fim, o papel mais significativo da Web em tudo isso não envolverá sua capacidade de escoar imagens de vídeo de alta qualidade ou ecoar estrondos de som surround; de fato, é bem possível que o conteúdo real da revolução da convergência chegue por meio de alguma outra plataforma de transmissão. Por sua vez, a Web contribuirá com os metadados que permitirão a auto-organização desses grupos. Ela será o armazém central e o mercado para todos os nossos padrões de comportamento mediado e, em vez de esses padrões serem restritos ao olhar invisível da Madison Avenue ou da TRW, os consumidores poderão explorar por si mesmos esse monte de produtos, para criar mapas comunitários de todos os entretenimentos e dados disponíveis on-line. Talvez você não goste de receber *À beira de um abismo*, enviado por algum outro mensageiro, mas decidirá vê-lo porque o grupo "fãs de Raymond Chandler" recomendou o filme, baseado em suas avaliações anteriores e nas avaliações de milhões de pessoas com mentes semelhantes. O grupo construirá uma teoria de sua mente, e essa teoria será um projeto de grupo, reunido pela Web a partir de um inimaginável número de decisões isoladas. Cada teoria e cada grupo serão mais especializados do que qualquer coisa que já tenhamos experimentado no mundo top-down dos meios de comunicação. Essas habilidades de leitura de mentes surgirão porque, pela primeira vez, nossos padrões de comportamento serão expostos — como as calçadas com que começamos — para o espaço público compartilhado da própria Web.

Isto promete uma autêntica revolução naquilo que significa ser um consumidor de mídia, mas também requer uma revolução comparável no modo como funcionam os negócios. Nenhuma companhia explora mais exaustivamente as possibilidades comerciais de grupos e de organização bottom-up do que o famoso site de leilões eBay. Desde seu lançamento em 1995, o site tem sido um laboratório virtual de experiências com grupos e feedback de auto-regulação. As "notícias" do eBay são quase totalmente geradas por clientes do serviço e pelo comportamento coletivo de grupos específicos de usuários. Os leilões principais, as listagens dos compradores e vendedores mais avaliados, o feedback do usuário, as comunidades formadas em torno de categorias específicas como Coleção de Selos ou Eletrônica, os filtros regionais, as listas com as novas ofertas de pessoas de quem você comprou anteriormente — tudo isso são tentativas para tornar padrões de comportamento de grupo transparentes para os clientes individuais, da maneira como uma comunidade urbana torna visíveis os padrões semelhantes para seus habitantes. O fundador do eBay, Pierre Omidyar, originalmente criou o site para permitir que sua esposa negociasse Pez Dispensers* com outros fanáticos pelo mundo afora; seis anos depois o site abrigava milhares de microcomunidades similares, unidas por interesses comuns. Se o eBay tivesse se restringido a mostrar os itens de colecionadores que estavam na moda naquele mês — Bebês Barnie ou PlayStation2 —, os resultados não teriam sido muito diferentes daqueles verificados em um shopping center tradicional. Mas eles, sabiamente, permitiram que o site se dividisse em milhares de grupos menores, como pequenos redemoinhos na corrente grupal das atividades de seus clientes. Os céticos costumavam argumentar que os leilões on-line nunca se tornariam uma atividade importante porque o meio eletrônico facilita a venda de mercadorias falsas por artistas vigaristas. Esses críticos subestimaram inteiramente a particularidade do software de poder criar sistemas auto-reguláveis, sistemas que separam os vendedores honestos dos patifes, da mesma maneira como os filtros de qualidade do Slashdot separavam qualidade de porcaria. Cada vendedor do eBay tem uma história pública de transações passadas; enganar um comprador com um item falso ou quebrado pode arruinar para sempre a reputação do vendedor. Como a segurança pública das calçadas de Jacobs, a população do eBay se policia com eficiência quase inacreditável, e é por isso que o site atualmente atrai mais de 30 milhões de usuários. E, diferentemente de quase todos os outros sites comer-

---

* Um tipo de embalagem de bala que tem figuras de animais. (N.T.)

ciais da Web, o eBay tem conseguido um lucro constante desde seus primeiros dias. A história de grupos auto-organizados inclui a seda e as fazendas finas vendidas e compradas em Por Santa Maria, Florença, ou na Saville Row em Londres. Mas não subestime a importância dos Pez.

Ainda assim, se o eBay é um exemplo de como sistemas bottom-up têm a capacidade de transformar a relação entre comprador e vendedor, podem os princípios da emergência ser úteis quando aplicados à estrutura interna das organizações? É possível construir sistemas corporativos que se pareçam mais com colônias de formigas do que com economias de comando? Os mercados — mesmo aqueles dominados por megacorporações globais — tendem a trabalhar de maneira descentralizada, mas atualmente as estruturas internas da maioria das empresas se baseiam em organogramas que mais se parecem com estados feudais do que com *Dictyostelium discoideum*. O mercado pode ser bottom-up, mas é habitado por agentes cronicamente comprometidos com a hierarquia. A produção e o desenvolvimento descentralizados têm feito maravilhas para o mundo do software Open Source, em que certos direitos fundamentais de propriedade têm sido rejeitados; contudo, permanece a questão real sobre a possibilidade de que a ala mais possessiva do capitalismo recente modele sua organização interna como as colônias de formigas ou redes neurais. Sem dúvida a imprevisibilidade dos sistemas emergentes torna-os uma plataforma ideal para jogos ou para recomendação de livros, mas ninguém quer um negócio que espontaneamente dispense uma falange de gerentes de nível médio sem razão aparente. O acaso controlado é uma receita brilhante para a vida de uma cidade e para as formigas forrageadoras, mas é difícil imaginar a venda de acionistas como se fossem o presidente-executivo. Projetistas de software como Danny Hillis ou Oliver Selfridge apoiaram-se em técnicas evolutivas para controlar seus sistemas e para forçá-los na direção de objetivos específicos. Mas a evolução requer muitas gerações paralelas para fazer seu trabalho artesanal; nenhum investidor quer ficar esperando enquanto seu investimento cultiva uma estratégia a longo prazo a partir de um milhão de planos aleatórios de negócios.

No entanto, os sistemas emergentes podem ser inovadores e brilhantes e tendem a ser mais adaptáveis a mudanças repentinas do que modelos hierárquicos mais rígidos. Essas qualidades tornam os princípios da inteligência bottom-up tantalizantes para negócios que lutam para se manter em dia com as mudanças do século XXI. Um certo número de companhias, a maior parte concentrada na indústria de alta tecnologia, fez experimentos com as estruturas organizacionais do tipo redes neurais, rompendo o tradicional sistema de departamentos insulares e hierárquicos, e construindo uma rede mais celular e distribuída de unidades menores, geralmente dimensionadas em 12 pessoas.

As unidades podem se congregar em grupos maiores, se precisarem, e esses agrupamentos têm o poder de definir seus próprios objetivos. O papel da alta administração tradicional torna-se menos importante nesses modelos — menos preocupados em estabelecer uma direção para a companhia e mais envolvidos com a motivação dos grupos que geram as idéias melhores. Imagine um sistema corporativo estruturado como os filtros de qualidade de Slashdot: em uma companhia tradicional, o presidente-executivo é quem designa os ocupantes dos cargos; em uma companhia estilo Slashdot, ele meramente mexe com o algoritmo que promove ou rebaixa funcionários com base em suas qualidades. A visão sobre o futuro da companhia vem de baixo, a partir de alianças voláteis de grupos pequenos. A administração superior simplesmente provê o mecanismo de feedback — sob a forma de bônus, opções ou recursos incrementados —, garantindo que os grupos mais produtivos prosperem. Os presidentes-executivos continuam a ter lugar assegurado, mesmo na estrutura corporativa mais distribuída, mas não têm mais a função de líderes. A empresa australiana de software TCG, o Taiwanese Acer Group e a Sun Microsystems implementaram técnicas celulares com resultados positivos. Há mesmo um jornal de teoria de administração dedicado a esses modelos de desenvolvimento. É chamado, bastante apropriadamente, de *Emergência*.

Se a inteligência descentralizada pode transformar o modo como funcionam as empresas, o que pode fazer pela política? Como muitas empresas da Nova Economia adotaram com tanta presteza o ponto de vista da emergência — tanto nos seus produtos quanto na sua estrutura interna —, pode parecer, às vezes, que ela está vinculada diretamente a uma política *libertariana*.* Certamente, a ênfase no controle local e a resistência a sistemas de comando fazem

* Libertarianismo é uma doutrina que defende os direitos dos indivíduos a serem a única autoridade sobre suas vidas, opondo-se, portanto, ao poder regulador do Estado sobre a vida do indivíduo e seus rendimentos. Desse modo, em relação aos serviços prestados pelo Estado, essa doutrina proporia que a Previdência e a Saúde fossem objeto de acordos privados e voluntários. Em relação aos poderes coercitivos, defenderia a posse de armas, o direito a aborto e a descriminalização da prostituição, do uso de drogas e do jogo. Afirma que o mercado livre é uma condição econômica fundamental para a prosperidade e a liberdade. Assim, essa doutrina, que resultou na fundação do Libertarian Party nos Estados Unidos, se aproxima do que costumamos chamar no Brasil de liberalismo econômico e político. Nos Estados Unidos, os libertarianos são associados aos conservadores. Sua diferença com o Partido Republicano reside em sua defesa dos direitos civis dos indivíduos, enquanto os republicanos, embora também defendam o liberalismo econômico e a meritocracia, apegam-se com ardor aos valores familiares e ao controle do comportamento. (N.R.T.)

eco com a proclamação de Newt Gingrich em prol do antigoverno-centralizado. Porém a política da emergência não é tão fácil de classificar. A inteligência das colônias de formigas pode ser o mais atraente argumento do reino animal em favor do poder do coletivo, e pode-se pensar que "conhecimento local" é uma outra maneira de falar de lutas de bases. A direita libertariana gosta de criticar a autoridade centralizadora do Estado, mas pelo menos a maioria dos políticos do mundo de hoje é eleita democraticamente, ao contrário dos executivos da maior parte das corporações multinacionais. O setor público não tem monopólio sobre sistemas top-down, e não há razão para que os progressistas também não adotem estratégias descentralizadas, ainda que essas mesmas estratégias estejam sendo exploradas por ponto.com e pelo pensamento da direita. De fato, as necessidades dos movimentos mais progressistas se adequam particularmente aos sistemas auto-organizáveis, adaptáveis: ambos têm um aguçado ouvido para a sabedoria coletiva; são naturalmente hostis à excessiva concentração de poder; e recebem bem as mudanças. Para qualquer movimento que almeje ser realmente global, tornando praticamente impossível a dependência de um poder centralizado, a auto-organização adaptativa pode ser o único caminho disponível.

Em parte alguma as possibilidades progressistas da emergência são mais evidentes do que nos movimentos de protesto contra a Organização Mundial do Comércio (OMC), modelados explicitamente segundo as estruturas celulares, distribuídas, os sistemas auto-organizáveis. Os protestos de Seattle em 1999 se caracterizaram por uma extraordinária forma de organização distribuída: grupos de afinidades menores, representando causas específicas — críticos antiNike, anarquistas, ambientalistas radicais, sindicalistas — operavam independentemente na maior parte do tempo e juntavam-se somente para assembléias ocasionais, em que cada grupo elegia um único membro para representar seus interesses. Sobre o assunto, escreveu Naomi Klein, em *The Nation*: "Em algumas demonstrações, os ativistas levam faixas para simbolizar seu movimento. Quando chega a hora da reunião, põem as faixas no chão, conclamando: 'Todos os manifestantes sobre a faixa', e a estrutura se torna um conselho na rua." Para alguns progressistas mais velhos, criados na tradição mais hierárquica dos movimentos trabalhistas do passado, esses diversos "grupos de afinidade" parecem irremediavelmente dispersos e desfocalizados, sem linguagem comum ou unidade ideológica. É quase impossível pensar sobre qualquer outro movimento político que tenha gerado tanta atenção pública sem produzir um líder genuíno — um Jesse Jackson ou Cesar Chavez —, se não por outra coisa, para o benefício das câmeras de televisão. As imagens que associamos aos protestos antiglobalização nunca são de uma multidão em adoração, levantando os punhos em solidariedade a um orador apaixonado em um palco. Essa é a iconografia de um modelo de protesto arcaico. O que vemos cada vez mais com a nova onda são imagens de grupos distintos: bonecos satíricos, anarquistas vestidos de preto e artistas performáticos — mas nenhum líder. Para os progressistas da velha escola, os manifestantes de Seattle pareciam estar sem comando, fora de controle, um enxame de pequenas causas sem qualquer princípio organizador — e, em certo sentido, eles estão certos em sua avaliação. O que lhes falta reconhecer é que pode haver poder e inteligência em um enxame, e se você está tentando lutar contra uma rede distribuída como o capitalismo global, é melhor mesmo se tornar um rede distribuída.

Sem dúvida, isto não é motivo para adotar a pura anarquia. As colônias de formigas não têm líderes no sentido real, mas baseiam-se em regras rígidas: como ler padrões na trilha de feromônio, quando mudar do carregamento de alimentos para a construção do ninho, como responder a outras formigas, e assim por diante. Uma colônia de formigas sem regras locais não tem chances de criar uma ordem de nível superior, nem uma inteligência coletiva. Os movimentos antiglobalização estão somente começando a imaginar as regras apropriadas de engajamento entre as diferentes células. Os conselhos de representações de Seattle foram um começo promissor, mas aprender como se juntar leva tempo. Naomi Klein escreveu ainda: "O que surgiu nas ruas de Seattle e Washington foi um modelo de ativista que reflete os caminhos orgânicos e interligados da Internet." Mas, como vimos inúmeras vezes nas páginas precedentes, mesmo a Web — o maior e mais avançado sistema auto-organizável feito pelo homem — somente agora está se tornando capaz de representar verdadeira inteligência coletiva. De um modo geral, as habilidades de leitura de mente da Web são, no máximo, embrionárias, porque ainda estamos mexendo nas regras do sistema, tentando descobrir como os grupos adaptativos e inteligentes podem prosperar on-line. E se a inteligência coletiva da Web está na infância, imagine quanto os novos movimentos de protesto ainda têm para crescer. Até agora seus instintos parecem sólidos. Por trás do quebra-quebra de janelas e dos concertos de Raiva Contra a Máquina, os ativistas anti-OMC estão fazendo algo profundo, mesmo nesses primeiros dias do movimento. Estão pensando como um enxame.

CAPÍTULO 7

Veja o que acontece

Durante anos os matemáticos vêm tratando de um clássico enigma conhecido como o "problema do caixeiro-viajante". Imagine que você seja um vendedor e tenha que visitar 15 cidades em uma viagem de negócios — cidades que estão distribuídas meio ao acaso no mapa. Qual o melhor roteiro para levá-lo a cada cidade somente um vez? Parece uma questão bastante simples, mas a resposta é tremendamente difícil. Mesmo que o número de cidades — as 15 — seja relativamente modesto, existem bilhões de rotas potenciais para nosso vendedor. Por motivos complicados, o problema do caixeiro-viajante é quase impossível de ser resolvido definitivamente; então, ao longo da história, matemáticos — e, possivelmente, caixeiros-viajantes — estabeleceram a segunda melhor estratégia: roteiros que sejam toleravelmente pequenos, mas não necessariamente os mais curtos.

Isso pode parecer uma meta antiga, dado que quase não existem mais caixeiros-viajantes no mundo real, mas os elementos centrais do problema estão no epicentro da revolução das comunicações. Pense nos caixeiros-viajantes como elementos de dados e nas cidades como roteadores e servidores da Web espalhados por todo o globo. Ser capaz de calcular a rota mais curta através dessa rede seria uma dádiva para um sistema altamente distribuído como o da Internet, em que pode haver milhares de "cidades" em qualquer rota dada, em vez de somente 15. O caixeiro-viajante pode ter sido eliminado de vez por empresas on-line como a Amazon.com, mas o *problema* do caixeiro-viajante tornou-se mais crítico para o mundo digital.

No fim de 1999, Marco Dorigo, da Universidade Livre de Bruxelas, anunciou que ele e seus colegas tinham concebido um modo de alcançar uma solução "próxima do ótimo" para o problema do caixeiro-viajante — uma solução muito mais eficiente quanto ao tempo gasto do que qualquer outra abordagem anterior. O segredo de Dorigo: deixe as formigas fazerem o trabalho.

Certamente, não formigas literalmente falando. Como vimos no princípio deste livro, as colônias de formigas têm uma misteriosa habilidade de calcular o menor percurso para diferentes fontes de alimento, usando sua simples linguagem das trilhas de feromônio. A perspicácia de Dorigo foi resolver o problema da maneira como uma colônia de formigas faria: mandar um exército de vendedores virtuais explorar todas as possibilidades do mapa. Quando um vendedor completa com sucesso a viagem a todas as 15 cidades, ele marca seu roteiro de volta à cidade inicial depositando uma pequena quantidade de "feromônio" virtual no caminho. Como a quantidade total de feromônio é finita, quantidades menores são colocadas ao longo das rotas mais longas, e quantidades maiores nas rotas mais curtas. Com milhares de formigas explorando o mapa, algumas partes das rotas mais curtas rapidamente acumulam grossas camadas de feromônio, enquanto roteiros menos eficientes quase não têm nenhum. Depois da primeira rodada de exploração, uma nova fornada de vendedores virtuais é enviada e encorajada a seguir as rotas que tiveram a maior dosagem de feromônio. Após várias repetições, o enxame de vendedores começa a usar as rotas mais curtas, alcançando uma solução próxima do ótimo para o problema do caixeiro-viajante, sem usar nada parecido com cálculo tradicional ou um solucionador central de problemas. Desde o anúncio dos resultados de Dorigo, a France Telecom, a British Telecommunications e a MCI têm aplicado estratégias de roteamento tipo formiga à telefonia e redes de dados. Os primeiros estudos mostram que a estratégia de Dorigo é significativamente mais eficiente do que a rotina "Abra o caminho mais curto primeiro" (Open Shortest Path First) usada pela Internet para distribuição de dados entre nós da rede. Daqui a alguns anos, nossas interações on-line poderão ser sustentadas pelo poder bottom-up da inteligência de enxame. E, novamente, as formigas terão descoberto isso bem antes de nós.

Que tipos de dados essas futuras redes transmitirão? Logo depois da publicação deste livro, a Net estará fervilhando com os habitantes digitais da última criação de Will Wright, The Sims on-line. Fusão de The Sims e SimCity, o jogo permite que se construam cidades coletivamente, como parte de uma intensa colaboração em rede. Diferentemente dos dois jogos anteriores, todos os cidadãos do mundo são controlados por seres humanos reais, ligados ao sistema em todo o globo. Como em The Sims, você pode entrar na sala de seu próprio personagem ou visitar a casa de um amigo de rua para um churrasco. Mas também pode ver toda a paisagem que os jogadores criaram. Um primeiro rascunho do jogo que Wright me mostrou incluía um brilhante sistema de comunidade que parecia saído diretamente das páginas de Jane Jacobs. As comunidades da cidade são definidas bottom-up, à medida que os jogadores estabelecem suas propriedades em várias regiões do espaço virtual. Qualquer jogador pode criar sua própria comunidade, do mesmo modo como pode dar um nome para um personagem virtual na tela. Mas você também pode convencer seus vizinhos a adotarem o nome de sua comunidade. Quando um certo número de cidadãos declara sua fidelidade a uma comunidade específica, o sistema reconhece oficialmente aquele distrito e dá a ele uma cartela especial, além de várias possibilidades de impostos. Quanto maior a comunidade, maior a cartela e mais lucrativos os benefícios. É um casamento clássico entre crescimento bottom-up e administração top-down: deixe as comunidades partirem de baixo, mas dê incentivos ao sistema para encorajar seu crescimento.

Nosso recém-descoberto acesso para as cidades virtuais na tela do computador não diminuiu nosso apetite pela vida urbana do mundo real. Cinco anos atrás, a maioria dos críticos sociais de questões digitais predizia que o crescimento da Web e de vários outros mecanismos de telecomutação seria um golpe de morte para a vida da cidade, pondo fim a um processo de 40 anos, iniciado com a revoada para o subúrbio dos anos pós-guerra. Todos nós estaríamos vivendo, em dez anos, no nosso rancho de Wyoming, e ligando para o escritório, em vez de segurar nos apoios de um metrô apinhado de gente. De todas as arrogantes previsões de meados da década de 1990, nenhuma mostrou-se mais mal-orientada do que os destinos previstos para a vida urbana. A revolução digital foi um tremendo energizador para os densos centros urbanos como São Francisco, Nova York e Seattle — por motivos que datam dos sistemas de associações e grupos comerciais da Florença do século XII. Indústrias que funcionam com idéias gravitam naturalmente em direção aos centros físicos de geração de idéias, mesmo em uma era de transmissão instantânea de dados. Mentes brilhantes com interesses semelhantes ainda se agregam, mesmo quando têm modem sem fio e banda larga em suas salas. Atualmente comunidades menores estão tentando aprender com o dinamismo centrado das ruas da cidade orgânica tradicional: o movimento do Novo Urbanismo começou a transformar as práticas de desenvolvimento suburbano dos Estados Unidos, seguindo as regras expostas por Jane Jacobs há quase meio século: quarteirões menores, calçadas mais vivas, zoneamento de múltiplos usos e transporte baseado no pedestre. Apesar do tufão da revolução digital — ou, talvez em parte graças a ele —, a cidade auto-organizável no velho estilo é hoje tão vital e relevante quanto sempre foi.

Sem dúvida a vitalidade tem suas desvantagens: aluguéis, multidões, engarrafamentos. Mesmo nas cidades mais centradas em calçadas, o fluxo de automóveis através dos complexos cruzamentos das ruas coloca um problema organizacional que rivaliza com o tráfego de informação na World Wide Web.

Durante décadas, os urbanistas construíram sistemas cada vez mais complicados para direcionar os automóveis por ruas congestionadas, observando os padrões de tráfego e mexendo nos sinais de trânsito e mãos das ruas onde surgem problemas. Mas o tráfego de uma cidade é um problema de complexidade organizada, e a melhor maneira de tratá-lo é adotando soluções bottom-up, e não top-down. Quase 50 anos após o aparecimento da idéia do Pandemôno, Oliver Selfridge envolveu-se no desafio de achar uma solução exatamente para isso, construindo uma rede de aprendizagem de sinais luminosos, que encontrará um sistema ótimo em situações de mudança. Selfridge quer atacar o problema do tráfego do modo como Danny Hillis atacou o problema da classificação de números: dando à rede o objetivo geral de minimizar os atrasos, mas deixando o sistema global imaginar os detalhes, usando as ferramentas de feedback, a interação entre vizinhos e o reconhecimento de padrões, que são as marcas de qualidade de todos os sistemas auto-organizáveis. Engarrafamentos de tráfego são uma forma particularmente rude de comportamento emergente, e durante anos temos lutado contra eles com soluções de engenharia. Selfridge quer tirar os planejadores da equação. Tornar os sinais luminosos mais inteligentes — conectando-os e alimentando-os com informações sobre retenções e acidentes — é uma solução que, de fato, pode administrar o problema imenso e em mutação constante do movimento urbano. Você pode dominar a obstrução da rede tornando a própria rede mais inteligente.

O que liga todos esses desenvolvimentos? Imagine poder acompanhar conceitualmente um instantâneo de vida em movimento daqui a dois ou três anos — um movimento de escala em escala, como no fabuloso filme de Charles e Ray Eames, *Powers of Ten*, que começa com uma vista da Via Láctea e dali faz um zoom até uma pessoa em um parque de Chicago e depois prossegue até as partículas subatômicas na mão do personagem.

Só que em nosso longo zoom encontramos, em cada escala, o mesmo comportamento repetindo-se inúmeras vezes. Comecemos na escala da própria cidade, suas comunidades pulsando e prosperando como fazem há séculos, enviando sinais para o mundo e atraindo seres humanos para dentro delas, como enormes ímãs globais. O fluxo de pessoas na cidade é agora regulado por uma inteligente rede de tráfego, que evolui e aprende em resposta aos padrões de movimento dos automóveis. Você e eu vivemos em um desses imensos sistemas, contribuindo para seu contínuo desenvolvimento, da mesma maneira como uma única célula de *Dictyostelium discoideum* contribui para uma maior agregação — e como parte de nossa vida na cidade, nos entretemos simulando, em um jogo na tela de nosso computador, a energia auto-organizável da vida urbana, construindo comunidades virtuais juntamente com milhares de outros jogadores ligados em rede no mundo todo. Na escala da cidade e na escala da tela, nossas vidas englobam os poderes da emergência.

Agora faça um zoom em outro nível, nos dados individuais que transmitem a nossa construção virtual de cidades para nossos compatriotas da rede. Eles também encontram seu caminho na infoesfera, fazendo uso da lógica distribuída do comportamento de enxame, elaborando seus itinerários complexos a partir de baixo. A rede é esperta, mas sua inteligência é a de uma colônia de formigas, não a de um Estado centralizado. E como apareceram essas novas redes espertas? Descendo mais um nível na cadeia, chegamos às redes neurais da mente humana e sua extraordinária aptidão para reconhecer padrões. A mente de um pesquisador em Bruxelas vê uma conexão entre o comportamento coletivo de colônias de formigas e os problemas de roteamento comuns a redes de informação em larga escala — ele vê a conexão porque seu cérebro contém um dispositivo maravilhosamente ágil para detectar padrões compartilhados em campos distintos. Esse dispositivo funciona em sua própria lógica de enxame, sem nenhum escritório central de comando. Um tipo de inteligência descentralizada (o cérebro humano) apodera-se de uma nova maneira de aplicar as lições de outra inteligência descentralizada (as formigas), as quais então servem como uma plataforma (a rede) para transmissão de outro tipo (as cidades virtuais), que apreciamos sentados com segurança em nossos apartamentos nas comunidades do maior sistema auto-organizável já feito pelo homem (a cidade real). É a emergência em toda a cadeia.

Pode essa cadeia se estender em novas direções — tanto na escala atômica da informação digital quanto na macroescala dos movimentos coletivos? Será que os computadores — ou as redes de computadores — vão se tornar autoconscientes nos próximos anos, usando a abertura adaptativa do software emergente? Será que os novos sistemas ou movimentos políticos vão se modelar explicitamente a partir da inteligência distribuída da colônia de formigas ou da comunidade da cidade? Será que existe um quarto estágio na rede em desenvolvimento da emergência que nos leve para além dos leitores de mentes, para algo ainda mais parecido com a vida? Será que existe um genuíno cérebro global no nosso futuro e será que nos reconheceremos nele quando ele chegar?

Certamente o mundo nunca esteve tão bem preparado para que esses desenvolvimentos se tornem realidade; se não entrarmos na quarta fase da emergência nas próximas décadas, não será por falta de tentativas. Mas é tanto a promessa quanto o perigo da lógica de enxame que fazem com que a previsão do comportamento de um nível mais alto seja quase impossível. Realmente você nunca sabe o que está na outra extremidade de uma fase de transição até apertar o botão de partida para descobrir. Essa é a lição da receita de Gerald Edelman para a simulação de um organismo em carne e osso: você propõe um sistema com vários dispositivos de reconhecimento de padrões e círculos de feedback e liga o organismo virtual a um ambiente simulado. E, depois, vê o que acontece.

Mesmos os mais otimistas paladinos da auto-organização sentem-se um pouco cautelosos quanto à falta de controle de um processo desse tipo. Mas entender a emergência sempre incluiu desistir de controle, deixar o sistema governar a si mesmo tanto quanto possível, deixá-lo aprender a partir de passos básicos. Já caminhamos bastante no sentido de entender a emergência, de forma a construir sistemas em escala pequena para nosso entretenimento e aperfeiçoamento, e também a apreciar mais cuidadosamente o comportamento emergente que já existe em cada escala na nossa experiência de vida. Será que há novas escalas a conquistar, novas revoluções que deixarão as revoluções top-down da era industrial parecerem consideravelmente menores? Na escala de um século, ou de um milênio, pode não haver pergunta mais interessante e mais difícil de ser respondida.

Notas

Introdução

PÁGINA 9: Sem qualquer recurso cognitivo: "When Slime Is Not So Thick" [Quando o *Dictyostelium discoideum* não é tão grosso], BBC News, 27 de agosto de 2000.

PÁGINA 11: Qualquer pessoa que já tenha: De fato, sabemos hoje que estamos mais próximos das colônias de *Dictyostelium discoideum* do que pensávamos: "Bactérias de diferentes tipos se juntaram, mais de um bilhão de anos atrás para formar a 'célula eucariótica'. É o nosso tipo de célula, com um núcleo e outras partes internas complicadas, muitas delas colocadas juntas por membranas internas complexamente dobradas, como a mitocôndria que assinalei rapidamente na figura 5.2. A célula eucariótica hoje é vista como derivada de uma colônia de bactérias. As células eucarióticas depois se juntaram em colônias." Dawkins, 1996, p.286-87.

PÁGINA 11: Se conseguirmos imaginar: "Realmente, é apenas mais do que uma antecipação filosófica da teoria celular, de acordo com a qual a maioria dos animais e das plantas de tamanho moderado e todos aqueles de grandes dimensões são feitos de unidades, as células, que têm muitos, se não todos, dos atributos dos organismos vivos independentes. Os organismos multicelulares podem, eles próprios, ser os tijolos de organismos de um estágio mais alto, como a 'caravela', que é uma complexa estrutura de pólipos celenterados diferenciados, na qual vários indivíduos são modificados de maneiras diferentes para servir à nutrição, à locomoção, à excreção, à reprodução e ao apoio da colônia como um todo." Wiener, p.155.

PÁGINA 11: "Eu fazia parte": Entrevista com Evelyn Fox Keller, feita em julho de 2000.

PÁGINA 11: Embora o campo da biologia: "Alan conhecia a conferência de Schrödinger de 1943, intitulada 'O que é a vida', que expunha a idéia crucial de que a informação genética deve ser armazenada em nível molecular e que a teoria quântica da vinculação molecular poderia explicar como essa informação poderia ser preservada por bilhões de anos. Em Cambridge, Watson e Crick estavam ocupados na disputa com seus rivais para estabelecer se isso realmente acontecia e como.

Mas o problema de Turing não era seguir a sugestão de Schrödinger, e sim encontrar uma explicação paralela sobre como uma sopa química, garantida a produção de moléculas pelos genes, podia fazer surgir um padrão biológico. Ele se perguntava como a informação contida nos genes poderia ser transformada em ação. Assim como a contribuição de Schrödinger, o que ele fez se baseou em princípios matemáticos e físicos, não em experiências; foi uma trabalho de imaginação científica." Hodges, p.431.

PÁGINA 11: O artigo de Turing: "Antes da guerra [Turing] havia lido o clássico trabalho do biólogo D'Arcy Thompson, *Growth and Form*, publicado em 1917, mas que continuava sendo a única discussão matemática sobre estrutura biológica. Ele ficou particularmente fascinado pelo aparecimento na natureza dos números de Fibonacci — a série que começava com

1, 1, 2, 3, 5, 8, 13, 21, 34, 55, 89 ...,

na qual cada termo é a soma dos dois anteriores. Eles ocorriam nos padrões de flores e disposições de folhas de muitas plantas comuns — uma conexão entre a matemática e a natureza, para os outros mera curiosidade, mas para ele tremendamente instigante." Idem, p.207.

PÁGINA 12: E se não houvesse um líder?: Evelyn Fox Keller, "The Force of the Pacemaker Concept in Theories of Aggregation in Cellular Slime Mold", *Reflections on Gender and Science*, Yale University Press, 1996.

PÁGINA 13: Na realidade, a hipótese: Resnick, p.122.

PÁGINA 13: reinar como modelo: "[O modelo de Keller-Segel] recebeu muito pouca atenção e jamais apareceu um comentário sobre ele. Em vez disso, a atenção foi desviada dos modelos teóricos de campo para os modelos da célula individual. Em parte, esse desvio de interesse pode ter decorrido da falta, no modelo de Keller-Segel, de previsão para a oscilação de onda global do campo de agregação.... Porém, mais do que isto, decorreu provavelmente de uma antipatia filosófica por modelos holísticos." Garfinkel, p.187.

PÁGINA 13: O feito de Segel e Keller: "O processo de agregação do *Dictyostelium discoideum* é visto hoje como um exemplo clássico de comportamento auto-organizável." Idem, p.51.

PÁGINA 14: também desvendou: Em *Morte e vida das grandes cidades americanas*, Jane Jacobs descreve a mentalidade de descentralização da seguinte forma: "Em princípio, são as mesmas táticas que devem ser usadas para entender e ajudar as cidades. No caso de entender as cidades, eu acho que os mais importantes hábitos de pensar são: 1. Pensar sobre processos; 2. trabalhar por indução, raciocinando do particular para o geral, e não o contrário; 3. procurar por pistas 'fora da média' envolvendo quantidades bem pequenas, que revelam o modo como operam as quantidades maiores e mais periódicas da 'média'", p.440.

PÁGINA 14: Marvin Minsky, nas redes: Marvin Minsky, *The Society of Mind*.

PÁGINA 14: Em uma linguagem mais técnica: Ilya Prigogine e G. Nicolis, *Explorando a complexidade*.

PÁGINA 16: Comparando as células: "Compreender uma coisa apenas de uma maneira é um modo muito frágil de compreensão. Marvin Minsky disse que, para uma pessoa realmente entender algo, precisa compreendê-lo, no mínimo, de duas maneiras diferentes. Cada forma de pensar sobre algo reforça e aprofunda cada uma das outras. Compreender uma coisa de várias formas produz uma compreensão total mais rica e de natureza diferente da maneira única de compreensão." Resnick, p.103.

PÁGINA 16: A auto-organização tornou-se: O Instituto Santa Fé é certamente mais famoso por causa de seu trabalho no campo da "teoria do caos". "Tal como foi observado por Farmer e Packard (1986), o estudo dos sistemas auto-organizáveis é, de certa maneira, o 'oposto relativo' do estudo do caos: nos sistemas auto-organizáveis, os padrões de ordenação surgem do acaso de nível mais baixo; nos sistemas caóticos, o comportamento imprevisível emerge de regras determinísticas de nível mais baixo." Idem, p.14.

PÁGINA 16: Mas na terceira fase: Jane Jacobs descreve esses sistemas como "sistemas dinamicamente estáveis": "Todo tipo de sistema que não é inerte nem desintegrado. Isso inclui todos os sistemas vivos: ecossistemas, organismos, células componentes dos organismos, microorganismos. Também inclui muitos sistemas inanimados: rios, a atmosfera, a crosta terrestre. Assentamentos humanos, empresas de negócios, economias, governos, países, civilizações — todos são sistemas dinâmicos estáveis." Jacobs, 2000, p.85.

PÁGINA 17: A primeira seção: "A dinâmica da vida de uma colônia de formigas tem alguns aspectos em comum com muitos outros sistemas complexos: Unidades bastante simples geram comportamento global complicado. Se soubéssemos como uma colônia de formigas funciona, poderíamos entender melhor como todos esses sistemas funcionam, desde cérebros até ecossistemas. Como ainda não compreendemos nenhum sistema complexo natural, acho prematuro dizer a que nível de generalização teórica poderemos chegar. A intrigante pergunta sobre distribuição de tarefas é: como pode a reação simples de uma formiga a eventos locais produzir no conjunto um comportamento de colônia? Perguntas do mesmo tipo são freqüentes na biologia: como os neurônios respondem uns aos outros de modo a produzir pensamentos? Como as células respondem umas às outras de modo a produzir os diferentes tecidos de um embrião em desenvolvimento? Como as espécies interagem para produzir mudanças previsíveis, ao longo do tempo, em comunidades ecológicas? Essas são as grandes questões gerais da biologia e muitos de nós sonhamos que, quando tivermos as respostas dos diferentes campos da biologia, será possível ver processos similares funcionando nas células e nos ecossistemas." Gordon, p.141-42.

PÁGINA 17: O debate épico: Norbert Wiener faz uma observação paralela em *Cibernética*: "Este desejo de produzir e estudar autômatos sempre foi expresso em termos da técnica utilizada em cada época. Nos dias da magia, temos o conceito bizarro e sinistro do Golem, aquela figura de barro na qual o Rabino de Praga insuflou vida com a blasfêmia do Inefável Nome de Deus. No tempo de Newton, o autômato se torna a caixa de música a corda, com as pequenas efígies fazendo piruetas na parte de cima. No século XIX, o autômato é a glorificada máquina a vapor, queimando combustível em vez do glicogênio dos músculos humanos. Finalmente, o autômato atual abre portas por meio de fotocélulas ou aponta armas para o lugar em que um avião aparece no radar ou resolve por computação uma equação." Wiener, p.39-40.

Capítulo 1

PÁGINA 21: "E depois podemos": Entrevista com Deborah Gordon em setembro de 1999.

PÁGINA 22: "Seria fisicamente": Gordon, p.117.

PÁGINA 23: As formigas cortadeiras: Como argumentou o legendário biólogo W.D. Hamilton em um famoso texto de 1964, a coesão social das colônias de formigas está ligada de modo interessante à genética desses insetos: enquanto você compartilha cerca da metade de seus genes com seus irmãos, as formigas irmãs que povoam uma colônia dividem três quartos de seus genes, graças a um complicado processo de determinação de sexo nas sociedades das formigas. Esses genes compartilhados implicam um maior interesse comum na preservação — maior mesmo que na ligação entre pai e filho. Estar no mesmo "barco genético" tende a fomentar maior cooperação: "Sejam vocês um feixe de genes ou de memes, se estão no mesmo barco, estão fadados a morrer, a menos que se engagem em uma coordenação produtiva. Para os genes, o barco tende a ser uma célula, ou um organismo multicelular, ou ocasionalmente, como veremos dentro em pouco, um grupo mais frouxo, como uma família; para os memes, o barco é, muitas vezes, um grupo social maior — uma aldeia, um reino, um estado, uma seita religiosa, os Escoteiros da América, qualquer coisa. A evolução genética então tende a criar organismos finamente integrados e a evolução cultural tende a criar grupos de organismos finamente integrados." Wright, p.257.

PÁGINA 23: Em outras palavras: A distinção entre a colônia ser dependente da rainha ou ser de fato *controlada* por ela foi obscurecida por alguns comentaristas que se referiram às sociedades dos insetos para expressar seu pensamento sobre a organização social humana. "Além das comunidades humanas, a guerra existe somente entre os insetos sociais, que foram precursores do homem urbano no que tange a atingir uma complexa comunidade de partes altamente especializadas.

"Até onde as observações externas podem mostrar, certamente não há religião ou sacrifício ritual nessas comunidades de insetos. Mas as outras instituições que acompanharam o crescimento da cidade estão todas presentes: a divisão estrita de trabalho, a criação de uma casta militar especializada, as técnicas de destruição coletiva, acompanhadas por mutilação e assassinato, a instituição da escravidão e até mesmo, em certas espécies, a domesticação de plantas e animais. Ainda mais significativo, as comunidades de insetos que exibem esses traços gabam-se da instituição que considerei como central em todo esse desenvolvimento: a instituição da monarquia. O rei, ou seu equivalente feminino, a rainha, foi incorporado como um fato biológico supremo nessas sociedades de insetos; o que é somente uma crença mágica nas primeiras cidades, de que a vida de toda a comunidade depende da vida do monarca, é uma condição real em insetópolis. Da saúde, segurança e capacidade reprodutiva da rainha depende, de fato, a continuidade da colônia. Aqui, e somente aqui, encontra-se uma agressão coletiva organizada por uma força militar especializada como havia nas primeiras cidades." Mumford, 1961, p.46.

PÁGINA 25: Isso constitui uma: Informação sobre a história de Manchester de Marcus, p.5-6.

PÁGINA 26: "Dessa vala imunda": Citado em Marcus, p.15. "Considerando essa nova área urbana em seus termos físicos mais baixos, sem referência a suas facilidades sociais ou a sua cultura, é obvio que nunca antes, no registro da história, quantidades tão grandes de pessoas viveram em ambiente tão selvagemente deteriorado, feio na forma, degradado no conteúdo. Os escravos das galés do Oriente, os miseráveis prisioneiros das minas de prata atenienses, o proletariado desprezado de Roma — sem dúvida, essas classes conheceram uma imundície comparável; mas nunca antes a desgraça humana foi tão universalmente aceita como normal: normal e inevitável." Mumford, 1961, p.474.

PÁGINA 26: Seus três anos: "... é difícil conceber como Engels poderia fazer esse investimento excepcionalmente profundo e durável em si mesmo, se não tivesse havido um passado em que ele pudesse confiar. Por um lado, ele era um jovem que pretendia quebrar laços anteriores. Por outro, ele sabia em alguma parte de si mesmo que esses laços eram construídos de material inquebrável. Pode-se colocar de outra forma. Não é depreciar muito a realidade existencial de sua decisão dizer que ele estava pulando um abismo com um pára-quedas. Ou talvez seja; talvez seja uma das maneiras de distinguir entre as qualidades das escolhas existenciais e históricas em seus modos clássicos, entre o pós-hegeliano Kierkegaard e os pós-hegelianos Marx e Engels." Marcus, p.128.

PÁGINA 27: "Ainda assim ... não": "Para os locais de negócios no centro da cidade pelos itinerários mais curtos, que cortam os bairros da classe trabalhadora, sem nem mesmo notar como estão próximos da mais esquálida miséria, que fica rente a eles em ambos os lados da rua. Isso ocorre porque as ruas principais que vão da Bolsa para todas as direções da cidade são ocupadas quase ininterruptamente dos dois lados por lojas que pertencem às classes média e média-baixa." Engels, p.86.

PÁGINA 27: "Na verdade, trata-se": "Suas casas ficam fora do cinturão da classe trabalhadora e entre esse cinturão e as propriedades suburbanas mais bem situadas da classe média alta. E suas lojas e pequenos negócios estão localizados nas principais vias públicas — atuando, por assim dizer, como isoladores do sistema de comunicação da cidade. Portanto, sua localização no espaço é intermediária em ambas as conjunturas críticas. E sua posição intermediária não é meramente estrutural, mas também funcional. Eles atuam como amortecedores entre extremos antagônicos." Marcus, p.172-73.

PÁGINA 28: "O método de": Citado em Buck-Morss, p.269.

PÁGINA 30: Não há necessidade: "...o Barão von Haussmann, durante a construção do bulevar de Saint-Michel, aquela árida e barulhenta via pública, rasgada no centro do antigo Quartier Latin, que tinha sido quase uma entidade autônoma desde a Idade Média. E ele adotou o mais simples de todos os métodos para melhorar uma parte da área: arrasou-a. Não somente pôs abaixo as construções em volta das Escolas, mas, de um golpe, cortou parte dos Jardins do Palácio de Luxemburgo, sacrificando o caráter histórico específico do bairro, e todos os objetivos e necessidades humanas complexas a que o bairro servia, em favor de avenidas largas, linhas retas e tráfego desimpedido de veículos. Esses clichês barrocos de poder, dificilmente disfarçados, estenderam-se diretamente até o século XX: como se viu na extensão da Sétima Avenida através do antigo bairro histórico de Nova York que tinha integridade e caráter ou, similarmente, na destruição ainda maior causada pelo mal pensado Bulevar Benjamin Franklin em Filadélfia — um corte brutal do qual a cidade não se recuperou em mais de trinta anos." Mumford, 1961, p.388.

PÁGINA 30: O padrão agora: Hodges, p.428-29.

PÁGINA 30: Como parte de: "O argumento dependia de a chave ser absolutamente sem padrão, e dispersada uniformemente sobre os dígitos possíveis, pois do contrário o analista teria razão em preferir um ou outro palpite. Na realidade, discenir um padrão na aparente falta de padrões era essencialmente o trabalho de um criptógrafo, assim como do cientista." Idem, p.154.

PÁGINA 32: Na mesma manhã: Idem, p.466.

PÁGINA 32: Shannon e Turing: Idem, p.251.

PÁGINA 33: Mas Shannon o levou: "Shannon sempre foi fascinado pela idéia de que uma máquina seria capaz de imitar o cérebro; ele estudou neurologia, e também matemática e lógica, e encarou seu trabalho sobre o analisador diferencial como um primeiro passo em direção à máquina pensante. Eles descobriram que sua perspectiva era a mesma: não havia nada sagrado sobre o cérebro, e se uma máquina pudesse funcionar como um cérebro, então ela poderia pensar — embora nenhum dos dois propusesse um modo particular para conseguir isso. Tratava-se de uma Casablanca oculta, planejando tomar não a Europa, mas o espaço interior." Idem.

PÁGINA 33: Denso, com equações: "Estamos começando a ver que elementos tão importantes como os neurônios, os átomos do complexo nervoso do nosso corpo, realmente trabalham sob as mesmas condições dos tubos a vácuo, com sua potência relativamente fraca suprida de fora pela circulação, e que o registro mais essencial para a descrição de suas funções não é baseado em energia. Em resumo, o recente estudo sobre autômatos, quer no metal ou na carne, é um ramo da engenharia de comunicação e suas noções cardeais são mensagem, quantidade de distúrbios ou 'ruído' — um termo tirado da telefonia —, quantidade de informação, técnica de codificação, e assim por diante." Wiener, p.42.

PÁGINA 34: "O método estatístico": Weaver, p.66.

PÁGINA 35: "São problemas que": Idem, p.69.

PÁGINA 35: "As grandes questões": Idem, p.71.

PÁGINA 35: Para resolver os: "...diferentemente das equações lineares (o tipo mais predominante na ciência), as não-lineares são muito difíceis de resolver analiticamente e demandam a utilização de simulações numéricas detalhadas, feitas com a ajuda de máquinas digitais. Esta limitação das ferramentas analíticas para o estudo da dinâmica não linear torna-se ainda mais restritiva no caso das combinatórias não lineares. Nesse caso, certas combinações mostrarão propriedades emergentes, isto é, propriedades da combinação como um todo, as quais são muito mais do que a soma das partes individuais. Essas propriedades emergentes (ou 'sinérgicas') pertencem às interações entre partes; portanto, conclui-se que uma abordagem analítica top-down que começa com o todo e disseca-o em suas partes constituintes (um ecossistema em suas espécies, uma sociedade em suas instituições) acaba por perder precisamente essas propriedades. Em outras palavras, analisar um todo em partes e depois tentar modelá-lo pela adição de seus componentes não possibilitará a captura de nenhuma propriedade que emergiu a partir das interações complexas, pois o efeito das últimas pode ser multiplicativo (por exemplo, realce mútuo), e não somente aditivo." De Landa, 1977, p.17-18.

PÁGINA 37: Ela acabara de: "Então no meio da década de 1950, o sr. Moses deu um avanço com um plano novo para a erosão. Envolvia uma grande auto-estrada desvalorizada cortando o centro do parque e fazendo uma ligação para o transporte de tráfego pesado de alta velocidade entre o centro de Manhattan e uma vasta e escancarada via expressa e a Radiant City, as quais o sr. Moses estava tramando construir no sul do parque." Jacobs, 1961, p.360-61.

PÁGINA 37: "Esta ordem é": Idem, p.50

PÁGINA 37: "Podemos desejar análises": Idem, p.434.

PÁGINA 38: O livro de Jacobs: Embora discordasse de Jacobs em várias frentes, Lewis Mumford também usava a linguagem da emergência para descrever o desenvolvimento da cidade no mesmo período: "A cidade apareceu como uma emergência limitada na comunidade paleoneolítica: emergente no sentido explícito do conceito, conforme usado por Lloyd Morgan e William Morton Wheeler. Na evolução emergente, a introdução de um novo fator não somente se adiciona à massa existente, mas também produz uma mudança geral, uma nova configuração, que altera suas propriedades. Potencialidades que poderiam não ser reconhecidas no estado pré-emergente, como a possibilidade de vida orgânica desenvolver-se a partir de matéria 'morta' relativamente estável e desorganizada, ficariam visíveis pela primeira vez." Mumford, 1961, p.29.

PÁGINA 38: "Cidades com vitalidade têm": Jacobs, 1961, p.447-48.

PÁGINA 38: E no Laboratório Lincoln: Como de hábito, Turing estava à frente do empreendimento ali: "Diz-se que as máquinas de computação somente podem realizar os objetivos para os quais foram instruídas. Sem dúvida, isso é verdade no sentido que, se fizerem algo diferente do que foram instruídas para fazer, elas cometerão algum erro. Também é verdade que a intenção por trás da construção dessas máquinas é tratá-las como escravas, dando-lhes tarefas que foram pensadas antes em detalhes, tarefas que permitem ao usuário da máquina, em princípio, compreender o que está acontecendo o tempo todo. Até o presente, as máquinas só foram usadas dessa maneira. Mas é necessário que sempre sejam usadas assim? Suponhamos que programamos uma máquina com algumas tabelas iniciais de instruções, elaboradas de modo que essas tabelas possam, se houver um bom motivo, modificar outras. Pode-se imaginar que, após a máquina estar operando durante algum tempo, as instruções tenham sido alteradas além do reconhecimento; não obstante, deve-se admitir que a máquina ainda estará fazendo cálculos muito valiosos." Citado em Hodges, p.358.

PÁGINA 39: "Minha participação em tudo": Entrevista com Selfridge em outubro de 2000.

PÁGINA 39: "Propomos aqui": Selfridge, p.1.

PÁGINA 42: Após alguns anos: Levy, p.155.

PÁGINA 43: O sistema de Holland: Richard Dawkins propôs que a analogia pode correr também na direção oposta: "Você pode, se desejar, pensar sobre os genes de todas as populações do mundo como constituindo um gigantesco computador, calculando custos e benefícios e conversões de moedas, com os padrões de alteração de freqüências dos genes fazendo seu dever de operar os 1s e 0s de um processador de dados eletrônico. É bem um insight ilustrativo..." Dawkins, 1996, p.72.

PÁGINA 44: "Mas pensei que": Entrevista com Jefferson em dezembro de 2000.

PÁGINA 48: Podemos datá-la: Kelly, p.235.

PÁGINA 49: Nossas mentes podem: Alguns pesquisadores argumentam que o conjunto centralizado de mentes está ligado ao nosso cérebro; em outras palavras, temos o default para explicações top-down e somente nos resignamos com explicações bottom-up após treinamento intensivo. "As pessoas também vêem as atividades econômicas como centralizadas, supondo causas singulares para fenômenos complexos. Em particular, as crianças parecem achar que há um forte controle governamental sobre a economia (sem dúvida, os governos desempenham um importante papel na maioria das economias, mas as crianças supõem que eles desempenham um papel ainda maior do que o real). Em entrevistas com crianças israelenses com idades entre oito e 15 anos, o psicólogo David Leiser (1983) descobriu que quase metade delas pensava que o governo definia todos os preços e pagava todos os salários. Mesmo as crianças que disseram que os empregadores pagavam os salários muitas vezes acreditavam que o governo providenciava o dinheiro para os salários. Uma parte significativa dos estudantes achava que o governo pagava os aumentos de salário após uma greve. E muitas crianças mais jovens tinham a crença aparentemente contraditória de que o governo também era responsável pelas greves." Resnik, p.123.

Capítulo 2

PÁGINA 53: E, embora elas ainda: "Outras espécies de formigas e cupins são especializadas em cultivar cogumelos no subsolo, plantando os esporos, limpando a vegetação para eliminar outras espécies competidoras de fungos e fertilizando-os com um composto de folhas mastigadas. No caso das famosas formigas cortadeiras de folhas dos trópicos do Novo Mundo, todo o esforço de suas oito milhões de colônias em recolher alimentos é direcionado para folhas recém-cortadas." Dawkins, 1996, p.264-5.

PÁGINA 53: forte impacto ambiental: "As formigas cultivam cogumelos, criam pulgões como reserva viva, lançam exércitos para a guerra, usam pulverizações químicas para alarmar e confundir os inimigos, capturam escravos... Fazem tudo, menos ver televisão." Thomas, p.12.

PÁGINA 53: elas não possuem: Wilson e Holldobler, p.1.

PÁGINA 54: Colônias de formigas cortadeiras: "... os soldados de uma colônia exalam um odor, um feromônio próprio dos soldados. Se o odor diminui abaixo de um certo nível na colônia, isso significa que a proporção de soldados é menor do que a normal; não há erro no significado do feedback. Visto que a queda faz automaticamente com que o berçário forneça mais soldados, não há lugar para erro na reação — nem na interrupção da reação. O feedback de feromônio dos novos soldados produzidos diz: 'Temos soldados em número suficiente.' Em resumo, os dados, o significado dos dados e as reações adequadas estão perfeitamente integrados." Jacobs, 2000, p.109.

PÁGINA 54: "A soma atual": Wilson e Holldobler, p.227.

PÁGINA 55: "Vamos nos livrar": Idem, p.252

PÁGINA 57: Sem esses encontros: "O acaso desempenha ainda um outro papel em alguns processos de auto-organização — ele torna possível a exploração de múltiplas opções. O pesquisador de formigas Jean-Louis Deneubourg menciona que as formigas não seguem perfeitamente as trilhas de feromônio. Em vez disso, têm uma chance probabilística de perder seu caminho. Deneubourg e seus colegas (1986) comentam que esse 'acaso das formigas' não é um estágio defeituoso na evolução para 'um sistema determinístico e ideal de comunicação'. Ao contrário, esse acaso é um comportamento evolucionário adaptativo. Deneubourg descreve uma experiência com duas fontes de alimento perto de um ninho de formigas: uma fonte rica, mais distante do ninho, e uma fonte inferior mais perto. Inicialmente, as formigas descobriram a fonte inferior de comida perto do ninho e formaram uma espessa trilha até ela. Mas algumas formigas se distanciaram da trilha. Essas 'formigas perdidas' descobriram a fonte mais rica e formaram uma trilha para ela. Já que as emissões de feromônio das formigas estão relacionadas à riqueza da fonte de alimento, a trilha para a fonte mais rica tornou-se maior que a original. No final, a maioria delas mudou-se para a trilha melhor. Portanto, o acaso das formigas provê um meio para que a colônia explore múltiplas fontes de alimento paralelamente. Enquanto o feedback positivo encoraja a exploração de fontes específicas, o acaso incita a exploração de múltiplas fontes." Resnik, p.138.

PÁGINA 59: "Típico de adolescentes": Mais sobre o comportamento típico de adolescentes das formigas: "Colônias mais velhas mostravam-se mais coerentes, semana após semana, do que as mais jovens. Fiz as mesmas experiências durante semanas com diversos grupos de colônias mais velhas e mais jovens. Semana após semana, cada grupo de colônias mais antigas reagia de forma semelhante à dos outros grupos mas, semana após semana, cada grupo de colônias mais jovens tinha uma resposta diferente. Curiosamente, em qualquer semana específica, a variação entre as colônias jovens não era maior do que a variação entre as mais velhas. As diferenças somente eram observadas nas comparações semana a semana. Aparentemente as colônias mais jovens são mais suscetíveis do que as mais velhas a mudanças de tempo ou ao aumento da comida disponível. Em uma semana, uma determinada perturbação leva as colônias jovens em uma direção, em outra semana, a mesma perturbação leva a outra direção." Gordon, p.133.

PÁGINA 59: "E outra coisa": "Em relação às colônias mais velhas, mais jovens eram mais propensas a lutar com as vizinhas com o intuito de obter alimento. Em todos os pares de colônias, independentemente da idade, ambas recolheram as iscas de sementes quando as coloquei. Nas duas classes de idade, elas continuaram a ir em direção às iscas mesmo depois de não haver mais nenhuma semente. Mas as colônias mais jovens insistiram por mais tempo. Elas continuaram a ir em direção à isca e a lutar entre si durante seis dias após a retirada das sementes. Os pares mais velhos desistiram do conflito antes. Uma vez que não havia mais alimento, preferiam dirigir seus esforços para outro lugar. Para as mais jovens, ainda valia a pena lutar por um lugar que havia oferecido comida abundante alguns dias antes." Idem, p.51.

PÁGINA 60: Como pode o todo: A teoria de Gordon é que o ciclo de vida da colônia de formigas deriva das mudanças populacionais: "Como as operárias vivem somente um ano, a colônia deve se recriar a cada ano. As 4.000 formigas de uma colônia com três anos de idade têm que alimentar 6.000 larvas para chegar a uma colônia de quatro anos. Para uma colônia de cinco anos ou mais, já com seu tamanho adulto, a situação é diferente. Para cada formiga a ser alimentada, já há uma formiga para ajudar. A colônia deve produzir 10 mil operárias por ano para manter esse número de operárias — mas ela tem 10 mil operárias para coletar e processar a comida necessária para isso. Portanto, a demanda de comida, por forrageadora, pode ser maior em uma colônia menor que esteja crescendo rapidamente. Isto pode fazer com que as formigas de uma colônia menor, em fase de crescimento, sejam mais propensas a se engajar em conflitos sobre comida do que as de uma colônia maior." Idem, p.83.

PÁGINA 60: "Os ancestrais de nossas": Ridley, p.232.

PÁGINA 61: E, no entanto: O argumento se estende também a nível atômico. "Podemos argumentar que a consciência e a identidade não são funções de partículas específicas, porque nossa próprias partículas estão mudando constantemente. Do ponto de vista celular, mudamos a maioria de nossas células (embora não as células do cérebro) em um período de vários anos. Em nível atômico, a mudança é mais rápida ainda, e inclui as células do cérebro. Com certeza, não somos uma coleção permanente de partículas. São os padrões de matéria e energia que são semipermanentes (isto é, que sofrem alterações gradativas), mas nosso conteúdo material está em constante e rápida mudança." Kurzweil, p.54.

PÁGINA 62: A potencialidade dessa: "O crescimento exponencial põe grande poder nas mãos dos genes selecionados naturalmente. Isso significa que um pequeno ajuste em um detalhe do controle de crescimento embrionário pode ter o efeito mais impactante sobre o resultado. Uma mutação que diga a uma específica sub-linhagem de células para prosseguir se dividindo mais uma vez — digamos, para chegar a 25 gerações de células, em vez de 24 — pode, em princípio, ter o efeito de dobrar o tamanho de uma parte específica do corpo. A mesma proeza de mudar os números de gerações de células ou as taxas de divisão celular pode ser usada pelos genes do embrião para mudar a forma de uma parte do corpo.... De certa maneira, a coisa mais admirável é que linhagens de células param de se dividir no momento certo, de modo que todas as nossas partes sejam proporcionais umas às outras." Dawkins, 1996, p.293.

PÁGINA 63: As células baseiam-se: "... dentro de um período de tempo, a competência de uma célula depende de sua localização, sua história anterior de localizações e da proximidade de seus vizinhos na coletividade. Não há indicação que a posição exata de uma célula na coletividade seja crítica, mas seu destino pode ser determinado pelo número de células de história semelhante localizadas nas proximidades. O destino de uma célula depende, portanto, de sua competência e de sua vizinhança." Edelman, 1988, p.22.

PÁGINA 63: Como cada célula: Ridley, p.175.

PÁGINA 63: As palavras parecem: Muitos pesquisadores de cérebros também usam a linguagem das comunidades para descrever como os cérebros se desenvolvem. "Imagine agora este drama epigenético em que lâminas de células nervosas do cérebro em desenvolvimento formam uma comunidade. Os vizinhos dessa comunidade trocam sinais conforme estejam ligados por CAMs ou CIMs. Eles enviam processos de modo abundante, às vezes enfeixados em conjuntos chamados fascículos. Quando encontram outras comunidades e lâminas, estimulam as células-alvo." Edelman, 1992, p.64.

PÁGINA 65: Já que cada célula: Vinte anos antes de Wright lançar SimCity, Thomas Schelling rascunhou seus princípios básicos em uma experiência de teoria de jogos decididamente low-tech: "Pegue moedas de dois tamanhos diferentes, um pedaço de papel quadriculado dividido em quadrados de dois centímetros e meio, de preferência do tamanho de um tabuleiro de xadrez (64 quadrados em oito filas e oito colunas) e encontre algum dispositivo para selecionar os quadrados ao acaso. Colocamos as moedas em alguns quadrados; suponhamos que representem os membros de dois grupos homogêneos — homens e mulheres, negros e brancos, franceses e ingleses, oficiais e recrutas, estudantes e professores, surfistas e nadadores, os bem e os mal vestidos, ou qualquer outra dicotomia que seja exaustiva e reconhecível. Podemos espalhá-los ao acaso ou dispô-los segundo padrões inventados. Podemos usar número igual das moedas diferentes ou deixar que algumas sejam minoria. E podemos estipular várias regras para as decisões individuais." Schelling, p.147.

PÁGINA 65: "Elas se diferenciam": Jacobs, 1961, p.30.

PÁGINA 65: "padrão policêntrico": A formação de padrões complexos semelhantes foi observada em nossos amigos *Dictyostelium discoideum*, e nas ondas de anéis concêntricas, tão observadas, que ondulam pela comunidade de *Dictyostelium discoideum* em certos pontos. Durante anos, os pesquisadores supuseram que as células centrais dos anéis eram responsáveis pelos padrões, mas novos modelos sugerem o oposto. Conforme diz Garfinkel: "Sem dúvida, um conjunto de anéis concêntricos tem um centro geométrico. Mas é o centro geométrico a *causa* da propagação. Não necessariamente." Garfinkel, p.198.

PÁGINA 65: Trabalhando com modelos: "Uma pressão moderada para evitar o status de minoria pode fazer com que um padrão quase integrado se desmanche e que se formem comunidades altamente segregadas. Mesmo um padrão viável deliberadamente preparado, como o da Figura 3, quando fustigado por um pequeno movimento acidental, mostra-se instável e dá lugar às comunidades separadas das Figura 5 até 8. Essas então se mostram razoavelmente imunes à continuada mudança acidental. No entanto, para aqueles que deploram a segregação, e especialmente para aqueles que deploram uma segregação maior do que as pessoas estavam procurando quando coletivamente segregaram-se a si próprias, pode haver um sinal de esperança. A motivação subjacente pode ser bem menos extrema do que os padrões observáveis de separação." Schelling, p.154.

PÁGINA 66: "Em qualquer modelo": Krugman, p.24-25.

PÁGINA 67: "Você ficaria surpreso": Você sabe que você é.

PÁGINA 68: E a segurança é: A ênfase no conhecimento local é também a chave para o modo como certas cidades "orgânicas" se desenvolvem no tempo. "O planejamento orgânico não começa com um objetivo pré-concebido: ele se move de necessidade em necessidade, de oportunidade em oportunidade, em uma série de adaptações que se tornam cada vez mais coerentes e intencionais, de modo que geram um complexo projeto final, dificilmente menos unificado que um padrão geométrico pré-formado. Cidades como Siena ilustram esse processo à perfeição. Embora o estágio final desse processo não esteja claramente presente em seu início, como acontece com uma ordem não-histórica, mais racional, isto não significa que considerações racionais e prévias deliberações para o futuro não tenham governado cada aspecto do plano, ou que um projeto deliberadamente unificado e integrado não possa dar resultados." Mumford, 1961, p.302.

PÁGINA 69-70: escreveu Marshall Berman: Berman, p.347.

PÁGINA 70: A vida da cidade depende: Os modelos computacionais do comportamento de *Dictyostelium discoideum* também mostram a importância de "guinadas" acidentais: "O projeto do *discoideum* do StarLogo provê um outro exemplo de acaso a serviço da exploração. Se o programa não incluísse o acaso, as células dificilmente deixariam seus aglomerados. O programa perderia sua qualidade orgânica e dinâmica. A tela ficaria cheia de uma porção de pequenos grupos com pouca ou nenhuma troca de células entre eles. O acaso no programa torna mais fácil para as células saírem livremente de seus aglomerados. Como resultado, aglomerados pequenos tornam-se menos estáveis: quando um grupo pequeno perde uma de suas células, é provável que o grupo todo se desfaça. Aglomerados pequenos crescem ou se desfazem. O resultado é um número menor de aglomerados maiores, com mais células movendo-se de grupo em grupo. Se o objetivo for que as células se juntem em aglomerados maiores (como acontece com o *Dictyostelium discoideum* real), então o acaso desempenha um papel muito útil. Resnik, p.139.

PÁGINA 70: A 100 quilômetros por hora: Jacobs vê a deterioração das cidades centradas nos automóveis como um tipo de efeito de feedback: "A erosão das cidades pelos automóveis é, portanto, um exemplo do que é conhecido como 'feedback positivo'. Em casos de feedback positivo, uma ação produz uma reação que, por sua vez, intensifica a condição responsável pela primeira ação. Isso intensifica a necessidade de repetir a primeira ação que, por sua vez intensifica a reação, e assim por diante, até o infinito. É algo como um hábito que se transforma em vício." Jacobs, 1961, p.350.

PÁGINA 72: mundo da metáfora: "[À distância, os seres humanos] se parecem, em seu comportamento social mais compulsivo, com formigas. No entanto, não é de bom tom nos círculos biológicos sugerir que o funcionamento das sociedades de insetos tenha alguma relação com os negócios humanos. Os autores de livros sobre comportamento de insetos geralmente se esforçam muito, em seus prefácios, para mostrar os insetos como criaturas de outro planeta ... São mais parecidos com pequenas máquinas loucas, e violamos a ciência quando tentamos ler significados humanos em suas organizações. É difícil para um espectador não fazer isso. As formigas são tão parecidas com seres humanos que chega a ser embaraçoso." Thomas, p.11.

PÁGINA 72: O macrodesenvolvimento pertence: O desenvolvimento de grandes estruturas sociais é, muitas vezes, melhor observado a longa distância, do espaço cósmico, onde os padrões de desenvolvimento humano misteriosamente parecem padrões orgânicos: "Em escalas maiores, só ocasionalmente o trabalho de nossa espécie energética torna-se aparente — uma ponte, uma muralha, uma barragem ou uma rodovia. Coisas que parecem menos do que totalmente tridimensionais. Parecem longas fitas, quando são percebidas por acaso em vistas aéreas. Só vemos em sua coletividade os artefatos humanos que ocupam áreas maiores da superfície (ainda assim não tridimensionais), na faixa de dez a cem quilômetros, algumas vezes mais. São as planícies e os platôs cultivados, as terras irrigadas, as clareiras de antigas florestas, as grandes cidades e seu entorno. É a história daquilo que cresceu, mais do que daquilo que foi projetado. Também nos outros aspectos da vida encontramos uma apresentação semelhante. As hastes de grama são pequenas, mas pastos e savanas, como as florestas negras do norte e do sul, cobrem vastas regiões que facilmente ultrapassam mil quilômetros de diâmetro." Morrison, Eames, p.2.

PÁGINA 72: As pessoas que: "Dezenas de milhões de pessoas tomando bilhões de decisões a cada semana acerca do que comprar e vender, onde trabalhar, quanto economizar, quanto pedir emprestado, que pedidos preencher, quantas ações acumular, para onde ir, que escolas freqüentar, que trabalhos aceitar, onde construir supermercados, cinemas, usinas elétricas, quando investir em construções acima do solo e minas debaixo da terra, e frotas de caminhões e navios e aviões — se você costuma se surpreender, talvez se surpreenda ao saber que o sistema absolutamente não funciona. Surpresa não é necessariamente admiração: uma vez que você entenda o sistema, pode pensar que existem melhores sistemas, ou meios melhores para fazê-lo funcionar. Só o estou convidando para refletir sobre o fato de que, funcione bem ou mal, na maioria dos países, e especialmente naqueles com sistemas econômicos consideravelmente não dirigidos, o sistema funciona da mesma forma como funcionam as colônias de formigas." Schelling, p.21.

Capítulo 3

PÁGINA 74: Se a máquina: "Na cidade medieval, esses poderes — o espiritual e o temporal —, com suas ordens vocacionais, o guerreiro, o negociante, o padre, o monge, o bardo, o acadêmico, o artesão, o vendedor, chegaram a algo como um equilíbrio. Esse equilíbrio subsistiu delicado e incerto; mas o esforço para mantê-lo era constante, e o efeito real, porque cada componente social tinha seu peso específico, cada um deles era devidamente representado. Até o final da Idade Média — e este é realmente um dos sinais do final — nenhum elemento era forte o suficiente para estabelecer permanentemente seu próprio poder sobre todos os outros. Como resultado, tanto física quanto politicamente, a cidade medieval era, sob certos aspectos, uma criação original, embora recapitulasse muitas características dos primeiros agrupamentos urbanos." Mumford, 1961, p.252.

PÁGINA 74: Mercadores do comércio: Hibbert, 1993, p.102.

PÁGINA 75: Os anticorpos funcionam: "O sistema imunológico é um sistema seletivo somático que consiste em moléculas, células e órgãos especializados. Como sistema, é capaz de ver a diferença entre o eu e o não-eu no nível molecular. Por exemplo, ele é responsável por distinguir as características químicas dos invasores virais e bacterianos (não-eu) e reagir a eles; se isso não acontecesse, tais invasores (não-eu) esmagariam as coleções de sistemas celulares em um organismo individual (eu). Essa reação envolve reconhecimento molecular com refinado grau de especialização. Um sistema imunológico apropriadamente estimulado pode ver a diferença entre duas grandes moléculas de proteína estranhas compostas de milhares de átomos de carvão que diferem por poucos graus na curva de uma simples cadeia de carbono. Ele consegue diferenciar essas moléculas das outras e reter a habilidade de fazê-lo, uma vez que tenha desenvolvido essa habilidade. Ele tem uma 'memória'." Edelman, 1992, p.75.

PÁGINA 75: O que surpreende: "O sistema seletivo imunológico tem algumas propriedades curiosas. Primeiro, há mais de uma maneira de reconhecer com acuidade qualquer forma específica. Segundo, dois indivíduos não o fazem da mesma forma, pois nenhum indivíduo tem anticorpos idênticos aos de outro. Terceiro, o sistema tem uma espécie de memória celular. Quando um conjunto de linfócitos é apresentado a um antígeno que se prende a ele, alguns dos linfócitos se dividirão somente umas poucas vezes, enquanto o resto prossegue irreversivelmente na produção de anticorpos específicos contra aquele antígeno, e morre. Como algumas células se dividiram, porém sem chegar a produzir anticorpos, elas formam um grupo maior de células na população original. Este grupo acrescido poderá dar, mais tarde, uma resposta mais rápida para o mesmo antígeno. Como mencionei anteriormente, o sistema exibe uma forma de memória em nível celular." Idem, p.78.

PÁGINA 76: O mundo entra em convulsão: "Note mais uma característica: a unidade da comunidade e o distrito funcional. Em certo sentido, a cidade medieval era um aglomerado de pequenas cidades, cada uma com certo grau de autonomia e auto-suficiência, cada uma formada naturalmente a partir de necessidades e objetivos comuns que enriqueciam e complementavam o conjunto. A divisão da cidade em bairros, cada um com sua igreja ou igrejas, muitas vezes com um mercado de abastecimento local, sempre com seu suprimento próprio de água, um poço ou uma fonte, era a característica do modelo; mas, com o crescimento da cidade, os bairros se tornaram um sexto, ou mesmo frações cada vez menores do todo, sem se dissolver na massa.... Essa integração composta de famílias e vizinhos, com unidades residenciais primárias, foi complementada por outro tipo de divisão, em distritos baseados em vocações e interesses: assim, tanto os grupos primários quanto os secundários, tanto os Geminschaft quanto os Gesellschaft, adotaram o mesmo padrão urbano. Em Regensburg, já no século XI, a cidade foi dividida em um distrito para o clero, um para a realeza e um para o comércio, correspondendo às vocações de seus chefes, enquanto os artesãos e os camponeses ocupavam o resto dela." Mumford, 1961, p.310.

PÁGINA 77: Esse padrão que se mantém no tempo: "É uma forma de memória coletiva — mais próxima do modo como o corpo desenvolve memórias do que da maneira como a consciência o faz. Estou usando aqui a palavra *memória* de forma mais inclusiva do que o usual. A memória é um processo que emergiu somente quando a vida e a evolução aconteceram. Ela deu origem aos sistemas descritos pelas ciências de reconhecimento. Da maneira como o estou usando, o termo *memória* descreve aspectos de hereditariedade, respostas imunológicas, aprendizagem por reflexo, aprendizagem verdadeira seguida de caracterização perceptual e várias formas de consciência.... A memória é uma propriedade essencial dos sistemas biologicamente adaptativos." Edelman, 1992, p.203-4.

PÁGINA 78: "Desde as suas origens": Mumford, 1961, p.30.

PÁGINA 78: Esse ajuntamento torna-se: "[Essas economias] vêm do fato de que uma empresa pode encontrar em uma grande cidade todo tipo de cliente, serviços, fornecedores e empregados, por mais especializado que seja seu produto; isto, por sua vez, promove o aumento de especialização. No entanto, surpreendentemente, as economias de aglomeração encorajam empresas da mesma linha de atuação a se localizarem perto umas das outras, o que leva à associação de nomes de ruas como Harley Street, Fleet Street, Lombard Street e Saville Row — só para ficar em Londres — a determinadas profissões (médicos, jornais, finanças e alfaiatarias, respectivamente), mais do que a lugares. Além de lucros não desprezíveis e do prazer do convívio, todos os comerciantes podem compartilhar o acesso a serviços que nenhum poderia suportar sozinho. ... Um ponto crucial sobre a economia de aglomeração é que os pequenos negócios dependem mais dela do que os maiores. Estes últimos podem internalizar essas 'economias externas', suprindo seus próprios serviços e ganhando com isso a liberdade de escolher sua localização ... A relação entre grandes cidades e pequenos negócios é simbiótica e benéfica para todos. A razão é que as empresas menores são as maiores produtoras de inovações, incluindo a adaptação criativa a mudanças. Isso era ainda mais verdadeiro nos dias anteriores à contribuição da pesquisa científica para a nova tecnologia." De Hohenberg e Lees, *The Making of Urban Europe*, citado por De Landa, 1997, p.85-86.

PÁGINA 79: as cidades também têm: "Embora a cidade grande seja o melhor órgão de memória criado pelo homem, ela também é — até se tornar muito confusa e desorganizada — o melhor agente para discriminação e avaliação comparativa, não só porque espalha tantos produtos para serem escolhidos, mas também porque cria mentes de maior discernimento, capazes de ombrear-se com elas. Sim: inclusão e grandes números são muitas vezes necessários, mas grandes números não bastam. Florença, com cerca de quatrocentos mil habitantes, desempenha mais funções de metrópole do que muitas outras cidades dez vezes maiores." Mumford, 1961, p.562.

PÁGINA 79: De acordo com alguns relatos: "As ruínas urbanas mais antigas de que se tem notícia, com exceção de Jericó, datam desse período. Isto constituiu uma expansão tecnológica singular do poder humano, cujo único paralelo é a mudança ocorrida em nossa própria época." Idem, p.33.

PÁGINA 79: O sistema urbano de divisão: Décadas antes de a primeira interface gráfica ter sido projetada, Wiener ligou os problemas de informação comunitária e interface de software, referindo-se ao ensaio visionário de Vannevar Bush sobre o Memex: "Por outro lado, o organismo humano contém, com toda a probabilidade, muito mais informação do que qualquer uma de suas células. Assim, não há necessariamente uma relação em ambas as direções entre a quantidade de informação racial, tribal ou comunitária e a quantidade de informação disponível para o indivíduo.... Como no caso do indivíduo, nem toda a informação disponível para a raça em determinado momento é acessível sem esforço especial. É bem conhecida a tendência das bibliotecas a se tornarem atravancadas por seu próprio volume; das ciências, a desenvolverem a um tal grau as especializações, que o especialista torna-se, muitas vezes, ignorante fora de sua própria especialidade. O Dr. Vannevar Bush sugeriu o uso de auxílios mecânicos para a pesquisa em vastos corpos de material." Wiener, p.158.

PÁGINA 79: A especialização da cidade: "Logo no início da evolução das formas de vida, órgãos especializados desenvolveram a habilidade de manter estado internos e responder diferentemente a estímulos externos. A tendência desde então tem sido na direção de sistemas nervosos mais complexos e capazes, com a habilidade de armazenar extensas memórias; reconhecer padrões em estímulos visuais, auditivos e tácteis; e exigir níveis de raciocínio cada vez mais sofisticados. A habilidade de recordar e resolver problemas — a computação — constitui um ponto limítrofe na evolução dos organismos multicelulares." Todas essas diferentes habilidades — memória, reconhecimento de padrões, computação — têm paralelos no desenvolvimento dos centros urbanos: nos seus conjuntos de informação compartilhada, na sua capacidade de refletir e ampliar padrões de comportamento humano, na sua eficiência na abordagem de complicados problemas de oferta e demanda. Kurzweil, p.18.

PÁGINA 80: Elas são a soma: As vantagens potenciais das altas densidades de população são evidentes mesmo nas sociedades primitivas. "Como conservar custos baixos se as tecnologias de comunicação e transporte são primitivas? Uma maneira é ficar perto dos consumidores e fornecedores. Em outras palavras: viver em uma sociedade com alta densidade populacional. Essa pode ser a chave da riqueza do noroeste americano: não uma abundância natural per se — uma abundância rapidamente diluída pela densa população, afinal de contas — mas uma densa população que produza a diluição. Antes que as comunicações e os transportes fossem suficientemente high tech para catalisar os mercados, o estímulo vinha de um habitat que tolerava vastas e densas populações." Wright, p.47.

PÁGINA 81: Conforme a descrição do físico: "Iberall foi talvez o primeiro a ver as principais transições nos primórdios da história humana (as transições de caçadores-coletores para agricultores e de agricultores para habitantes das cidades) não como um avanço linear em uma escalada de progresso, mas como o cruzamento de limiares (bifurcações) críticos não-lineares. Mais especificamente, do mesmo modo como um determinado composto químico (por exemplo, a água) pode existir sob estados distintos (sólido, líquido ou gasoso) e pode variar de um estado estável para outro estado estável em pontos críticos de intensidade de temperatura (chamados de transições de fase), também uma sociedade humana pode ser vista com um 'material' capaz de suportar essas mudanças de estágio ao alcançar massa crítica em termos de densidade de assentamento, quantidade de energia consumida, ou mesmo intensidade de interação.

"Iberall nos convida a ver os bandos primitivos de caçadores-coletores como partículas de gás, no sentido de que viviam separados uns dos outros e, portanto, interagiam raramente e de forma assistemática (baseado nas evidências etnográficas de que os bandos viviam separados entre si por uma distância de cerca de 100 quilômetros e supondo que os seres humanos podem caminhar aproximadamente 40 quilômetros por dia, ele calcula que dois bandos estivessem separados por mais de um dia de distância). Quando os homens começaram a cultivar cereais e a interação entre seres humanos e plantas criou comunidades sedentárias, a humanidade se liqüefez ou se condensou em grupos cujas interações eram mais freqüentes, embora ainda frouxamente reguladas. Finalmente, quando algumas dessas comunidades intensificaram a produção agrícola ao ponto de colher, armazenar e redistribuir o excesso (permitindo pela primeira vez uma divisão de trabalho entre produtores e consumidores de comida), a humanidade chegou ao estado de cristalização, no sentido de que governos centrais passaram a impor uma rede simétrica de leis e regras sobre as populações urbanas." De Landa, 1997, p.15.

PÁGINA 81: Cidades não são idéias: "Será a cidade uma habitação natural, como uma concha de caramujo, ou um artefato humano deliberado, uma invenção específica que surgiu em um ou mais lugares sob a influência de convicções ideológicas urbanas e pressões econômicas? Uma predisposição aborígine para a vida social, e mesmo para o assentamento grupal, pode bem caracterizar a espécie humana; mas poderia essa tendência geral fazer com que os homens, em todos os lugares, produzissem a cidade, como uma aranha inevitavelmente produz a teia? Poderiam as mesmas disposições que deram a um acampamento ou a uma aldeola uma distribuição planetária também ser responsáveis por um complexo cultural tão multifacetado como a cidade?" Mumford, 1961, p.185.

PÁGINA 81: Um aumento linear: "Um dos primeiros evolucionistas culturais a enfatizar as tecnologias de energia foi Leslie White. Na verdade, algumas pessoas atribuem o renascimento do interesse pelo evolucionismo cultural, em meados do século XX, à publicação em 1943 do seu trabalho "Energy and the evolution of culture". White também estava entre os evolucionistas culturais que mais ou menos ignoraram as tecnologias de informação. De certo modo, isso não é surpreendente. Seu trabalho fundamental apareceu um ano antes do lançamento do livro de Schrödinger, uma década antes de o DNA ser descoberto e décadas antes de a ciência ter verdadeiramente compreendido o papel essencial da informação biológica na preservação da integridade dos organismos. Portanto, suas tentativas de importar critérios da biologia para as ciências sociais encontraram sucesso limitado. Ele observou que a pergunta 'O que mantém os sistemas juntos?' é 'tão fundamental para a sociologia quanto para a biologia', mas ele não conseguiu levar a análise adiante." Wright, p.249.

PÁGINA 82: Como escreve o historiador: Citado em De Landa, 1997, p.29.

PÁGINA 82: Mumford escreveu: Mumford, 1961, p.258.

PÁGINA 82: O resultado é: Certamente, mudanças no fluxo de energia produziram mais do que a explosão urbana do fim da Idade Média. "Na realidade, a morfogênese urbana dependeu, desde os seus primórdios no Crescente Fértil, da intensificação do consumo de energia não-humana. O antropólogo Richard Newbold Adams, que vê a evolução social apenas como outra forma que a auto-organização de energia pode tomar, ressaltou que a primeira dessas intensificações foi o cultivo de cereais. Como as plantas, através da fotossíntese, simplesmente convertem a energia solar em açúcares, o cultivo aumentou a quantidade de energia solar que circulava pelas sociedades humanas. Quando a produção de comida se intensificou ainda mais, a humanidade atravessou a bifurcação que deu surgimento às estruturas humanas. As elites que comandavam essas primeiras cidades, por sua vez, tornaram outras intensificações possíveis — por exemplo, desenvolvendo grandes sistemas de irrigação — e os centros urbanos mudaram para sua forma imperial. No entanto, é importante enfatizar que o cultivo de cereais era somente uma das diversas possibilidades de intensificar o fluxo de energia. Conforme ressaltaram diversos antropólogos, a emergência das cidades pode ter seguido rotas alternativas de intensificação, como quando a emergência da vida urbana no Peru alimentou-se de um reservatório de peixes. O que interessa não é a agricultura em si, mas o grande aumento no fluxo da energia pela sociedade, assim como as transformações na forma urbana que esse intenso fluxo tornou possíveis." De Landa, 1997, p.28.

PÁGINA 82: Algumas vezes falamos: Há um modo mais delicado de expressar a mesma idéia, a de que os primeiros cidadãos urbanos estavam coletivamente engajados em diminuir seus ciclos nutrientes. "Diminuindo suas cadeias alimentares, as populações humanas adquiriam controle sobre os ciclos nutrientes. Por exemplo, o gado e algumas colheitas eram feitas passo a passo: o estrume do gado alimentado com cereais podia retornar ao sistema como fertilizante, fechando o ciclo nutriente. Essas amarrações dos ciclos eram boas, em si. Na realidade, os ecossistemas espontaneamente diminuem seus ciclos nutrientes ao se tornarem mais complexos. Um sistema altamente complexo, como uma floresta tropical, usa seus nutrientes com tanta justeza, por meio de elaborada microflora e microfauna das raízes das árvores, que ao solo faltam nutrientes. Essa é a razão por que a destruição das florestas tropicais é tão perniciosa: o solo deixado para trás é estéril." Idem, p.122.

PÁGINA 82: "A aceleração do desenvolvimento": Idem, p.29.

PÁGINA 84: Alguns críticos, como: Wright vê "grupos de cérebros" mesmo em sociedades low-tech, e até usa o termo como uma alternativa a "mãos invisíveis". "Afinal de contas, as mãos não são muito cerebrais; guiando qualquer mão invisível deve haver um 'cérebro invisível'. Seus neurônios são pessoas. Quanto mais neurônios houver em contatos regulares e fáceis, melhor trabalha o cérebro — quanto mais detalhadamente ele puder dividir o trabalho econômico, mais diversificados serão os produtos resultantes. E, não por acaso, mais rapidamente as *inovações* tecnológicas tomam forma e se difundem. Como disseram exaustivamente os economistas que adotaram a 'teoria do novo crescimento', só é preciso uma pessoa para inventar algo que todo o grupo possa adotar (pois a informação é um mercadoria 'não-rival'). Portanto, quanto mais inventores houver — isto é, quanto maior for o grupo —, maior será a sua taxa coletiva de inovação. No final, os índios da costa noroeste produziram e inventaram o Shoshone não porque tivessem cérebros melhores (o tipo de conclusão com a qual Franz Boas se preocupava), mas porque *eram* um cérebro melhor." Wright, p.48.

Turing se fiava em uma noção igualmente abstrata do que é o cérebro no desenvolvimento do computador moderno. "Para compreender o modelo de 'cérebro' de Turing, era crucial ver que nele a física e a química, além de todos os argumentos sobre a mecânica quântica que Eddington havia invocado, eram vistas como essencialmente irrelevantes. Na visão de Turing, a física e a química só eram relevantes na medida em que sustentavam o meio para a corporificação de 'escritos', 'leituras' e 'estados' discretos. Apenas o padrão lógico desses 'estados' poderia realmente interessar. Seu argumento era que, não importa o que o cérebro fizesse, ele o fazia em virtude de sua estrutura como um sistema lógico e não porque estava dentro da cabeça de uma pessoa, ou porque era matéria esponjosa feita de um tipo específico de formação celular biológica. E, assim sendo, sua estrutura lógica poderia também ser representada por outro meio, corporificado por outra máquina física. Era uma visão materialista da mente, mas que não confundia padrões lógicos e relações com substâncias físicas e coisas, como as pessoas muitas vezes fazem." Hodges, p.291.

PÁGINA 85: "Não tão louco": Wright, p.302.

PÁGINA 87: "A Internet, não sendo": De um clube de livros *Slate*, 1º de fevereiro de 2000.

PÁGINA 89: "Portanto, a pergunta é": Entrevistas com Brewster Kahle, em outubro de 2000 e julho de 1998.

PÁGINA 92: Décadas atrás, em: Wiener, p.35.

PÁGINA 93: Nossos cérebros chegaram: De novo, as habilidades de processamento de informação das colônias de formigas são instrutivas aqui: "... é tentador especular sobre o caráter geral dos padrões de interação como uma fonte de informação nos sistemas naturais. Aquilo de que mais gosto acerca da idéia de que a tomada de decisão de uma formiga se baseia na sua taxa de interação é que o padrão de interação, e não um sinal na própria interação, é que produz o efeito. As formigas não ficam transferindo mensagens entre si, dizendo umas para as outras o que fazer. O sinal está no padrão de contato. Tal processo pode se operar em cérebros, sistemas imunológicos, ou em qualquer lugar onde a taxa de fluxo de um certo tipo de unidade, ou do nível de atividade de um certo tipo de unidade, está relacionada com a necessidade de mudança na taxa do fluxo. A taxa de interação é a trandução local de uma característica de todo o sistema, taxa de fluxo ou atividade, e a reação de cada unidade diante dessa pista local contribui para uma resposta previsível por todo o sistema." Gordon, p.169.

PÁGINA 93: A mente humana: Kurzweil, p.77.

PÁGINA 93: Mas, diferentemente da maioria: Idem, p.103.

PÁGINA 94: "Então usamos nossa": Idem, p.77.

PÁGINA 94: Certamente as evidências sugerem: Turing, em uma entrevista no fim dos anos 40: "Isso é somente um aperitivo do que virá, e a sombra do que será. Temos que adquirir alguma experiência com a máquina antes que realmente conheçamos suas capacidades. Pode levar anos para estabelecermos as novas possibilidades, mas não vejo motivo por que ela não deveria entrar em qualquer dos campos normalmente cobertos pelo intelecto humano, e no final competir em termos iguais." Hodges, p.406.

PÁGINA 95: O que impulsiona os dois: Retornando às raízes da computação e da quebra do código do dispositivo do Enigma feita por Turing: "Da mesma maneira, a tarefa do analista era determinar este conjunto de anéis que era comum a todo o tráfego da rede.... E quanto ao método antigo, a impressão digital dependia da visão de todo o tráfego e da exploração do elemento de repetição nas seis últimas letras das nove indicadas. Sem um fundamento comum, não havia correspondência fixa para análise entre a primeira e a quarta letras, a segunda e a quinta, a terceira e a sexta letras." Idem, p.173.

Capítulo 4

PÁGINA 96: "Ela afirma que teve": Rosenstiel, p.55-65.

PÁGINA 98: Mas, atrás de toda essa: Isso também é verdade para a interação entre o cérebro e o resto do corpo. "O comportamento do sistema nervoso é até certo ponto autogerado em círculos; a atividade cerebral gera movimento, que gera mais sensações e percepções, que geram ainda mais movimento. As camadas e os círculos entre elas são os objetos mais complexos que conhecemos, e são dinâmicos; mudam continuamente." Edelman, 1992, p.29.

PÁGINA 98: um dado circuito: "O que é aprendizagem? Que mudanças ocorrem nas células nervosas quando o cérebro (ou o músculo abdominal) adquire um novo hábito ou muda de comportamento? O sistema nervoso central consiste em muitas células nervosas, sob as quais viajam sinais elétricos, e de sinapses, que são junções entre as células nervosas. Quando um sinal nervoso elétrico alcança uma sinapse, ela deve transferi-lo para um agente químico, como um trem de passageiros pegando uma barca para atravessar um canal no mar, antes de retomar sua viagem elétrica. A atenção de Kandel rapidamente se concentrou nessas sinapses entre os neurônios. Aprender parece ser uma mudança em suas propriedades. Assim, quando uma lesma do mar se habitua a um alarme falso, a sinapse entre o neurônio sensor, receptor, e o neurônio que move as guelras fica, de certa forma, enfraquecida. Ao contrário, quando uma lesma do mar é sensibilizado por um estímulo, a sinapse fica fortalecida." Ridley, p.223.

PÁGINA 99: Se cada neurônio: Edelman tem uma variação muito mais precisa sobre esse tema, que ele chama de "re-entrada". "Para explicar como talvez ocorra a categorização, podemos usar a atividade do que chamei de 'casal de classificação' no cérebro. Trata-se de uma unidade mínima consistindo em dois mapas funcionalmente diferentes, feitos de grupos neurais e conectados por re-entrada. Cada mapa recebe, independentemente, sinais de outros mapas do cérebro ou do mundo (nesse exemplo, os sinais vêm do mundo). Dentro de um certo tempo, sinais re-entrando fortemente conectam certas combinações ativas de grupos neurais em um mapa com combinações diferentes em outro mapa." Edelman, 1992, p.87.

PÁGINA 100: O episódio Flowers: Rosenstiel, p.63.

PÁGINA 101: Os círculos de feedback: Jacobs, em *Morte e vida*, descreveu isso como uma tendência para as cidades de sucesso se destruírem: "Essas forças, em seu aspecto de trabalho para o mal, são: a tendência para que a espantosamente bem-sucedida diversidade nas cidades se destrua; a tendência para que imensos e singulares elementos das cidades (muitos deles necessários e, ou até, desejáveis) projetem uma influência mortal; a tendência para que a instabilidade populacional embarace o crescimento da diversidade; e a tendência para que tanto o dinheiro público quanto o privado atulhem ou deixem à míngua o desenvolvimento e a mudança." Jacobs, 1961, p.242.

PÁGINA 101: No caso Flowers: Como vimos no último capítulo, o feedback positivo também é uma ferramenta importante para a compreensão das revoluções sociais ou tecnológicas: "Esses emaranhados de inovações que se sustentam mutuamente (carvão-ferro-vapor-algodão) são bem conhecidos pelos historiadores da tecnologia. Eles já existiam muito antes do século XIX (por exemplo, a rede entrosada formada pelas ferraduras de cavalos, os arreios de cavalos e a rotação trienal que estava por trás da intensificação da agricultura na virada do milênio) e ocorreram posteriormente, como na rede composta por petróleo, eletricidade, aço e materiais sintéticos que contribuiu para a segunda revolução industrial. Apesar de serem tão importantes, os círculos autocatalíticos de tecnologia não eram suficientemente complexos para criar uma decolagem industrial auto-sustentada. Antes dos anos 1800, como mencionamos, essas intensificações muitas vezes levavam ao esgotamento de recursos e à diminuição de retornos. O feedback negativo, no final, avaliava o crescimento turbulento gerado pelo feedback positivo." De Landa, 1997, p.77.

PÁGINA 102-3: a nova compreensão: Como sempre, Jane Jacobs era rápida para adaptar essas novas idéias à sua compreensão da cidade: "A analogia que vem a mente é feedback defeituoso. A concepção de feedback eletrônico tornou-se comum com o desenvolvimento de computadores e máquina automáticas, nas quais um dos produtos finais de um ato ou de uma série de atos é um sinal que modifica ou guia o ato seguinte. Acredita-se hoje que um processo semelhante de feedback, regulado mais quimicamente do que eletronicamente, modifica parte do comportamento das células. Uma reportagem do *New York Times* explica:

> A presença de um produto final no meio de uma célula faz com que a máquina que o produz diminua de ritmo ou pare. Essa forma de comportamento celular foi caracterizada como 'inteligente' pelo dr. [Van R.] Potter [da Faculdade de Medicina da Universidade de Wisconsin]. Em contrapartida, uma célula que mudou ou sofreu mutação comporta-se como 'estúpida', no sentido de que continua, sem feedback regulador, a produzir até materiais de que não necessita.
>
> Acho que esta última sentença é uma boa descrição do comportamento das localidades da cidade onde o sucesso da diversidade se destrói.
>
> Consideremos as áreas de sucesso da cidade, com toda a sua extraordinária e complexa ordem econômica e social, como defeituosa nesse ponto. Ao criarmos o sucesso da cidade, nós, seres humanos, criamos maravilhas, mas deixamos de lado o feedback. O que podemos fazer com as cidades para reparar essa omissão?". Jacobs, 1961, p.251-252.

PÁGINA 103: Diz Wiener no início: Wiener, p.7.

PÁGINA 103: Wiener deu um nome: "Em resumo, nossa economia interna deve conter um conjunto de termostatos, controles automáticos de concentração íon-hidrogênio, governadores e afins, que seriam adequados para uma grande indústria química. Esses são o que conhecemos coletivamente como nosso mecanismo homeostático." Idem, p.115.

PÁGINA 103: Nosso corpo é: Os ecossistemas também têm abundantes sistemas de feedback. Como um dos personagens do último livro de Jane Jacobs diz: "Aqui está um agradável exemplo desta categoria — um círculo positivo em uma floresta de sequóias do litoral californiano. Sequóias adultas exigem enormes quantidades de água, o dobro em média daquela fornecida pela chuva em seus hábitats.... Uma sequóia litorânea vive cerca de dois mil anos, uma bela demonstração de sobrevivência. Veja como elas vencem essa situação de suprimento aparentemente inadequada. Com seus espinhos exuberantes e investigadores, as árvores interceptam o nevoeiro e sugam sua umidade; com efeito, elas tiram água diretamente das nuvens. Durante um noite seca, mas com nevoeiro, cada sequóia alta encharca a terra embaixo de si com tanta água quanto a produzida por uma tempestade. Esse processo benéfico funciona como um círculo. O crescimento das árvores é alimentado em grande parte pelo nevoeiro. Árvores mais altas têm acesso a nevoeiros em altitudes mais elevadas — por conseguinte, acesso a mais suprimento de água. E mais nevoeiro alimenta mais crescimento e árvores ainda mais altas, e assim por diante. Graças ao círculo crescimento-nevoeiro, as próprias árvores participam na conservação da estabilidade de seu ambiente." Jacobs, 2000, p.93.

PÁGINA 105: Se a análise de dados indiretos: Dean.

PÁGINA 105: quando uma pessoa alcança: "Já há uma tecnologia que parece gerar, pelo menos, um aspecto da experiência espiritual. Essa tecnologia experimental é chamada de Música Gerada pelo Cérebro (Brain Generated Music — BGM), um empreendimento pioneiro da NeuroSonics, uma pequena firma de Baltimore, Maryland, da qual sou diretor. A BGM é um sistema de biofeedback de onda cerebral capaz de evocar uma experiência chamada de Resposta de Relaxamento, que é associada a um relaxamento profundo. O usuário da BGM liga três condutores descartáveis à sua cabeça. Um computador pessoal então monitora as ondas cerebrais do usuário para determinar seu comprimento de ondas alfa. As ondas alfa, que estão na faixa de oito a 13 ciclos por segundo (cps), são associadas com um estado meditativo profundo, em comparação às ondas beta (na faixa de 13 a 28 cps), que são associadas com o pensamento consciente usual. Então, o computador gera música, de acordo com um algoritmo que transforma os próprios sinais das ondas cerebrais do usuário." Kurzweil, p.157.

PÁGINA 106: "Em conexão com": Wiener, p.158.

PÁGINA 106: Ele teria diagnosticado: "... uma das direções de trabalho que o conjunto de idéias dos encontros de Macy sugeriram refere-se à importância da noção e da técnica de comunicação no sistema social. É certo que o sistema social é uma organização parecida com o indivíduo, delimitada por um sistema de comunicação e com uma dinâmica em que processos circulares da natureza de um feedback desempenham um importante papel." Idem, p.24.

PÁGINA 108: Porém, o livro: "O programa que ele propôs em 1898 consistia em parar o crescimento de Londres e também repovoar a zona rural, onde as aldeias estavam em decadência, por meio da construção de um novo tipo de cidade — a Cidade Jardim, na qual os pobres da cidade pudessem, de novo, viver próximos à natureza. Para que eles pudessem ganhar a vida, a indústria deveria ser construída na Cidade Jardim, pois, embora Howard não estivesse planejando cidades, também não estava planejando dormitórios suburbanos. Seu objetivo era criar pequenas cidades auto-suficientes, cidades realmente bonitas, se você fosse pacato e não tivesse planos para si mesmo e não se importasse em passar sua vida entre outras pessoas que também não tivessem ambições pessoais. Como em todas as utopias, o direito a ter planos de alguma importância cabia apenas aos planejadores." Jacobs, 1961, p.17.

PÁGINA 108: Era melhor construir cidades: "A visão de Ebenezer Howard da Cidade Jardim parece quase feudal para nós. Parece que ele pensou que membros da classe trabalhadora industrial ficariam nitidamente em sua classe e até no mesmo trabalho de sua classe; que os agricultores ficariam na agricultura, que os negociantes (os inimigos) quase não existiriam como uma força significativa em sua utopia; e que os planejadores poderiam ir para seu bom e grandioso trabalho, sem se perturbar com a contrariedade rude dos despreparados." Idem, p.289.

PÁGINA 108: O vínculo de: "A maior contribuição de Howard não foi a reordenação da forma física da cidade e sim o desenvolvimento dos conceitos orgânicos subjacentes àquela forma; pois, embora não fosse biólogo como Patrick Geddes, ele trouxe para a cidade os critérios biológicos essenciais do equilíbrio dinâmico e orgânico: equilíbrio entre a cidade e o campo em um padrão ecológico maior, e equilíbrio entre as diferentes funções da cidade; acima de tudo, equilíbrio através do controle positivo de crescimento de determinada área, do número e da densidade de ocupação, e da prática de reprodução (colonização) quando a comunidade era ameaçada por um crescimento excessivo de tamanho que só levaria a um declínio de função." Mumford, 1961, p.516.

PÁGINA 109: "Qualquer associação ecológica": Mumford, 1962, p.148-77.

PÁGINA 109: Como muitos debates: Wiener havia feito a mesma ligação uma década antes em *Cibernética*: "Vários escritores, como D'Arcy Thompson, têm comentado que cada forma de organização tem um limite de tamanho, acima do qual não funcionará. Assim, a organização dos insetos é limitada pelo comprimento do canal sobre o qual o estigma traqueal funcionará levando ar por difusão diretamente aos tecidos respiratórios; um animal terrestre não pode ser tão grande que suas pernas ou outras partes de contato com o solo sejam esmagados por seu peso; uma árvore é limitada pelo mecanismo de transferência de água e minerais das raízes para as folhas, e dos produtos da fotossíntese das folhas para as raízes, e assim por diante." Wiener, p.150.

PÁGINA 113: "O sinal era forte": Colocado no site do Slashdot: www.slashdot.org.

PÁGINA 115: na analogia legal: Tecnicamente, os moderadores do Slashdot não dão a cada mensagem uma nota na escala. As mensagens começam a ter vida com grau 0 ou 1 (dependendo se seus autores são usuários registrados do sistema). Os moderadores podem então "gastar" um ponto de moderação, aumentado ou diminuindo o grau de uma mensagem. Uma mensagem que inicia a vida com 1 e recebe três pontos positivos e um negativo estaria no Nível 3, porque 1 mais 3 menos 1 é igual a 3.

PÁGINA 116: "Ele estava muito à frente": Jacobs, 2000, p.154. Uma idéia relacionada é a do mecanismo de preços das economias de mercado como um sistema de processamento de informação, tal como descrito pelo semideus libertário Friedrich Von Hayek. "Muito antes da queda do comunismo, Hayek identificou a sua debilidade, de que pouco se falava: o regime não só deixava de oferecer um incentivo para o trabalho duro; ele forçava os sinais que ligavam oferta e demanda a viajarem por caminhos tortuosos, o que levava a distorções." Wright, p.199.

PÁGINA 116: "Outros eram pessoas ocupadas": Entrevista com Rob Malda em abril de 2000.

Capítulo 5

PÁGINA 121: Descendente do Logo: As várias maneiras pelas quais Resnik alterou o modelo tartaruga do Logo são instrutivas: "Primeiro, o StarLogo tem muito mais tartarugas. Enquanto as versões comerciais do Logo costumavam ter somente algumas tartarugas, o StarLogo tem milhares delas. E o StarLogo é projetado como uma linguagem maciçamente paralela — assim, todas as tartarugas podem desempenhar suas ações ao mesmo tempo, em paralelo.... Segundo, as tartarugas de StarLogo têm melhores 'sentidos'. A tartaruga do Logo tradicional foi projetada primariamente como uma 'tartaruga de desenho', para criar formas geométricas e explorar idéias geométricas. Mas a tartaruga do StarLogo é mais uma 'tartaruga de comportamento'. As tartarugas do StarLogo vêm equipadas com 'sentidos'. Elas pode detectar (e distinguir) outras tartarugas vizinhas, e podem 'farejar' odores no mundo.... Terceiro, o StarLogo reifica o mundo das tartarugas. Nas versões tradicionais do Logo, o mundo das tartarugas não tem muitas características distintas. O mundo é simplesmente um lugar onde as tartarugas desenham com suas canetas. Cada pixel do mundo tem um único item de informação do estado — sua cor. O StarLogo confere um status muito mais alto ao mundo das tartarugas. O mundo é dividido em pequenas seções quadradas chamadas de *patches* (termo emprestado de Pauline Hogeweg, 1989). Esses *patches* têm muitas das mesmas capacidades das tartarugas — exceto que não podem se mover." Resnik, p.33-34.

PÁGINA 122: "'Cheirar' os pixels verdes": Entrevistas com Resnik em maio de 2000 e novembro de 1999.

PÁGINA 125: "mesmo *Marvin Minsky*": Resnik, p.119-20.

PÁGINA 125: Depois, é só pressionar: Deborah Gordon observa um fenômeno comparável nas colônias de formigas cortadeiras: "Uma lição das formigas é que, para compreender um sistema como o delas, não é suficiente colocar o sistema à parte. O comportamento de cada unidade não está encapsulado dentro dela, mas deriva de suas conexões com o resto do sistema. Para ver como os componentes produzem a resposta de todo o sistema, devemos seguir essas conexões em situações de mudança. Pode-se dissecar um cérebro em milhões de células nervosas separadas, mas nunca se encontrará nenhuma dedicada a pensar sobre a "natureza", ou as "formigas", ou qualquer outra coisa; pensamentos são produzidos pelo padrão de mudanças nas interações de neurônios. Os anticorpos se formam no sistema imunológico como conseqüência de encontros com células estrangeiras. As formigas não nascem para executar determinada tarefa; a função de uma formiga se modifica de acordo com as condições que ela encontra, incluindo as atividades das outras formigas." Gordon, p.168.

PÁGINA 128: O software de Hillis: Levy, p.195-200.

PÁGINA 128-9: "É possível até": Hillis, p.146.

PÁGINA 129: A curto prazo: Idem, p.138.

PÁGINA 133: "Um dos prazeres": Entrevista com Zimmerman em fevereiro de 2000.

PÁGINA 136: "Os novos conjuntos": Entrevista com Heywood em outubro de 2000.

PÁGINA 140: "O problema é": Entrevista com Wright em outubro de 2000.

PARTE 3

PÁGINA 144: "Um sistema de seleção": Edelman, 1992, p.190.

Capítulo 6

PÁGINA 146: É o equivalente: De Waal, p.49.

PÁGINA 147: Rizzollati chamou essas: Alison Motluck, "Read My Mind", *The New Scientist*, 27 de janeiro de 2001.

PÁGINA 148: para outras mentes: "Usando um teste totalmente diferente (o teste dos Smarties), Perner, Frith, Leslie e Leekham chegaram ao mesmo resultado básico. Nesse teste, o pesquisador mostra à criança uma caixa de balas e lhe pergunta: 'O que você acha que tem aí dentro?' Naturalmente, a criança responde: 'Balas.' Então, ele abre a caixa e a criança vê que na realidade ela contém lápis. O pesquisador fecha a caixa e faz duas perguntas. A primeira é: 'Quando eu mostrei esta caixa [antes de abri-la], o que você pensou que havia dentro dela?' Com certeza, a criança normal responderá corretamente, referindo-se à sua expectativa inicial, agora incorreta: 'Balas.' O experimentador prossegue: 'E quando a próxima criança entrar [ainda sem ter visto a caixa], o que ela vai pensar que tem dentro?' De novo, a criança normal corretamente responde, referindo-se à falsa expectativa da outra criança: 'Balas.' Quando Perner et al. apresentaram essa tarefa a crianças autistas, descobriram que a maioria delas respondeu 'Lápis' às duas perguntas. Isso é, elas responderam considerando seu próprio conhecimento do que havia na caixa, em vez de se referirem à sua falsa expectativa anterior ou à falsa expectativa de outra criança. A importância dessa descoberta é que, no autismo, há uma genuína incapacidade para compreender convicções diferentes de outras pessoas." Baron-Cohen, p.70-71.

PÁGINA 149: Se já somos conscientes de: Idem, p.130.

PÁGINA 150: A falta de: Dennett, 1991, p.324.

PÁGINA 150: Só quando começamos: Ray Kurzweil se refere a isso como a Escola 'A consciência é somente um máquina refletindo a si mesma". "... a consciência não é exatamente uma ilusão, mas apenas um outro processo lógico. É um processo respondendo e reagindo a si mesmo. Podemos construir isso em uma máquina: basta construir um procedimento que tenha um modelo de si mesmo e que examine e responda a seus próprios métodos. Permita ao processo refletir sobre si mesmo. Então, você tem consciência. Ela é um conjunto de habilidades que evoluíram porque modos auto-refletidos de pensar são inerentemente mais poderosos." Kurzweil, p.58.

PÁGINA 150: A grande maioria: A interação social está profundamente interligada com a química do cérebro: "Quanto mais altos forem a sua auto-estima e o seu padrão social em relação aos que o circundam, maior será o seu nível de serotonina. Experiências com macacos revelam que é o comportamento social que vem primeiro. A serotonina está abundantemente presente nos macacos dominantes e muito mais diluída em seus subordinados. Causa ou efeito? Quase todo mundo considerava que a química era, pelo menos parcialmente, a causa: com isso, deduzia-se que o comportamento dominante resultava da química, não vice-versa. Acontece que é o contrário: os níveis de serotonina reagem à percepção do macaco sobre sua própria posição na hierarquia, e não o contrário." Ridley, p.170.

PÁGINA 150: Entre os primatas: Baron-Cohen, p.15.

PÁGINA 150: os orangotangos levam: Diamond, 1997.

PÁGINA 150: da era plistocênica: "Que houve uma intensa evolução neurocognitiva durante a era plistocênica não há dúvidas. O cérebro aumentou três vezes de tamanho nos 3 milhões de anos desde a evolução do *Australopithecus afarensis*, passando de cerca de 400 centímetros cúbicos ao seu tamanho atual, de cerca de 1.350 centímetros cúbicos.

Provavelmente houve muitas causas para o aumento do tamanho do cérebro, mas um fator-chave, sobre o qual muitos teóricos concordam, é a necessidade de maior inteligência social para processar informação sobre o comportamento dos outros e reagir para se adaptar a esse comportamento. É provável que a necessidade de maior inteligência social se deu porque a grande maioria dos primatas não-humanos são animais sociais, vivendo em grupos que variam de dois até cerca de duzentos indivíduos." Baron-Cohen, p.13-14.

PÁGINA 151: Não sabemos com: "...a rede do cérebro é criada por movimento celular durante o desenvolvimento e pela extensão e conexão de um número cada vez maior de neurônios. O cérebro é um exemplo de sistema auto-organizável. Um exame desse sistema durante seu desenvolvimento e de suas ramificações mais microscópicas depois do desenvolvimento indica que ligações precisas ponto-a-ponto (como em um dispositivo eletrônico) não podem ocorrer. A variação é muito grande." Edelman, 1992, p.25.

PÁGINA 151: Nenhum neurônio individual: Jefferson disse: "Quando ouvimos dizer que válvulas sem fio pensam, podemos não entender as palavras. Mas nenhum especialista em cibernética disse que as *válvulas* pensam, assim como ninguém diria que as células nervosas pensam. Aqui está a confusão. Foi o sistema como um todo que "pensou", na visão de Alain Turing, e foi a estrutura lógica do sistema, não seu próprio corpo físico, que tornou isto possível." Hodges, p.405.

PÁGINA 152: Seguindo as pegadas: O grau de "naturalidade" dessas soluções é uma pergunta que permanece em aberto. Ver a citação de Mumford à p.81-2.

PÁGINA 152: Uma comunidade dessa escala: Essas soluções bottom-up não são inteiramente aceitas. Pode-se argumentar que a batalha real dos próximos dez anos na Web será a batalha entre as forças hierárquicas (AOL Time Warner, o governo chinês) e as forças descentralizadas descritas neste livro. Como observa De Landa: "Embora as instituições antimercado já tivessem uma presença precoce na rede dos computadores, hoje elas invadem a Internet com uma força sem precedentes. É possível que as redes que já se acumularam na Internet venham a mostrar-se elásticas o bastante para sobreviver ao ataque e continuar a florescer.

Mas também é possível, ao contrário, que, nas próximas décadas, as hierarquias se acumulem, talvez até fazendo a rede regredir para um sistema de distribuição de informação do tipo um-para-muitos. Certamente o resultado dessa luta ainda não foi estabelecido." De Landa, 1997, p.254.

PÁGINA 156: "Em outras palavras": Entrevista com Wright em outubro de 2000.

PÁGINA 166: Os mercados — mesmo aqueles: A natureza hierárquica da corporação moderna não é uma circunstância nova. O historiador Fernand Braudel chega até a descrever as estruturas capitalistas como intrinsecamente top-down, em oposição às forças de mercado descentralizadas, de nível mais baixo. "Ainda há uma dialética muito viva entre o capitalismo de um lado e sua antítese, o 'não-capitalismo' de nível mais baixo, do outro.... [Esse] nível mais baixo, por não estar paralisado pelo tamanho de sua fábrica ou organização, está pronto a se adaptar; é a semente da inspiração, da improvisação e mesmo da inovação, embora suas mais brilhantes descobertas cedo ou tarde caiam em mãos dos donos do capital. Não foram os capitalistas que efetuaram a primeira revolução do algodão; todas as novas idéias vieram de pequenos negócios empreendedores." Citado por De Landa, 1997, p.46.

PÁGINA 166: Essas qualidades tornam: "Atualmente, muitas organizações estão tentando conscientemente imaginar como podem usar os princípios da auto-organização sem se desintegrarem ou se tornarem inertes — em suma, como avatares de complexidade fértil. A Ecotrust lista essas três exigências: (a) agentes autônomos capazes de tomar decisões independentes dentro de um quadro de regras relativamente simples; (b) ligações de Web e rede moderadamente densas entre os agentes — isto é, as partes da organização; e (c) vigorosas experiências feitas pelos agentes, treinados para responder a feedback com resultados." Jacobs, 2000, p.177.

PÁGINA 167: A empresa australiana: *Emergência*, p.46.

PÁGINA 169: Naomi Klein escreveu: Klein.

PÁGINA 169: De um modo geral: Como sempre, a construção de sistemas emergentes não é uma garantia de que serão melhores que os sistemas antigos. Você deve tomar as variáveis certas. "A mera presença de uma rede emergente não significa que tenhamos dado a um segmento da sociedade uma estrutura menos opressiva. A natureza do resultado dependerá do caráter dos elementos heterogêneos entrelaçados, como observamos nas comunidades da Internet: sem dúvida, elas são menos estratificadas do que aquelas sujeitas à massificação pela mídia do tipo um-para-muitos. Mas, como qualquer um, de qualquer bandeira política — mesmo fascista —, pode se beneficiar dessa falta de estratificação, a mera existência de uma rede de computadores não é garantia de que um mundo melhor se desenvolverá ali." De Landa, 1997, p.272.

Capítulo 7

PÁGINA 170: O segredo de Dorigo: Bonabeau e Thiraulaz, p.73.

Bibliografia

ALEXANDER, Christopher et al. *A Pattern Language. Towns, Buildings, Construction.* Nova York: Oxford University Press, 1977.

AXLEROD, Robert. *The Evolution of Cooperation.* Nova York: Basic Books, 1984.

BAK, Per. *How Nature Works. The Science of Self-Organized Criticality.* Nova York: Springer-Verlag, 1996.

BALL, Philip. *The Self-Made Tapestry. Pattern Formation in Nature.* Nova York, Oxford e Tokyo: Oxford University Press, 1999.

BARON-COHEN, Simon. *Mindblindness. An Essay on Autism and Theory of Mind.* Cambridge/Londres: MIT Press, 1999.

_____ (org.) *The Maladapted Mind. Classic Readings in Evolutionary Psychopathology.* East Sussex: Psychology Press, 1997.

BECKER, Konrad et al. "An Interview with Manuel De Landa." Publicação on-line. www.t0.or.at/delanda/intdeladna.htm, maio de 2000.

BENJAMIN, Walter. *The Arcades Project.* Cambridge/Londres: Harvard University Press, 1999.

BERNARDINI, Wesley. "Transitions in Social Organization. A Predictive Model from Southwestern Archaelogy". *Journal of Anthropological Archaelogy* 15, 1996, p.372-402.

BERNERS-LEE, Tim. *Weaving the Web. The Original Design and Ultimate Destiny of the World Wide Web by its Inventor.* Nova York: HarperCollins, 1999.

BONABEAU, Eric e Guy Thiraulaz. "Swarm Smarts". *Scientific American*, março de 2000, p.73-9.

BORSOOK, Eve. *The Companion Guide to Florence.* Englewood Cliffs, Nova Jersey: Prentice-Hall, 1973.

BRAND, Stewart. *How Buildings Learn. What Happens After They're Built.* Nova York/Londres: Penguin Books, 1994.

BRAUDEL, Fernand. *A History of Civilizations.* Nova York/Londres: Penguin Books, 1993.

_____. *The Perspective of the World. Civilization and Capitalism, 15th-18th Century*, vol.3. Berkeley/Los Angeles: University of California Press, 1992.

_____. *The Wheels of Commerce. Civilization and Capitalism. 15th-18th Century*. vol.2. Berkeley/Los Angeles: University of California Press, 1992.

BRIGGS, Asa. *Victorian Cities*. Berkeley/Los Angeles: University of California Press, 1963, 1970.

BROSTERMAN, Norman. *Inventig Kindergarten*. Nova York: Harry N. Abrams, 1997.

BUCK-MORSS, Susan. *Dialectics of Seeing*. Cambridge, Mass.: MIT Press, 1990.

BURROWS, Edwin G. e Mike Wallace. *Gotham. A History of New York City to 1895*. Nova York/Oxford: Oxford University Press, 1999.

CALVIN, William. *The Cerebral Code. Thinking a Thought in the Mosaics of the Mind*. Cambridge/Londres: MIT Press, 1996.

CLARK, Andy. *Being There. Putting Brain, Body and World Together Again*. Londres/Cambridge: MIT Press, 1997.

COLEMAN Jr., Henry J. "What Enables Self-Organizing Behavior in Business". *Emergence* 1, nº1, 1999, p.33-48.

COLLINS, George R. e Christiane Crasemann Collins. *Camillo Sitte. The Birth of Modern City Planning*. Nova York: Rizzoli, 1986.

CONNOLLY, Peter e Hazel Dodge. *The Ancient City. Life in Classical Athens and Rome*. Nova York/Oxford: Oxford University Press, 1998.

CORBUSIER, Le. *Towards a New Architecture*. Nova York: Dover Publications, 1986. [Trad. bras. *Por uma arquitetura*, São Paulo, Perspectiva, 2002.]

DAVIS, Mike. *City of Quartz. Excavating in Future in Los Angeles*. Nova York: Vintage Books, 1992.

DAWKINS Richard. *Climbing Mount Improbable*. Nova York/Londres: W.W. Norton, 1996. [Trad. bras. *A escalada do monte improvável*. São Paulo, Companhia das Letras, 1998.]

_____. *The Extended Phenotype. The Long Reach of the Gene*. Nova York/Oxford: Oxford University Press, 1982.

_____. *Unweaving the Rainbow. Science, Delusion and the Appetite for Wonder*. Londres: Penguin Press, 1998. [Trad. bras. *Decompondo o arco-íris*, São Paulo, Companhia das Letras, 2000.]

DEAN, Katie. "Attention Kids. Play This Game". *Wired News*, 19 de dezembro de 2000.

DEHAENE, Stanislas, Michel Kerszberg e Jean-Pierre Changeux. "A Neuronal Model of a Global Workspace in Effortful Cognitive Tasks". *Proceedings of the National Academy of Sciences of the United States of America*, 95, 1998, p.14.529-34.

DE LANDA, Manuel. *A Thousand Years of Nonlinear History*. Nova York: Zone Books, Swerve Editions, 1997.

_____. *War in the Age of Intelligent Machines*. Nova York: Zone Books, Swerve Editions, 1991.

DENEUBOURG, J. L., S. Aron, S. Goss, J. M. Pasteels e G. Duerinck. "Random Behavior, Amplification Processes and Number or Participants. How They Contribute to the Foraging Properties of Ants". *Physica D* 22, 1986, p.176-86.

DENNET, Daniel C. *Brainchildren. Essays no Designing Minds*. Cambridge: MIT Press, 1998.

_____. *Consciousness Explained.* Boston/Londres/Toronto: Little Brown, 1991.

DE WAAL, Franz. *Chimpanzee Politics.* Baltimore: Johns Hopkins University Press, 1982.

DIAMOND, Jared. *Guns, Germs and Steel. The Fates of Human Societies.* Nova York/Londres: W.W. Norton, 1997. [Trad. bras. *Armas, germes e arcos*, Rio de Janeiro, Record, 2001.]

_____. *Why is Sex Fun? The Evolution of Human Sexuality.* Nova York: Basic Books, 1997. [Trad. bras. Por que o sexo é divertido?, Rio de Janeiro, Rocco, 1999]

DICKENS, Charles. *Bleak House.* Boston: Houghton-Mifflin/Riverside Editions, 1956.

DONALDSON, Margaret. *Children's Minds.* Nova York: W.W. Norton, 1978. [Trad. bras. *A mente da criança*, São Paulo, Martins Fontes, 1994.]

DYSON, George B. *Darwin Among the Machines: The Evolution of Global Intelligence.* Nova York/Menlo Park: Addison Wesley, 1997.

EDELMAN, Gerald M. *Bright Air, Brilliant Fire. On the Matter of Mind.* Nova York: Basic Books, 1992.

_____. "Building a Picture of the Brain". *Daedalus,* 127, primavera de 1998, p.37-69.

_____. *Topobiology. An Introduction to Molecular Embryology.* Nova York: Basic Books, 1988.

EDELMAN, Gerald e Giulio Tononi. *A Universe of Consciousness. How Matter Becomes Imagination.* Nova York: Basic Books, 2000.

EDITORES de *Scientific American. The Scientific American Book of the Brain.* Nova York: Lyons Press, 1999.

ENGELS, Friedrich. *The Condition of the Working Class in England.* Nova York: Penguin, 1987. [Trad. bras. *A situação da classe operária na Inglaterra*, São Paulo, Global, 1986.]

ETCOFF, Nancy. *Survival of the Prettiest. The Science of Beauty.* Nova York/Londres: Doubleday, 1999.

FALLOWS, James. *Breaking the News. How the Media Undermine American Democracy.* Nova York: Vintage, 1997.

FLAKE, Gary William. *The Computational Beauty of Nature. Computer Exploration of Fractals, Chaos, Complex Systems, and Adaptation.* Cambridge: MIT Press, 1998.

FOX KELLER, Evelyn. "The Force of the Pacemaker Concept in Theories of Aggregation in Cellular Slime Mold". Em *Reflections on Gender and Science.* New Haven: Yale University Press, 1996.

GARFINKEL, Alan. "The Slime Mold Dictyostelium as a Model of Self-Organization in Social Systems". Em Eugene Yates (org.) *Self-Organizing Systems. The Emergency of Order.* Nova York/Londres: Plenum Press, 1987.

GARREAU, Joel. *Edge City. Life on the Frontier.* Nova York: Doubleday, 1991.

GELERTNER, David. *Mirror Worlds, or the Day Software Puts the Universe in a Shoebox... How It Will Happen and What It Will Mean.* Nova York/Oxford: Oxford University Press, 1992.

GELL-MANN, Murray. *The Quark and the Jaguar. Adventures in the Simple and the Complex.* Nova York: W.H. Freeman and Co., 1994.

GIES, Joseph e Frances Gies. *Life in a Medieval City.* Nova York: Harper Perennial, 1969.
GLEIK, James. *Chaos. Making a New Science.* Nova York/Londres: Penguin Books, 1987.
GORDON, Deborah. *Ants at Work. How an Insect Society is Organized.* Nova York: Free Press, 1999. [Ed. bras.: *Formigas em ação* (Como se organiza uma sociedade de insetos), Rio de Janeiro, Zahar, 2002.]
GOULD, Stephen Jay. *Full House. The Spread of Excellence from Plato to Darwin.* Nova York: Harmony Books, 1996.
_____. *The Panda's Thumb. More Reflections on Natural History.* Nova York/Londres,: W.W. Norton, 1980.
_____. *Wonderful Life. The Burgess Shale and the Nature of History.* Nova York/Londres: W.W. Norton, 1989.
GUZELDERE, Guven e Stefano Franchi (org.). "Bridging the Gap: Where Cognitive Science Meets Literary Criticism". *Stanford Humanities Review*, 4, nº 1, primavera de 1994, supl.
HALL, Peter. *Cities of Tomorrow. An Intellectual History of Urban Planning and Design in the Twentieth Century.* Cambridge/Oxford/Reino Unido: Blackwell Publishers, 1988. [Trad. bras. *Cidades do amanhã*, São Paulo, Perspectiva, 2002.]
HARVEY, David. *The Urban Experience.* Baltimore: Johns Hopkins University Press, 1989.
HAYLES, N. Katherine. *Chaos Bound. Orderly Disorder in Contemporary Literature and Science.* Ithaca/Nova York/Londres: Cornell University Press, 1990.
_____. *Chaos and Order. Complex Dynamics in Literature and Science.* Chicago: University of Chicago Press, 1991.
HIBBERT, Christopher. *Florence. The Biography of a City.* Nova York/Londres: W.W. Norton, 1993.
_____. *The House of the Medici. Its Rise and Fall.* Nova York/Londres: William Morrow, 1975.
HILLIS, Daniel. *The Pattern on the Stone. The Simple Ideas That Make Computers Work.* Nova York: Basic Books, 1998. [Trad. bras. *O padrão gravado na pedra*, Rio de Janeiro, Rocco, 2000.]
HODGES, Andrew. *Alan Turing. The Enigma.* Nova York: Walker and Co., 2000.
HOFFMAN, Donald D. *Visual Intelligence. How We Create What We See.* Nova York/Londres: W.W. Norton, 1998. [Trad. bras. *Inteligência virtual*, Rio de Janeiro, Campus, 2000.]
HOFSTADTER, Douglas. *Gödel, Escher, Bach. An Eternal Golden Braid.* Nova York: Basic Books, 1979. [Trad. bras. *Gödel, Escher, Bach. Laços eternos*, Brasília, UnB, 2000.]
_____. *Le Ton beau de Marot. In Praise of the Music of Language.* Nova York: Basic Books, 1997.
HOLLAND, John H. *Emergence. From Chaos to Order.* Reading: Helix, 1998.
_____. *Hidden Order.* Reading: Helix, 1995. [Trad. bras. *A ordem oculta*, São Paulo, Gradiva, 1997.]
HUMPHREY, Nicholas. *A History of the Mind. Evolution and the Birth of Human Consciousness.* Nova York: Springer-Verlag/Copernicus Editions, 1992.

HUXLEY, Aldous. *The Doors of Perception* e *Heaven and Hell*. Nova York: Harper Perennial, 1963. [Trad. bras. *As portas da percepção*, São Paulo, Globo, 2002.]

IBERALL, Arthur S. "A Physics for Studies of Civilization". Em Eugene F. Yates (org.). *Self-Organizing Systems. The Emergence of Order*. Nova York/Londres: Plenum Press, 1987.

INCE, D.C. (org.). *Mechanical Intelligence*, vol.3. *The Collected Works of Alan Turing*. Nova York: Elsevier Science Publishing, 1992.

INNES, Judith E, e David E. Booher. "Metropolitan Developments as a Complex System: A New Approach to Sustainability". *Economics Development Quaterly*, nº13, 1999, p.141-56.

JACOBS, Jane. *The Death and Life of Great American Cities*. Nova York: Vintage, 1961. [Trad. bras. *Morte e vida das grandes cidades*. São Paulo, Martins Fontes, 2001.]

_____. *The Nature of Economics*. Nova York: Modern Library Original, 2000. [Trad. bras. *A natureza das economias*, São Paulo, Beca, 2001.]

JOHNSON, George. *Fire in the Mind. Science, Faith and the Search for Order*. Nova York: Vintage, 1995. [Trad. bras. *Fogo na mente*, Rio de Janeiro, Campus, 1997.]

JOHNSON, Steven. *Interface Culture. How New Technology Transforms the Way We Create and Communicate*. São Francisco: Harper Edge, 1997. [Trad. bras. *A cultura da interface*, Rio de Janeiro, Zahar, 2001.]

JONES, Steve. *The Language of Genes. Solving the Mysteries of Our Genetic Past, Present and Future*. Nova York/Londres: Anchor Books, Doubleday, 1993.

JOYCE James. *Ulysses*. Nova York: Vintage, 1986. [Trad. bras. *Ulisses*, Rio de Janeiro, Civilização Brasileira, 1996.]

KARSAI, Istvan, e John W. Wenzel. "Productivity, individual-level and colony-level flexibility, and organization of work as consequences of colony size". *Proceedings of the National Academy of Sciences of the United States of America*, nº95, 1998, p.8.665-9.

KATZ, Peter. *The New Urbanism. Toward an Architecture of Community*. Nova York/São Francisco/Washington: McGraw-Hill, 1994.

KAUFFMAN, Stuart. *At Home in the Universe. The Search for the Laws of Self-Organization and Complexity*. Nova York/Oxford: Oxoford University Press, 1995.

KELLY, Kevin. *Out of Control*. Nova York: Addison-Wesley, 1994.

KELSO, J.A. Scott. *Dynamic Patterns. The Self-Organization of Brain and Behavior*. Londres/Cambridge: MIT Press, 1999.

KESSIN, Richard H., e Michiel M. Campagne. "The Development of a Social Amoeba". *American Scientist*, v.80, nº6, 1992, p.556-65.

KLEIN, Naomi. "The Vision Thing". *The Nation*, 10 de julho de 2000.

KOCH, Christof, e Gilles Laurent. "Complexity and the Nervous System". *Science*, nº284, 1999, p.96-8.

KOWALEWSKI, Stephen A. "The Evolution of Complexity in the Valley of Oaxaca". *Annual Review of Anthropology*, nº19, 1990, p.39-58.

KRAMER, Peter. *Listening to Prozac*. Nova York/Londres: Penguin Books, 1993.

KRUGMAN, Paul. *The Self-Organizing Economy.* Oxford/Reino Unido/Malden: Blackwell Publishers, 1996.

KUHN, Thomas. *The Structure of Scientific Revolutions.* Chicago: University of Chicago Press, 2ª ed. [1962], 1970. [Trad. bras. *A estrutura das Revoluções Científicas,* São Paulo, Perspectiva, 1998.]

KUNSTLER, James Howard. *The Geography of Nowhere. The Rise and Decline of America's Man-Made Landscape.* Nova York: Touchstone, 1993.

_____. *Home from Nowhere. Remaking of Our Everyday World for the 21st Century.* Nova York: Touchstone, 1996.

KURZWEIL, Ray. *The Age of Spiritual Machines. When Computers Exceed Human Intelligence.* Nova York: Penguin Books, 1999.

LANGTON, Christopher, et al. (orgs.). *Artificial Life II.* Redwood City/Menlo Park: Addison Wesley, 1990.

LEONARD, Andrew. *Bots. The Origin of New Species.* São Francisco: Hardwired Books, 1997.

LESSIG, Lawrence. *Code, and Other Laws of Cyberspace.* Nova York: Basic Books, 1999.

LEVY, Steven. *Artificial Life. A Report from the Frontier Where Computers Meet Biology.* Nova York: Vintage, 1992.

LEWIN, Roger. *Complexity. Life and the Edge of Chaos.* Nova York: Macmillan, 1992. [Trad. bras. *Complexidade,* Rio de Janeiro, Rocco, 1994.]

LEWIS, R.W.B. *The City of Florence. Historical Vistas and Personal Sightings.* Nova York: Farrar, Straus & Giroux, 1995.

LIPPMANN, Walter. *Public Opinion.* Nova York: Free Press, 1922, 1949, 1997.

LUCAS-DUBREDON, J. *Daily Life in Florence. In the Time of the Medicis.* Nova York: Macmillan, 1961.

LUMER, E.D., G.M. Edelman, e G. Tononi. "Neural dynamics in a model of the thalamocortical system I. Layers, loops and the emergence of fast synchronous rhythms". *Cerebral Cortex,* nº7, 1997, p.207-27.

LYNCH, Kevin. *The Image of the City.* Cambridge: MIT Press, 1997. [Trad. bras. *A imagem das cidades,* São Paulo, Martins Fontes, 1997.]

MACLEOD, Katrina, Alex Becker e Gilles Laurent. "Who reads temporal information contained across synchronized and oscillatory spike trains?" *Nature,* nº395, 1998, p.693-8.

MARCUS, Steven. *Engels, Manchester, and the Working Class.* Nova York: W.W. Norton, 1974.

MCCANN, Kevin, Alan Hastings e Gary R. Huxel. "Weak trophic interactions and the balance of nature". *Nature,* nº395, 1998, p.794-8.

MCINTOSH, Anthony Randal, M. Natasha Rajah e Nancy J. Lobaugh. "Interactions of Prefrontal Cortex in Relation to Awareness in Sensory Learning". *Science,* nº28, maio de 1999, p.1531-3.

MCLUHAN, Marshall. *Understanding Media. The Extensions of Man.* Cambridge, Mass.: MIT Press, 1994.

MINSKY, Marvin. *The Society of Mind.* Nova York: Touchstone, 1985.

MITCHELL, William J. *City of Bits. Space, Place and the Infobahn.* Londres/Cambridge: MIT Press, 1995.

MITHEN, Steven. *The Prehistory of Mind. The Cognitive Origins of Art, Religion and Science.* Londres: Thames & Hudson, 1996.

MORETTI, Franco. *Atlas of the European Novel, 1800-1900.* Nova York/Londres: Verso, 1998.

MORGAN, Gareth. *Images of Organization.* São Francisco: Berren-Koehler Publishers, 1997; Thousand Oaks: Sage Publications, 1997.

MORRISON, Philip, Phylis Morrison e Escritório de Charles & Ray Eames. *Powers of Tem. About the Relative Size of Things in the Universe.* Nova York: Scientific American Library, 1999.

MOUNTCASTLE, Vernon B. "Brain Science at the Century's Ebb". *Daedalus*, nº127, primavera de 1998, p.1-36.

MUMFORD, Lewis. *The City in History. Its Origins, Its Transformations and Its Prospects.* Nova York/Londres: Harcourt/Brace/Jovanovich, 1961. [Trad. bras. *A cidade na história.* São Paulo, Martins Fontes, 2001.]

_____. "The Sky Line". *The New Yorker,* 1º de dezembro de 1962, p.148-77.

MURPHY, Michael P. e Luke A. J. O'Neill. (orgs.). *What Is Life? The Next Fifty Years. Speculations on the Future of Biology.* Cambridge/Reino Unido: Cambridge University Press, 1995. [Trad. bras. *O que é vida?*, São Paulo, Unesp, 1997.]

ORNSTEIN, Robert, e Richard Thompson. *The Amazing Brain.* Boston: Houghton-Mifflin, 1984.

PENROSE, Roger. *The Emperor's New Mind. Concerning Computers, Minds, and the Laws of Physics.* Nova York: Penguin Books, 1991. [Trad. bras. *A mente nova do rei*, Rio de Janeiro, Campus, 1997.]

PHILIPS, William A., e Wolf Singer. "In search of commom foundations for cortical computation". *Behavioral and Brain Sciences*, nº20, 1997, p.657-722.

PINKER, Steven. *How the Mind Works.* Nova York: Norton, 1997.

_____. *The Language Instinct. How the Mind Creates Language.* Nova York: Harper Perennial, 1994.

PRIGOGINE, Ilya e G. Nicolis. *Exploring Complexity.* Nova York: W. H. Freeman, 1989.

RESNIK, Mitchell. *Turtles, Termites, and Traffic Jams. Explorations in Massively Parallel Microworlds.* Cambridge, Mass. e Londres: MIT Press, 1999.

RESTAK, Richard. *Brainscapes. An Introduction to What Neuroscience Has Learned About the Structure, Function, and Abilities of the Brain.* Nova York: Hyperion, 1995.

RIDLEY, Matt. *Genome. The Autobiography of a Species in 23 Chapters.* Nova York: HarperCollins, 1999.

ROGERS, Richard. *Cities for a Small Planet.* Londres: Faber and Faber, 1997.

ROSENSTIEL, Tom. *Strange Bedfellows. How Television and the Presidential Candidates Changed American Politics, 1992.* Nova York: Hyperion, 1993.

RUSHKOFF, Douglas. *Coercion. Why We Listen to What "They" Say.* Nova York: Riverhead Books, 1999.

_____. *Media Virus!: Hidden Agendas in Popular Culture.* Nova York: Ballantine Books, 1994.

RYBCZYNSKI, Witold. *A Clearing in the Distance. Frederik Law Olmsted and America in the Nineteenth Century.* Nova York: Scribner, 1999.

SACKS, Oliver. *An Anthropologist on Mars.* Nova York: Vintage Books, 1995.

SADLER, Simon. *The Situationist City.* Cambridge/Londres: MIT Press, 1998.

SCHATER, Daniel L. *Searching for Memory. The Brain, the Mind and the Past.* Nova York: Basic Books, 1997.

SCHELLING, Thomas. *Micromotives and Microbehavior.* Nova York/Londres: W.W.Norton, 1978.

SCHREIBER, Darren. "The Emergence of Parties. An Agent-Based Model". Publicação on-line. www.swarm.org/community-links.html, 20 de março de 2000.

SCHROEDER, Manfred. *Fractals, Chaos, Power Laws. Minutes from an Infinite Paradise.* Nova York: W. H. Freeman and Co., 1991.

SELFRIDGE, O. G. "Pandemonium. A Paradigm for Learning". Em *Mechanization of Thought Processes. Proceedings of a Synposium Held at the National Physical Laboratory in November 1958.* Londres: Her Majest's Stationery Office, 1959.

SELFRIDGE, Oliver G., Edwina L. Rissland e Michael A. Arbib (orgs.). *Adaptive Control of III-Defined Systems.* Nova York/Londres: Plenum Press, 1984.

SENNETT, Richard. *The Conscience of the Eye. The Design and Social Life of Cities.* Nova York: Knopf, 1990.

_____. *The Fall of Public Man. On the Social Psychology of Capitalism.* Nova York: Vintage, 1978.

_____ (org.). *Classic Essays on the Culture of Cities.* Englewood Cliffs, N.J.: Prentice-Hall, 1969.

SHAH, A.M., B.S. Baviskar e E.A. Ramaswamy. *Complex Organizations and Urban Communities. Social Structure and Change*, vol.3. Nova Déli/Londres/Thousand Oaks: Sage Publications, Inc., 1996.

SHANNON, Claude E. *The Mathematical Theory of Communication.* Chicago: University of Illinois Press, 1998.

SHAPIRO, Andrew L. *The Control Revolution. How the Internet Is Putting Individuals in Charge and Changing the World We Know.* Nova York: Century Foundation Books, 1999.

STEPHENSON, Neal. *Cryptonomicon.* Nova York: Avon Books, 1999.

STOPFER, Mark, Seetha Bhagavan, Brian H. Smith e Gilles Laurent. "Impaired odor discrimination on desychronization of odor-encoding neural assemblies". *Nature*, nº390, 1997, p.70-4.

STORR, Anthony. *Music and the Mind.* Nova York: Free Press, 1992.

STROHMAN, Richard C. "The coming Kuhnian revolution in biology". *Nature Biotechnology*, nº15, 1997, p.194-200.

TAYLOR, John. *The Race for Consciousness.* Cambridge/Londres: MIT Press, 1999.

THOMAS, Lewis. *The Lives of a Cell. Notes of a Biology Watcher.* Nova York: Penguin, 1974.

THOMPSON, E.P. *Customs in Common. Studies in Traditional Popular Culture.* Nova York: New Press, 1993.

TONONI, Giulio e Gerald M. Edelman. "Consciousness and Complexity". *Science,* nº282, 1998, p.1.846-51.

_____. "Consciousness and the Integration of Information in the Brain". *Consciousness. At the Frontiers of Neuroscience, Advances in Neurology*, nº77, 1998, p.245-80.

TONONI, Giulio, Gerald M. Edelman e Olaf Sporns. "A complexity measure for selective matching of signals by the brain". *Proceedings of the National Academy of Sciences of the United States of America*, nº93, 1996, p.3422-7.

_____. "Information in the brain". *Trends in Cognitive Sciences*, nº2, 1998.

_____. "Measures of degeneracy and redundancy in biological networks". *Proceedings of The National Academy of Sciences of The United States of America*, nº96, 1999, p.3.257-62.

TONONI, Giulio, R. Srinivasan, D.P. Russell e G. M. Edelman. "Investigating neural correlates of conscious perception by frequency-tagged neuromagnetic responses". *Proceedings of the National Academy of Sciences of the United States of America*, nº95, 1998, p.3.198-203.

VARELA, Francisco, Evan Thompson e Eleanor Rosch. *The Embodied Mind. Cognitive Science and Human Experience.* Cambridge/Londres: MIT Press, 1993. [Trad. bras. *A mente incorporada*, Rio de Janeiro, Artmed, 2003.]

WALDROP, Mitchell M. *Complexity. The Emerging Science at the Edge of Order and Chaos.* Nova York/Londres: Simon and Schuster, 1992.

WATTS, Duncan J. e Steven H. Strogatz. "Collective dynamics of small-world networks". *Nature*, nº393, 1998, p.440-2.

WEAVER, Warren. "Science and Complexity". *American Scientist*, nº36, 1948, p.536.

WEISS, Michael J. *The Clustered World. How We Live, What We Buy, and What It All Means About Who We Are.* Nova York/Londres/Boston: Little Brown, 2000.

WHITE, Leslie. "Energy and the Evolution of Culture". *American Anthropologist*, nº45, 1943, p.335-56.

WIENER, Norbert. *Cybernetics. Or, Control and Communication in the Animal and the Machine.* Cambridge: MIT Press, 1948. [Trad. bras. *Cibernética e sociedade*, São Paulo, Cultrix, 1999.]

WILLIAMS, Raymond. *The Country and the City.* Nova York: Oxford University Press, 1973. [Trad. bras. *O campo e a cidade*, São Paulo, Companhia das Letras, 1989.]

WILLIS, William e Robert Grossman (orgs.). *Medical Neurobiology.* St. Louis: CB Mose-by Company, 1977.

WILSON, Edward O., *Consilience: The Unity of Knowledge.* Nova York: Knopf, 1998.

_____. *Sociobiology*. Cambridge/Londres: Harvard University Press, 1975, 1980.

WILSON, Edward O., e Bert Holldobler. *The Ants.* Cambridge: Harvard University Press, 1980.

WRIGHT, Robert. *NonZero. The Logic of Human Destiny.* Nova York: Pantheon Books, 2000. [Trad. bras. *Não zero*, Rio de Janeiro, Campus, 2000.]

Agradecimentos

De certo modo, a idéia deste livro começou com um presente por ocasião do meu 30º aniversário — na realidade, dois presentes distintos que, por coincidência eram o mesmo livro; um recebi de meu pai e o outro, de meu mais velho amigo, o arquiteto e web-designer Eric Liftin. O livro em questão era um atlas de grande formato com mapas de cidades do século XIX e incluía uma surpreendente imagem de Hamburgo que tinha uma semelhança espantosa com um corte de perfil de um cérebro humano. Eu havia seguido, no ano anterior, dois caminhos diferentes de leitura — um sobre cidades e outro sobre a mente. De alguma maneira, aquela imagem de Hamburgo fez surgir uma vaga ligação em minha cabeça, e comecei a imaginar que talvez os dois caminhos tivessem uma interseção secreta.

Outras raízes devem ser mencionadas. Eu havia escrito sobre teoria da complexidade e cultura em 1996, em um ensaio para *Lingua Franca*. Algumas páginas deste livro se originaram de um texto de 1998 do *Harper's* sobre equivalência de padrões e o software Alexa, um ensaio que se desenvolveu a partir do capítulo "Agentes" de meu último livro, *Cultura da Interface*. No início de 1999, escrevi uma introdução para a edição da *ID Magazine* que trazia os prêmios de fim de ano e tratava de controle em jogos de vídeo e design interativo. *Brill's Content* foi gentil o suficiente para me deixar ruminar algumas milhares de palavras sobre a idéia de "cérebro global" de Robert Wright, quando eu estava a meio caminho de terminar o manuscrito. E grande parte deste livro está ligada a coisas que escrevi ou editei para *FEED* nos últimos anos — particularmente nosso número especial sobre cérebro, jogos de vídeo e cidades. Portanto, um agradecimento especial a todos os meus editores dos últimos seis anos: meu co-editor chefe em *FEED*, Stefanie Syman; Alex Star; Sam Lipsyte; Amanda Griscom; Austin Bunn; James Ryerson; Alex Abramovich; Ben Cosgrove; Deborah Shapiro; Elaine Blair; Christiane Culhane; Mark Van der Walle; David Kuhn; Susan Burton; Franco Moretti e Chee Perlman.

Stefanie, Jamie e Eric também tiveram a gentileza de ler as primeiras versões deste manuscrito (meu colega Matt Goldberg leu o manuscrito por osmose). Agradeço a eles os comentários e sugestões. Naturalmente são responsáveis por quaisquer erros, e todas as partes boas são minhas.

Foi-me proporcionada uma oportunidade única durante a elaboração deste livro, pois parte de meu trabalho diário na Automatic Media consistia em ajudar no design e na implementação de software de auto-organização: principalmente no nosso site Plastic.com, que foi construído no código Slashdot. Não é comum que um escritor consiga construir algo sobre o que está escrevendo, e é pouco provável que ele o faça na companhia de tantas mentes brilhantes. Portanto, pompa especial para Lee deBoer, Joey Anuff, Matt Godlberg, Michael Kolbrener, Freyja Balmer, Jon Phelps, Rob Francis e J. J. Gifford. Eles merecem crédito extra pelo sofrimento de ouvir todas as minhas reflexões supercafeinadas sobre aglomerados e nós indicadores.

Este livro foi engrandecido pelas entrevistas que realizei com Manuel DeLanda, Richard Rogers, Deborah Gordon, Rob Malda, Jeff Bates, Oliver Selfridge, Will Wright, David Jefferson, Evelyn Fox Keller, Rik Heywood, Mitch Resnik, Steven Pinker, Eric Zimmerman, Nate Oostendorp, Brewster Kahle, Andrew Shapiro e Douglas Rushkoff. Lembro-me de várias conversas casuais que também tiveram impacto, sobretudo as que envolveram David Shenk, Ruthie Rogers, Roo Rogers, Mitch Kapor, Kevin Kelly, Annie Keating, Nicholas Butterworth, Kim Hawkins, Rory Kennedy, Mark Bailey, Frank Rich, Denise Caruso, Liz Garbus, Dan Cogan, Penny Lewis, John Brockman, Rufus Griscom, Jay Haynes, Betsey Schmidt, Stephen Green, Esther Dyson e meus estudantes do programa ITP da NYU, onde Red Burns generosamente me convidou a lecionar um seminário sobre software emergente em nível de pós-graduação. Minha família, como sempre, foi uma constante fonte de idéias e encorajamento — particularmente minhas duas ligações diretas com o mundo da medicina, minha mãe e minha irmã Sallie.

Para a maior parte do texto deste livro, Andrew Shroeder desempenhou um papel inestimável como assistente de pesquisa, levantando ensaios obscuros e fazendo leituras comigo (Jay Demas e Josh Saunders também ajudaram com importante pesquisa durante o trabalho). Minha agente, Lydia Wills, mais uma vez fez um magnífico trabalho de burilar uma primeira proposta, um rascunho desajeitado, para torná-lo algo que pudesse ser publicado. Meu editor da Penguin no Reino Unido, Stefan McGrath, fez várias contribuições oportunas e pertinentes ao manuscrito. Na Scribner, Rachel Sussman foi tremendamente paciente com meus prazos tardios. Quanto à minha talentosa editora Gillian Blake —, não somente não se esquivou quando lhe falei sobre minha idéia de abrir o livro com *Dictyostelium discoideum*; ela também providenciou a exata orientação conceitual e de sentença a sentença que eu necessitava para costurar um livro complicado e multifacetado.

E ainda há minha mulher, Alexa Robinson. Não há melhor editor no país, melhor advogada, caixa de ressonância e sistema de apoio. Ela é, de muitas maneiras, meu leitor ideal. Este livro — junto com nosso casamento — acabou sendo uma daquelas futuras colaborações a que aludi nos últimos agradecimentos, mas tenho certeza de que haverá mais e mais.

Há quatro anos aproximadamente, dias depois de Alexa e eu termos mudado para nosso apartamento no West Village, afinal peguei para ler o livro *Death and Life of Great American Cities,* de Jane Jacobs. Sabia que Jacobs havia vivido no Village enquanto escrevia o livro, mas não sabia exatamente onde. Desde o primeiro capítulo, ficou claro que ela devia ter morado bem perto. Após 100 páginas, com a ajuda da Web, consegui descobrir sua residência: não mais do que três quarteirões do nosso apartamento. Durante toda a redação deste livro, eu podia ver, do estúdio onde estava trabalhando, o telhado do velho edifício de Jacobs. Via os telhados e as calçadas de todo o West Village esparramados abaixo de mim, o balé urbano sobre o qual Jacobs havia escrito tão vigorosamente há 40 anos. Se livros como este precisam de agradecimentos, têm que começar — ou acabar — com a grande energia mutante e suas poderosas ligações. Este é um livro de cidades, tanto em sua matéria quanto em sua inspiração. Se você estiver lendo estas palavras em uma cidade relativamente vicejante, deixe o livro de lado, saia pelas ruas barulhentas e faça suas próprias conexões.

Março de 2001
Cidade de Nova York

Índice remissivo

ESTA OBRA FOI COMPOSTA POR TOPTEXTOS EDIÇÕES GRÁFICAS EM EUROSTILE E MINION E IMPRESSA EM PROCESSO SOB DEMANDA PELA UM LIVRO SOBRE PAPEL OFFSET PARA A EDITORA SCHWARCZ A PARTIR DE 2025

FSC
www.fsc.org
MISTO
Apoiando o manejo florestal responsável
FSC® C128038

A marca FSC® é a garantia de que a madeira utilizada na fabricação do papel deste livro provém de florestas que foram gerenciadas de maneira ambientalmente correta, socialmente justa e economicamente viável, além de outras fontes de origem controlada.